KB195855

사랑의 빛

사랑의 빛

초판 1쇄 인쇄 2020년 3월 30일
초판 1쇄 발행 2020년 3월 30일

지 은 이 박창용
펴 낸 이 박진성
펴 낸 곳 북에디션
편 집 서수비
디 자 인 김숙희
관 리 안진희

출판등록 2012년 3월 22일 제2016-000195호
주 소 서울시 구로구 개봉1동 고척로 82 202동 403호
대표전화 02) 2616-2683
팩 스 02) 2613-2685
전자우편 seosubi@hanmail.net

ISBN 979-11-85025-45-2 03810

• 책값은 뒤표지에 있습니다.
• 잘못 만들어진 책은 구입하신 서점에서 교환하실 수 있습니다.

• 북에디션출판사는 생각을담는어린이출판사의 단행본 브랜드입니다

사랑의 빛

박창용 소설집

• 서문 •

이 소설은 나눔과 베풂을 주제로 쓴 글이다. 두 눈을 잃은 젊은이가 역경을 딛고 일어서서 인간이 얼마나 위대한 일을 할 수 있는가를 감동적으로 쓴 작품이다. 세계 제일의 용접공이 되겠다는 꿈을 가진 소년은 예기치 못한 폭발사고로 두 눈의 시력을 잃었다. 절망에 빠진 아들의 모습을 바라보는 아버지의 마음은 까맣게 타들어갔다.

"평생 남의 도움만 받으려 하지 말고 한 번 쯤이라도 힘든 사람을 돕겠다는 생각을 해보라."는 아버지의 말씀은 잠자고 있던 어린 영혼을 뒤흔들어 깨웠다. 소년은 용기를 얻어서 '눈먼 자신이 할 수 있는 일이 무엇일까? 어떻게 남을 도울 수 있을까?'를 고민하기 시작한다.

세월을 초월하여 존재할 가치 있는 것들이 있다. 나눔과 베풂은 인류가 살아가는 동안 꼭 필요한 것이다. 자신이 가진 재능과 물질을 나누고 베풀면서 행복을 추구하는 사람들의 삶을 그렸다. 젊은 시절의 꿈과 좌절 그리고 다시 도전하여 재기하는 모습을 보면서 감동을 주고자 한다. 어렵고 힘든 시대에 살고 있는 사람들에게 꿈과 희망을 줄 수 있기를 바란다.

인간이 살아온 모습은 자신의 얼굴에 나타난다고 했다. 성인의 모습을 닮지는 못해도 악인의 모습으로 살지는 말아야겠다. 인간은 사람들이 부러워하는 것을 많이 소유하였다 하여 행복한 건 아니다. 또 가진 게 부족하다고 불행한 것도 아니다. 세상에는 자꾸만 가지려는 사람이 있고, 가진 걸 베풀고 나누면서 사는 사람도 많다. 행복을 욕심과 소유에 집착하여 외롭게 찾을게 아니라, 나눔과 베풂에 동참한다면 다툼과 갈등이 사라져서 훨씬 살기 좋은 세상으로 바뀔 것이다. 내가 소유한 것을 나누고 베푸는 삶에서 기쁨을 얻고 행복을 주는 사람들이 많아졌다. 그것은 줄 수 있는 마음의 여유가 있어서 기쁨이요, 받는 사람을 기쁘게 했으니 행복이다. 그것은 아무나 쉽게 할 수 없는 큰마음이며 복된 일이다.

또 한권의 책을 펴 낼 수 있도록 용기를 주고 성원하여 주신 선배, 친지, 동료 여러분께 고마운 마음을 전합니다. 또한 이 책을 발간할 수 있도록 격려와 도움을준 아동문학가 김용인님과 소설 출판에 적극적인 도움을 준 도서출판 북에디션 박진성 대표님께 깊은 감사를 드립니다.

2020년 3월

월정 박창용

• 차례 •

1 아내의 한숨

아까부터 빈 쌀독을 뒤지던 아내의 얼굴이 침울하게 변해갔다. 체념한 듯 넋이 나간 사람처럼 앉아서 땅이 꺼질 듯 한숨을 쉬더니 이내 구시렁대는 소리가 썰렁한 집안의 분위기를 깨트렸다.

"어느 세월에 독안에 쌀을 그득 쟁여 놓고서 맘껏 퍼먹으며 살아보려나?"

아내의 넋두리가 애처롭게 들려왔다. 평생 순종밖에 모르던 아내가 갑자기 변심이라도 한 것일까? 푸념하던 아내는 자신의 분을 삭이지 못한 탓인지 볼멘 짜증과 함께 모진 말이 거침없이 쏟아져 나왔다.

"도대체 지긋지긋한 가난을 언제쯤 떨쳐버릴 수 있단 말이야? 맨 날 이렇게 구차하게 살면서 자식새끼들 배곯게 하느니 차라리 논 귀퉁이에 파놓은 듬벙에라도 빠져 죽고 싶구먼."

섬뜩한 전율이 번개처럼 다가왔다. 방안에 앉아 서책을 뒤적이던 반씨의 머릿속이 멍해지더니 아내의 신세 한탄 소리가 칼끝처럼 예리하게 가슴에 꽂혔다. 배고픔의 고통만큼 서럽고 힘든 게 있을까? 그것은 가난의 고통을 겪으며 힘겹게 살고 있는 굶주림에 지친 한 맺힌 절규였다. 반씨는 아내의 슬픈 탄식을 듣는 순간 정신이 번쩍 들었다.

"내가 지금껏 뭘 하며 살아온 거여?"

가난에 찌든 아내 얼굴에 드리워진 깊은 주름살 한번 펴주지 못한 주제에 지난 수년간 과거준비에 매달려 대책 없이 살아왔다. 알량한 서생신분에 처자식을 건사하지도 못하면서 기약 없는 과거준비가 당치나한 일인가? 반씨는 자신의 한계도 모른 체 허송세월하며 보낸 세월이 야속하고 부끄러웠다. 그 순간 과거시험을 보아 작은 고을의 원님이나 하다 못해 육방의 아전이라도 해보려던 꿈을 접었다. 조선조 말 과거제도는 비리로 얼룩져서 어쭙잖은 실력만으로 급제를 바라는 건 어림없는 일이었다. 오르지 못할 과거에 매달려 벼슬길을 탐하는 헛된 욕심을 버리지 못한 체 세월만 축내고 있었으니 차가운 현실을 외면한 자신의 처지가 한심스러웠다.

그는 속이 타는지 냉수 한 사발을 벌컥벌컥 들이키고는 그 길로 산에 올라 나무 한 짐을 해서 시장터에 나가 팔았다. 겨우 보리쌀 석 되를 사서 어깨가 축 쳐진 아내에게 주며 말했다.

"이제 그만 실망을 거둬주시오. 내일부터는 고 의원 댁에서 약초 캐는 일을 하기로 했으니 자식들 굶는 일은 없을게요."

분노와 쓸쓸한 슬픔으로 가득 찼던 아내의 얼굴 표정이 조금은 밝아졌다.

"평생 소원인 과거시험을 포기해서 어쩐 대유?"

아내는 꿈을 포기하지 말라고 짐짓 말리는 척했지만 건성으로 한 말이란 걸 알고 있다. 가난이 원수처럼 힘들던 시절이다. 그걸 물리칠 수 있는 방법이 무엇일까? 반씨는 그때부터 약초 캐는 일을 하기로 결심했다.

반씨 집안은 경기도 이천 땅에서 2대에 걸쳐 한의원을 운영했다. 한의원을 창업한 반기준 씨는 한때 젊은 시절 꿈꿨던 벼슬길을 포기하고 충청도 진천 고을의 고씨 한의원에서 본격적으로 약초 캐는 일을 시작했다. 당시는 가난을 숙명처럼 여기고 살았던 시대였다. 대부분 서민들은 배고픔의 설움과 가난의 고통을 피할 수 없어 나물죽이나 보리죽을 먹어도 행복했다. 반씨는 집안이 가난하고 사는 게 힘들던 시절인지라 식솔들을 굶기지 않으려고 온갖 허드렛일을 하며 종처럼 일을 했다.

그는 성품이 온순하고 성실하여 남의 보는 눈이 없어도 요령을 피우지 않고 열심히 일을 하여 질 좋은 약초를 제일 많이 캐왔다. 힘들게 일한 대가로 조금씩 주는 품삯을 받아 어렵게 살았지만 일을 할 수 있다는 걸 고맙게 여겼다. 그는 인생을 이렇게 살수는 없다고 생각하면서 가난의 모진 고통을 자신의 힘으로 물리쳐야겠다고 다짐했다.

한번은 약초를 캐러 산에 올라갔다가 운 좋게도 산삼을 발견했다. 반씨는 뛰는 가슴을 진정하면서 주위를 살펴보다가 또 한 번 기절할 듯 놀랐다. 천상의 선녀가 달빛을 타고 내려와 맑은 계곡물에 수줍게 목욕을 할 때 몰래 훔쳐보는 신비스러운 자태가 이런 모습일까? 놀랍게도 산삼 다섯 뿌리와 여러 송이의 영지버섯이 산재해 있었다. 반씨는 자신의 눈을 의심하며 흥분된 마음을 억제하기가 힘들었다. 이건 필시 산신령님의 영험이 주신 선물이라 믿고는 그 자리에서 전후좌우를 향하여 천지신명께 사배를 올렸다. 정성을 다해 산삼을 캐보니 족히 오십년은 넘어 보이는 대물이었다. 큰 행운을 잡은 반씨 눈앞에 굶주림에 시달리고 있는 식솔들 얼굴이 떠올랐다. 가난의 고통과 굶주림의 설음이 한으로 쌓여 신세한탄을 달고 사는 아내의 한숨소리가 들려왔다.

"이걸 시중에 팔면 배고픈 식솔들에게 고깃국에 흰 쌀밥을 먹이며 족히 몇 달은 편히 살 수 있을 거야."

뜻밖의 횡재에 눈앞에 돈이 어른거리면서 잠시 인간적인 유혹에 시달렸다. 반씨는 이내 작은 이익을 위해 양심을 속이며 살수는 없다고 평정심을 찾고는 산을 내려와 주저 없이 원장에게 산삼을 주었다.

"원장님, 오늘은 운 좋게도 산삼 다섯 뿌리와 여러 송이의 영지버섯을 채취했어요. 원장님께서 요긴하게 쓰세요."

"이런 귀한 약재는 부르는 게 값이라 시중에 팔면 적지 않은 돈을 받을 수 있을 터인데 이걸 어찌 나에게 주는 게요?"

"값이 나가는 약초라고 빼돌린다면 그건 도리가 아니라 생각했어요. 제가 원장님 댁에서 일을 하며 식솔들 먹여 살리고 있는데 산삼도 당연히 드려야겠지요."

"허 참 별난 사람도 다 있구먼."

근엄하기로 소문난 고 의원은 흡족한 표정을 지었다. 지금껏 산삼과 같은 귀한 약재를 캐온 일꾼들은 없었기 때문이다. 경우가 밝은 원장은 그날 저녁 일꾼을 시켜 쌀 두 섬을 반씨 집에 보내 고마움을 전했다. 이일로 반씨는 주인의 눈에 들어 제일 신임을 받으며 일꾼들 관리와 약재창고의 책임을 맡았다.

그때부터 반씨는 산에 올라 힘들게 약초 캐는 일을 면했다. 일꾼들이 캐온 약초를 분류하고 깨끗이 씻어서 말렸다. 원장이 약을 지을 때 사용할 수 있도록 정성껏 썰어서 보관했다. 손끝이 야무져 자신의 일처럼 성실하게 일을 하여 약재 관리에 빈틈이 없었다. 원장은 약을 지을 때마다 청결해진 약재를 보고는 반씨의 야무진 솜씨에 혀를 차며 감탄했다.

정직한 사람은 하늘이 돕는다고 했다. 인간이 갖고 있는 순수함과 진실함은 인간다움을 만드는 최고의 자질이어서 누구나 정직한 사람이 되는 건 아니다. 정직한 행동은 다른 사람에게도 영향을 미치는 소중한 재산이 되어 자신에게 이익이 되어서 돌아온다. 신용이 쌓이면 다른 사람의 믿음을 얻고 도움을 받을 수 있다. 작은 이익을 위해 비겁한 잔꾀를 부리는 것은 잠시 동안 이익을 줄 수는 있어도 결국 자신의 발목을 잡고 만다.

반씨는 약초의 효능과 침술을 배우려는 의지가 강했다. 시간이 날 때마다 한약에 대한 공부를 게을리 하지 않았다. 원장이 환자들을 치료하는 걸 보면서 어깨너머로 침 놓는 요령을 배웠다. 그러다가 나이 들어 힘든 일을 할 수 없게 되자 원장으로부터 단방약 짓는 법을 배워 독립하였다.

"그 동안 자네가 질 좋은 약초를 많이 캐오고 약초관리를 열심히 하느라 고생이 많았네. 여기 생활에 필요한 약을 짓는 비방을 적어놨으니 어디 가서 한약방을 차리면 호구지책은 될걸세."

"원장님 은혜를 잊지 않고 살겠습니다."

원장은 얼마간의 생활비와 함께 한약 짓는 방책을 알려주면서 인간적인 정을 베풀었다. 반씨는 원장의 의리를 고맙게 생각하여 식솔을 이끌고 타지인 경기도 이천 땅으로 옮겨와 변두리에 조그마한 한약방을 차렸다. 한의원의 1대 원장이 된 반기준 씨는 본격적으로 약초의 효능을 익히고 침술을 공부하며, 한약도 지어서 팔고 눈썰미로 익힌 침도 놓아주면서 어렵고 가난한 환자들에게 초보적인 의술을 제공하며 살았다.

조선 말기 신문명이 들어오기 전 당시의 전통적인 의료수준이라야 몸에 병이 나면 한의원에 가서 침을 몇 대 맞고, 형편이 나으면 한약을 몇 첩 지어 먹는 게 고작 이었음으로 괜찮은 직업이었다. 반씨는 가난의 고통을 떨쳐버리기 위해 한의원에서 일한 경험을 살려 악착같이 일을 했다. 자식들에게는 가난의 아픔을 물려주지 않겠다고 결심했다.

"잘살고 못사는 건 내할 탓이지. 내가 뜻을 세우고도 이루지 못한다면 그건 나의 무능과 게으름 때문이야."

성실하게 일하는 사람 앞엔 가난도 비켜간다. 지독히도 가난한 시절이었으나 자식들 끼니 굶기지 않고 남에게 무시당하지 않으며 살았다. 그리고 아내의 한숨과 한이 되었던 쌀독에 쌀을 가득 담아놓고 맘껏 퍼먹으며 살고 싶다던 평생의 소원을 풀어주었다. 당시 가난을 면하여 배고픔의 설움에서 벗어난 것은 획

기적인 일이었다. 그것은 근면과 성실한 삶의 자세로 이룩한 인간승리였다.

2대 반가운씨는 제법 이름이 알려진 당대의 명의소리를 들었다. 선친이 닦아 놓은 명성이 있는지라 이천 땅 일대에서는 침을 잘 놓는다는 소문이 나돌았다. 한의원에는 환자들의 발길이 그칠 새 없이 이어져 늘 북새통을 이뤘다. 환자들의 찡그린 모습과 신음소리가 들리고 크고 작은 다툼이 그치질 않았다.

"아저씨, 침을 맞았으면 돈을 내고 가셔야지요. 오늘도 그냥 가시겠다는 거예요?"

"내가 병이 나으면 열심히 일을 해서 밀린 치료비를 낼 테니 그런 줄 아시게."

"사람이 염치가 없어도 어느 정도야지 계속 이러시면 안 되죠. 우리 원장님은 산에서 흙 퍼 다가 약을 지어주시나요?"

"나중에 돈을 벌어서 모두 갚아준다니까 올 때마다 군말이 많구먼. 세상에 외상장사 없는 곳이 어디에 있다고 그러나?"

"다만 얼마씩이라도 돈을 내셔야지 올 때마다 빈손으로 와서 치료만 받고 가다니 이런 경우가 어디 있어요? 다음에 또 이러시면 관가에 고발할 테니 날 원망하지 마세요."

가끔 한의원을 찾아와 침을 맞고 약까지 몇 첩씩 지어가며 뱃장 좋게 돈을 내지 않는 환자들이 더러 있었다. 이럴 때 집사 송씨가 환자와 다투기라도 하면 사람 좋은 반가운씨는 그러지 말라고 타일렀다.

"송집사의 심정은 이해하지만 오죽하면 치료비를 내지 않고 가겠는가? 그렇더라도 환자들에게 야박하게 다그치지는 마시게."

"원장님은 맘이 여려서 탈이에요. 저런 환자들을 그냥 놔두면 다른 사람들도 본을 따서 덩달아 치료비를 내지 않으려고 해요."

"우리 집은 돈이 없는 가난한 환자들이 많이 찾아오는 곳이야. 형편이 어려워 돈을 내지 못하는 것이니 웬만하면 눈감아주게."

“아까 그 사람은 상습범이에요. 그냥두면 올 때마다 공짜로 치료받으려고 할 거예요.”

“의술을 베풀면서 인정머리 없다는 말을 들을 수야 없지 않겠는가? 연세도 지긋한 분이니까 형편이 나아지면 돈을 갚겠지.”

“글쎄 욕먹을 일은 제가 알아서 할 테니까 원장님은 그냥 모른척하고 계시라니까요.”

반가운씨는 마음씀이 넓어서 그럴 때마다 심하게 대하지 말라고 했다. 침놓는 일이 큰 밑천이 드는 것도 아니고 잠깐의 수고로 덕을 베푸는 일이다. 때로는 가난한 환자들에게 무료로 침도 놔주고 약을 지어주어서 인심이 야박하다는 말을 듣지 않았다.

2 뜻대로 안 되는 자식

반가운씨는 가산이 늘어가고 생활에 여유가 생기면서 선대의 지독했던 가난을 물리쳤다. 그러나 인간이 모든 게 좋을 수는 없는지 아들 교육은 뜻대로 되지 않았다. 반씨는 달랑 외아들 하나만을 두었는데 귀하게 키운 탓인지 글 읽기를 소홀히 하고 노는 데만 열중했다. 반씨 부인은 아들이 공부에는 열의가 없는지라 혼자 애를 태우며 타이르곤 했다.

"어머니, 오늘도 보리밥이에요? 이제 보리밥은 먹기가 싫어요. 흰 쌀밥을 해주세요."

"다른 애들은 멀건 나물죽이나 꽁보리밥을 먹으며 살고 있어. 그것도 없어서 굶는 사람이 많다는 걸 모른단 말이냐?"

"아버지는 쌀밥을 주시면서 저는 왜 보리밥을 주세요?"

"아버지는 힘들게 일을 하시잖니? 네가 먹는 밥도 쌀이 더 많아서 쌀밥이야. 밥투정 하려거든 수저 놓고서 그만 먹어라."

"겨우 꽁보리밥을 면했는데 이게 어디가 흰 쌀밥이에요?"

"그럼 보리죽이나 나물죽을 끓여줄까? 하루저녁만 굶고 잠을 자봐라. 잠도 안 오고 하늘이 노랗게 보여서 보리밥도 꿀맛 같을 거야. 네가 호강에 겨워 걸핏하면 밥투정하는데 먹기 싫으면 그만 수저를 놓아라."

당시에는 오천년 이래 가난을 대물림하며 끼니걱정을 하고 보리밥도 배불리 먹지 못하던 배고픈 시대였다. 먹을 것이 떨어진 봄철이 되면 푸성귀를 뜯어다가 나물죽을 쒀서 먹었고, 나무껍질을 벗겨 먹으며 짐승처럼 사는 사람이 많았다. 가난한 백성들은 주린 배를 움켜쥐고 배고픔의 설움에 한숨지으며 보릿고개의 고통을 힘들게 넘겼다.

황달이라는 병이 있다. 요즘 흔한 성인병이 음식을 잘 먹어서 걸리는 부자 병이라면, 그 병은 먹지 못하여 생기는 가난한 병이다. 인간은 먹지 못해도 병이 생기지만 많이 먹어도 병에 걸린다. 사람들은 굶주림에 시달려 얼굴은 누렇게 부황이 들었고, 온몸은 퉁퉁 부어올라 봄철의 보릿고개를 넘기는 일이 지옥과 같이 힘들었다. 보릿고개란 말은 가난의 상징으로 선조들의 눈물과 한이 서려 있다. 굶주림과 가난의 적대명사인 그 말이 사전 속에나 남아있고, 전설 속으로 사라져버린 것은 불과 반세기 전 일로서 오래전 이야기가 아니다. 참으로 격세지감이 아닐 수 없다.

아들 사경은 하라는 공부는 하지 않으면서 걸핏하면 밥투정을 하여 어머니의 속을 썩였다.

"네가 외아들인데 장차 한의원을 물려받아야 하지 않겠니? 친구들과 노는 데만 열중하지 말고 아버지한테 침술을 배워라."

"남자가 어떻게 맨 날 방구석에 앉아 몸이 아픈 환자들에게 침이나 놓고 살아요? 제가 좋아하는 일을 하면서 살 거예요."

"몸이 아픈 환자들을 치료해주고 건강을 찾아주는 일은 성스럽고 고귀한 일이야."

"어머니는 남들이 알아주지도 않는 따분한 일을 하라고 그러세요? 설마 산 입에 거미줄 치겠어요?"

"네가 아버지 덕에 배고픔의 설움을 몰라서 멋대로 지껄이는데 실속을 차려야지. 지금 시장 통에 나가면 걸식하는 애들이 얼마나 많은지 몰라서 그래?"

"밥 굶지 않고 살 자신이 있으니까 걱정하지마세요."

"세상에 한의원만큼 빈틈없는 직업도 드물 거야. 너도 아버지의 뒤를 이어서 한의사가 되어라."

"글쎄 한의사를 하는 건 싫다니까요. 저도 생각이 있으니까 자꾸 다그치지 마세요."

"남자는 반듯한 직업을 가져야 해. 놀기만 하면서 뭘 하겠다는 거냐?"

"저도 한다면 하는 사람이에요. 제게 맞는 일이 있을 거예요."

"미꾸라지처럼 요리조리 잘도 피해가는 데 세상일이 간단치가 않아. 젊음이 평생 너를 따라다닐 것 같으냐?"

"세상을 살아가는데 여러 가지 방법이 있다고요. 저는 공부 외에 다른 방법을 찾아볼 테니까 염려하지마세요."

"자신의 인생을 발전시키는데 공부만큼 확실한 방법은 없어. 지금도 많은 사람들이 자신의 불행한 처지에서 벗어나려고 공부하고 있잖아."

"저를 자꾸 나무라시는데 제겐 남들이 갖지 못한 상상력이 있다고요. 상상력은 모를 때 생기는 거라고요."

"머리에 든 게 있어야 상상력도 솟아나지, 쥐뿔도 아는 게 없는데 갑자기 어디서 튀어나온단 말이야? 네가 하늘에서 기적이라도 떨어지길 바라는 공상 속에서 살고 있단 말이냐?"

"쌀밥을 먹으면 힘이 솟아나서 공부도 잘되고 상상력이 쑥쑥 자랄 거예요. 앞으로 잘할 테니 흰 쌀밥을 주세요."

"얘가 갑자기 웬 상상력 타령이야? 뚱딴지같은 생각을 하면서 쌀밥 달라고 엄마 괴롭히는 건 핑계야."

"제 곁에 앉아서 두 눈을 뜨고 바라보시면 부담스러워서 공부에 지장이 있어요. 지금부터 공부를 할 테니 자리를 비켜주세요."

"공부는 하지 않으면서 유별나게 까탈을 부리는구나. 못난 모습을 감추기 위해 시선을 끌려고 튀는 행동을 하는 거냐? 설마 네가 양질호피(羊質虎皮) 같은 인간이 되겠다는 건 아니지?"

"그게 뭔데요?"

"속은 양인데 겉만 범이란 뜻이야. 입만 살아서 떠드는 겉똑똑이, 바로 빛 좋은 개살구란 뜻이야. 나중에 후회하지 말고 한 가지라도 잘 할 수 있다는 걸 보여주려무나."

"엄마는 제가 그렇게 못나 보여요? 하필 그런 사람과 비교를 하세요?"

"머리에 든 게 없고 아는 것이 없는데 입으로만 떠드는 건 허세야. 돈이 없으면 거짓말을 하게 되고, 심지어 도둑질도 하면서 살아야 해. 학생 때 공부하지 않으면 그런 인생이 되는 거야."

"저에게 어떤 행동을 강요하지 말고 맡겨주세요. 저의 넘치는 상상력이 제 인생을 이끌어줄 거예요."

침술을 배우려면 뜻을 세우고 배움에 관심을 가져야 하는데 사경은 본척만척하였다. 낙천적인 성격 탓인지 철이 덜 들어서 그런지 침술공부에는 큰 뜻이 없었다.

반가운씨도 때때로 술이 취하면 자신의 속내를 털어놓곤 했다. 아들이 자신의 뒤를 이어 한의사가 되기를 바랐지만 소용이 없었다. 부모가 아무리 가르치려해도 자식이 열의가 없으면 할 수 있는 방법이 없다.

"사경아, 넌 장차 하고 싶은 일이 무엇이냐? 학교 공부를 열심히 하든가 침술을 배우면 어떻겠니?"

"특별히 하고 싶은 일은 없는데 지금 생각하고 있어요."

"인생에는 다 때가 있는 법이야. 봄에 씨를 뿌려야 가을에 결실을 거둘 수 있는 거란다."

이때 반가운씨는 침통에서 침을 한 개 꺼내어 아들에게 보여주었다.

"이 짧은 쇠막대가 별것이 아닌 것 같아도 몸의 혈 자리를 찔러서 사람의 병을 치료하는데 쓰는 귀중한 침이야. 신기하지 않니?"

"침을 맞으면 아플 것 같아요. 저는 침을 놓아서 다른 사람을 아프게 하고 싶지가 않아요."

"침은 아프게 하는 게 아니라 병든 사람을 낫게 해주는 거야. 이것이 돈을 벌게 해주어서 우리 가족이 굶지 않고 편하게 살고 있는 거야. 그래도 침술을 배우고 싶지 않느냐?"

"저는 한의사는 하고 싶지가 않아요."

"할아버지께서는 길고 굴곡진 삶을 사셨어. 그게 다 가난 때문이었다. 가난을 면하기 위하여 얼마나 고생하신 줄 모르겠지?"

"그때는 모두가 가난하다고 들었어요. 할아버지만 가난한 것은 아니잖아요?"

"우리 집안이 가난의 굴레에서 벗어난 것은 할아버지의 선경지명이 있어서 큰 뜻을 세우시고 한의원을 창업하셨기 때문이야. 병자들의 병을 고쳐주시면서 지독한 가난을 물리치셨어."

"아버지와 어머니는 왜 자꾸 가난했던 시절의 이야기를 하시는 거예요?"

그러자 곁에 있던 어머니가 따끔하게 질책하셨다.

"정신 차리지 않으면 금방 가난해진다는 걸 강조하시는 거야. 공부도 안 하고 침술도 배우지 않으면서 놀고 먹으면 우리 집도 쫄딱 망할 수가 있어."

"할아버지께 참으로 고맙다는 생각이 들지 않니? 너는 할아버지 뒤를 이을 생각을 해본 적은 있느냐?"

“할아버지가 훌륭하신 건 알겠는데 침술을 배우고 싶지는 않아요. 그리고 우리 집이 가난하지는 않잖아요?”

“넌 배고픔의 설움과 가난의 고통을 모르지? 그게 얼마나 불편하고 인간을 비참하게 하는지 경험하지 못했으니까 모르겠지.”

“엄마한테 들어서 조금은 알고 있어요. 그리고 보리밥만 먹어서 배고픔도 알아요.”

“가난은 놀기만 하고 공부하지 않는 게으른 자에게 따라다니는 거야. 너에게도 닥쳐올 수 있는 위험이고 불행이란다.”

“나중에 잘살 테니 두고 보세요. 저도 생각이 있다고요.”

“가난을 모르면 삶의 일부분을 모른 체 사는 것과 같아. 인간에게 기회는 몇 번밖에 오지 않는다고 했어. 찾아온 기회를 잡지 못하면 인생은 영영 종치게 되거든. 젊어서 노력하지 않으면 평생 삼류로 살 수밖에 없는 거야. 설마 네가 그걸 원하는 건 아니겠지?”

“아버지의 아들로서 부끄럽지 않게 살게요. 저를 믿어주세요.”

“노안비슬奴顔婢膝이란 고사성어가 있다. ‘주인 앞에서 쩔쩔매며 머리를 조아리는 사내종의 얼굴과 계집종의 무릎’이란 뜻인데 남에게 굽실거리는 굴종과 비굴한 태도를 일컫는 말이야.”

“지금 세상에 종이 어디에 있으며 그렇게 사는 사람은 없어요.”

“그런데 가난하여 없이 살면 그렇게 되는 거야. 꼭 종이 아니더라도 가진 게 없으면 그런 천대를 받으며 살 수밖에 없어. 또 아는 게 없어도 무시당하고 괄시를 받는 거야. 인생을 그렇게 살지 않기 위하여 어려서부터 공부를 하는 거란다.”

“전 그렇게 살지 않을 자신이 있어요. 제가 잘할 수 있는 일이 있을 거예요.”

“몸은 종처럼 굽실거리며 살지 않더라도, 주머니에 돈이 없고 머릿속에 지식이 없으면 그렇게 되는 거야. 정신적으로 위축되어 비굴해지고 다른 사람이 깔

보는 거란다. 사람이 그렇게 살 수는 없지 않겠니?"

"제게도 꿈이 있어요. 남들보다 한 가지는 잘할 수 있다는 걸 보여드릴게요."

"네가 누굴 닮아서 큰소리치는 걸 배웠는지 모르겠구나. 넌 똑똑한 학생이냐 아니면 좀 멍청한 아이냐?"

"아버지, 제가 우리 반에서 인기가 제일 좋아요."

"네 생각이 자유분방한 건 좋은 일이나 부모님 눈에는 걱정으로 보이는구나. 인기도 좋고 공부도 잘하는 학생이면 얼마나 좋을까?"

"곧 성적이 쑥쑥 올라갈 거예요."

"그 녀석 넉살과 배짱만은 남에게 뒤떨어지지 않겠구먼. 말을 청산유수로 잘 하니 무슨 일을 하든 굶지는 않겠어. 그래 상상력을 맘껏 키워서 네가 하고 싶은 일 하며 살려무나."

아버지는 아들의 이야기를 밉지 않은 표정으로 지켜보셨다.

"제가 하는 일을 자랑스럽게 생각하는 날이 올 거예요."

"네 생각이 그렇다면 한의공부를 강요하지 않겠다. 네가 잘할 수 있는 일을 함께 찾아보자."

예나 지금이나 자식 교육은 부모님 뜻대로 되지 않는 것 같다. 아버지는 한의원의 대가 끊기는 걸 아쉬워하면서도 한의공부를 강요하지 않고 아들이 좋아하는 일을 하도록 의견을 존중했다.

해방이 되면서 국가 제도가 정비되고 모든 게 자격증을 따야만 행세할 수 있는 시대로 변했다. 한의원을 운영하려면 한의과 대학을 졸업하거나, 국가고시에 합격해야 하는데 그런 실력을 갖추지 못해 진즉에 포기했다. 반가운씨는 아들이 고등학교를 졸업하자 자립심을 키워주려고 별도로 한약상을 차려주었다. 사경씨는 평소 자신도 잘할 수 있다고 큰소리치며 살아왔지만 막상 한약상 일을 해보니 약초에 대해서 모르는게 많아 답답했다. 환자들에게 망신을 당하고 낭패를 겪게 되자 세상물정을 깨우치며 공부에 전념하기 시작했다.

사경씨가 철이 늦게 들기는 했어도 심성이 착했다. 한약에 대한 공부를 하면서 약초의 효능을 깨우치고 질병의 치료법을 알게 되자 직업에 열의를 가졌다. 이때부터 사경씨는 세상일이 그렇게 만만한 게 아니란 걸 경험하고는 뒤늦게 정신을 바싹 차렸다. 약초의 신기한 효능을 익히고 병의 치료법을 공부하면서 한의학의 지식을 쌓았다.

인간은 저마다 타고난 재주를 갖고 있다. 어릴 때부터 타고난 소질을 개발시켜 발전하도록 도와주는 게 중요하다. 굼벵이도 구르는 재주가 있다더니 사경씨는 신통하게도 장사에 소질을 보였다. 한약 짓는 요령을 터득하고 솜씨가 늘면서 한의학 공부에 재미를 붙였다. 약초의 소중함을 깨우칠수록 인간의 생명과 직결되어있다는 사실을 깨닫고 배움에 열중했다.

사경씨는 환자들의 어려움이 무엇인지, 무슨 약을 써야할지 문제파악을 하는 능력이 뛰어났다. 약재의 효능을 재미있고 요령 있게 설명하여 환자들의 궁금증을 씻어주었다. 체질과 증상에 따라 그에 맞는 처방을 잘하여 고민을 척척 해결해주었다. 환자들은 그의 이야기를 듣고 있자면 한약에 대한 호기심을 갖게 되고 건강을 찾을 수 있다는 자신감을 가졌다.

몇 년이 지나지 않아 약재에 대하여 모르는 것이 없는 전문가가 되었다. 환자들 사이에 약을 잘 짓는다는 입소문이 돌면서 실력 있는 한약사로 통했다. 점차 단골 고객의 발길이 잦아지고 판매량이 늘어가면서 한약상의 일을 막힘없이 처리했다. 아버지가 한의원을 하는데다 돈을 잘 번다는 소문이 퍼지자 괜찮은 집안에서 중매가 자주 들어왔다. 그러다가 현숙한 부인을 만나 장가를 가서 아들을 낳았는데 다행히 총명한 반듯한군이 태어났다.

3

꿈을 가진 아이

국제 기능올림픽대회에서 종합우승의 영광을 안고 귀국하는 선수들의 자랑스러운 모습이 TV로 중계되었다. 동방의 작은 나라 대한민국이 국제기능올림픽대회에서 연속적으로 우승한 것은 기적과 같이 놀라운 일이다. 선수들은 세계의 젊은이들과 치열한 경쟁을 펼친 끝에 메달을 휩쓸어서 목에 걸었다. 꿈을 가진 청소년들이 솜씨를 유감없이 발휘하여 세계를 제패하자 한국은 기술 강국으로 우뚝 설 수 있는 기회가 찾아온 것이다. 자원이 없는 국가에서 세계가 인정하는 기술로 승리했으니 그것은 새로운 신화창조의 시작이었다.

국민들의 반응은 뜨겁게 달아오르고 선수들의 인기는 하늘을 찌를 듯 높이 솟아올랐다. 환영식장에서 선수들에게 꽃다발을 걸어주며 노고를 치하했다. 거리에는 선수들을 환영하는 대형 현수막이 걸리고 손에 태극기를 든 인파로 뒤덮였다. 카퍼레이드를 벌리는 선수들의 장한 모습에 국민들은 아낌없는 박수와 열렬한 성원을 보내며 그들의 자긍심을 북돋아주었다.

국민소득이 낮고 자원이 빈약한 나라에서 기술만큼 소중한 자산도 없으리라.

세계 대회에서 수십 차례 종합우승을 하게 되자 기술 강국으로 우뚝 서게 한 원동력이 되었다. 기술수준의 비약적인 향상으로 국산품의 질을 발전시켜 상품의 가치가 크게 올라갔다. 무엇보다도 우리도 잘할 수 있다는 자신감을 심어주며 사기를 드높였다. 그것은 돈으로 살 수 없는 무형의 국력이 되었다. 오늘날 국산품의 질이 뛰어나 세계적인 명품이 된 것은 결코 우연한 일이 아니다. 이때부터 기술 강국으로 우뚝 서서 쌓인 기술이 토대가 되어 만드는 물건마다 세계인의 눈을 사로잡으며 누구나 소유하고 싶은 명품이 된 것이다.

중학생인 반듯한군은 금메달을 딴 선수들의 장하고 멋진 모습을 보면서 큰 감동을 받았다. 마치 자신이 메달을 딴 선수가 된 것처럼 자부심을 가졌다. 반군의 가슴속에 불꽃같은 정열이 용솟음치며 꿈이 자라났다. 꿈꾸는 자가 큰일을 하고 꿈을 가진 사람이 성공을 한다고 했다. 장차 국제 기능올림픽대회에 참가하여 금메달을 따고 세계 제일의 용접공이 되겠다는 원대한 꿈을 키웠다.

"선친께서 한의사가 되는 걸 바라셨는데 소원을 이뤄드리지 못해 항상 죄송한 마음이 있었어요. 그런데 우리 애가 손재주가 있는지 기술을 배우고 싶어 하는구려."

"피는 속일 수가 없는 가 봐요. 손끝이 야무져서 무슨 일이든 잘 할 것 같아요. 한의사가 아니더라도 애가 좋아하는 공부를 할 수 있도록 뒷받침을 해주세요."

"그야 어련하겠소? 나보다 머리가 명석하고 하고자 하는 열의가 대단하니 앞길을 열어줘야지요."

반군은 타고난 재주가 있는지 뭘 만드는 걸 즐겨하고 솜씨가 있었다. 특이한 장난감도 직접 만들어서 갖고 놀았다. 하루는 고무총을 만들어 실험을 해볼 겸 뒷산으로 놀로 갔다. 마침 까마득히 높게 자란 나무위에 노란 새가 앉아서 지저귀고 있었다. 그는 무심코 새를 겨냥하여 고무총을 발사했다. 총알은 순식간에 새를 향하여 날아갔는데 그 순간 반군은 마음속으로 외쳤다.

"저 예쁜 새가 맞으면 안 돼."

그 순간 노래 소리가 뚝 그쳤다. 높은 나뭇가지 위에서 힘없이 떨어지는 예쁜 새를 바라보며 생명을 빼앗았다는 죄책감에 사로잡혔다. 노란 새를 손안에 들고 눈물을 펑펑 쏟으며 한참을 울었다. 때늦은 후회가 마음 약한 그를 괴롭혔지만 소용이 없었다. 반군은 새를 땅속에 묻어주고는 고무총을 부셔버렸다. 그리고는 혼자 마음속으로 다짐했다.

"내가 큰 잘못을 저질은 거야. 앞으로는 죄 없는 생명을 빼앗을 것이 아니라 생명을 살리는 일을 해야 해."

반군은 어린나이였지만 생명의 소중함을 알고 있었다. 그 날 생명을 빼앗았다는 죄책감을 평생 잊을 수가 없었다. 그는 어릴 적부터 의지가 강하여 무슨 일을 하던 제몫을 다하며 꼿꼿함을 보여주면서 자랐다.

다음 해 청운의 꿈을 안고 공업기술고등학교에 수석으로 입학했다. 반군은 입학식장에서 부모님께 의젓하게 말했다.

"제가 열심히 공부해서 솜씨 좋은 용접공이 되겠어요. 우리나라에서 필요한 탱크와, 비행기 그리고 큰 배를 만들겠어요."

"너는 손재주가 있어서 무슨 물건이든지 만들 수가 있을 거야. 예측할 수 없는 미래에 능력을 펼칠 수 있도록 높은 이상을 품고 풍부한 상상력과 열정을 키워 보렴."

"그리고 국제기능올림픽대회 선수가 되어서 금메달을 따고 싶어요."

"세계대회 선수가 되려면 이론도 밝아야하겠지만 실기에 능해야 메달을 딸 수 있을 거야. 하고 싶은 꿈을 이룰 수 있도록 뒷받침을 해주마."

"공부도 열심히 하겠지만 실습시간에 용접기술을 배워서 세계 제일의 용접기술자가 될 거예요."

"그런 큰 꿈을 갖고 있다니 생각이 장하다. 세계 제일의 기술자가 된다면 내가 바랄 것이 없을 것 같구나."

"언젠가는 제가 만든 탱크와 비행기가 우리나라 국토를 지키는 날이 올 거예요. 전 그렇게 할 자신이 있어요."

반사경씨는 아들의 의젓한 모습을 보면서 어릴 적 어머니의 속을 무던히도 상하게 했던 자신의 모습을 떠올리며 쓴웃음을 짓곤 했다. 아들은 성품도 온순하고 착한데다 신통하게도 어려서부터 공부하기를 좋아했다. 누가 시키지 않아도 공부에 열중하여 특히 어머니를 기쁘게 해드렸다.

"아들아, 식사하고 공부해야지? 네가 좋아하는 돈가스를 만들었어."

"엄마, 하던 공부를 먼저 해야겠어요. 수학 문제를 풀고 있는데 곧 답을 얻을 수 있을 것 같아요."

"원 녀석 기특하기도 하지, 우리 아들 공부하는 모습만 보아도 행복해진다니까. 내가 아들 덕에 호강을 하는구나."

"어려운 문제를 풀면서 정답을 얻어가는 과정이 신기해요. 나중에 부모님께 진짜로 호강을 시켜드릴게요."

반군은 취미가 공부하는 것처럼 행동했다. 친구들과 놀 줄도 모르고 오직 공부에만 열중했다. 예상대로 실력이 쑥쑥 늘어나서 전교 수석을 놓치지 않았다.

"시험을 볼 때면 엄마까지 잠 못 주무시게 하여서 죄송해요. 내일 새벽에도 깨워주세요."

"귀한 아들이 코피 쏟으며 밤 세워 공부하는 데 어떻게 편히 잠을 잘 수 있겠니? 엄마라도 아들 곁을 지켜줘야지 그런 말이 어디 있어?"

"다른 애들은 더 열심히 하거든요. 이번에도 1등을 놓치고 싶지 않아요."

"그걸 지키려면 힘이 무척 들 거야. 그래도 무리는 하지 말거라."

반군은 시험 때가 되면 밤늦도록 공부를 하였다. 아들이 좋은 성적을 얻을 수 있도록 어머니도 함께 고생하였다.

반군은 학교 도서관을 제일 많이 이용하는 단골 학생이었다. 어린 시절부터 위인전을 비롯한 과학도서와 교양서적을 많이 읽었다. 부모님은 반군이 읽고 싶어 하는 책을 수시로 사다 줬다. 꾸준한 독서는 사고력을 증진시켜주고 정신세계를 넓혀주는 보고와 같아서 미래를 개척해주는 능력이며 재산이 된다. 이때부터 반군은 생각이 깊어지고 판단력과 사고력이 넓어져서 인생을 보는 눈이 트이기 시작했다. 반군은 나쁜 짓을 하는 일도 없고 흉잡힐 일과는 거리가 멀었다. 무엇하나 나무랄 데 없는 모범생으로 공부에만 전념하며 반듯하게 자라주었다. 부모님은 그런 아들을 바라만 보아도 기쁨이 솟고 때로는 먹지 않아도 배가 불렀다.

4 하얀 제비가 점지해준 딸

한편 전라도 김제 땅의 진씨 가문은 선대로부터 물려받은 전답이 많았다. 한해 수확하는 농산물이 만석이 넘어 농사를 지으면서도 행세 께나 하는 집안으로 고을에서는 제일 큰 유지였다. 식솔과 하인들만 하여도 기십 명이 되었는데 한때는 진씨네 땅을 밟지 않고서는 김제를 다닐 수가 없다는 말까지 들었다. 생활에 여유가 있으니 먹는 음식이 기름지고 실하여 사랑채에는 사시사철 식객들의 출입이 끊이지 않았다. 특히 풍류를 즐기는 문인, 가객들과 교류가 잦아 집안에는 음악소리가 그치질 않고 활기가 넘쳐나 부잣집의 풍모가 엿보였다. 그러다가 해방이 되면서 토지 개혁이 시행되고 가세가 기울게 되자 형제들 간에 재산 분쟁이 일어났다. 장자 우선 사상이 짙은 때인지라 이런 원칙을 지켜서 6남매가 일정 면적씩 전답을 나눠가졌다.

셋째 아들인 진실한씨는 성정이 착하여 주위 사람들의 평판이 제일 좋았다. 반상의 서열이 허물어 졌다고는 하나 아직도 엄한 풍습이 남아있던 때라 뒷짐만 지고도 살아갈 수가 있었다. 그는 농사일을 머슴들만 시키지 않고 땀을 흘리며 힘든 일을 함께 했다. 희로애락을 나누며 자연스럽게 어울리다보니 사람들이 그를 잘 따랐다.

그런데 불행히도 슬하에 자식이 없었다. 집안 어른들은 대가 끊기게 생겼으니 시앗이라도 보라며 틈만 나면 성화를 했다. 당시만하여도 권세가 있거나 부자라면 으레 소실 한두 명은 두고 살았다. 진씨는 부인과 유독 금슬이 좋았던 터라 차마 딴 여자를 취할 수가 없었다. 자식 이야기가 나올 때마다 가장 스트레스를 받는 것은 부인 순진한 여사였다. 진씨는 부인을 두고 딴 여자와 사는 일은 결코 없을 것이라고 위로했지만 순여사는 마음을 놓을 수가 없었다. 나이가 들수록 불안하여 애를 태우던 순여사는 어느 해 여름 치성이라도 드려서 자식을 보기로 마음먹었다.

“여보, 제 정성이 부족했나 봐요. 아무래도 부처님께 불공을 드려봐야겠어요. 당신이 불편하더라도 당분간 참아주세요.”

“왜 어디 다녀오시게요? 꼭 그럴 필요가 있겠어요?”

“듣기 좋은 노래도 한두 번이라는데 애도 못 낳는 여자라고 수군대는 것이 듣기 싫어요. 제가 할 수 있는 일은 모든 것을 해봐야 나중에 집안 어른들께 원망이라도 덜 들을 것 같아요.”

“그런 이야기라면 한귀로 듣고 흘려버려도 될 것을 마음고생이 컸군요? 공연히 먹고들 할 일이 없으니까 콩 놔라 대추 놔라 참견한단 말이야.”

“집안의 대를 이을 아들 낳는 일만큼 중요한 건 없잖아요? 그 일을 못하고 있어 큰댁에 모임이 있을 때면 체면이 서지 않아 낭패를 당하고 있어요.”

“애 낳는 일이 부인 혼자서 할 수 있는 일은 아니잖아요? 잘잘못을 따지자면 내 잘못이 더 크겠지요.”

“어디 사람들이 그렇게 생각하나요? 남자가 애를 낳을 수 없으니까 모든 걸 여자 책임으로 돌리는 게지요.”

“아직 당신 나이가 한창때이니 곧 좋은 소식이 있을 거예요.”

당시만 하여도 아들 선호사상이 강했던 시절이다. 집안에서 아들을 원하는 바램과는 달리 남편이 마흔줄에 들어서도 잉태소식이 없자 부인은 시간이 갈수록 불안한 마음이 더해갔다. 순여사는 궁리 끝에 백일기도를 드리기로 마음먹고는 그해 여름 평소 다니던 백제의 고찰인 금산사로 들어갔다.

때는 무더위가 극심한 한 여름이다. 작심을 하고 절에 들어온 터라 매일 기도에 정진하며 2개월쯤 시간이 지나갔다. 입산할 때 가졌던 단단한 마음과는 달리 시간이 갈수록 힘이 들고 집안 일이 궁금해졌다. 푹푹 찌는 날씨에 맨 날 절간에 틀어박혀 밤낮으로 불공을 드리자니 점차 체력이 달리면서 자꾸 따분한 생각이 들었다. 하루는 순여사가 법당에서 108배를 올리며 기도를 드리던 중 피곤하여 엎드린 채로 깜박 잠이 들었다.

'순여사는 더위를 피하려고 금산사 법당 마당에 있는 큰 고목나무에 올라갔다. 시원한 바람이 솔솔 불어오는 것이 더위가 가시면서 기분이 상쾌해졌다. 두 팔을 올려 기지개를 켜면서 사방을 두리번거리며 구경을 하였다. 매미소리가 귀청을 뚫을 듯 요란하게 울어댔다. 여기저기 소리 나는 곳을 바라보다가 갑자기 머리 위 한곳에 시선이 쏠렸다. 그런데 고목나무의 움퍽 패인 구멍에 엄청 큰 구렁이가 똬리를 틀고 앉아서 혀를 날름거리며 노려보고 있는 걸 발견했다. 순간 섬뜩한 기운이 일면서 온몸이 오싹해졌다. 기겁을 한 순여사는 "저기 구렁이가 있다."고 소리치고는 황급히 나무에서 내려오다가 미끄러져서 떨어지고 말았다. 그때 하얀 제비 한 쌍이 날아와 순여사의 양팔을 부축하여 날렵하게 구해주더니 머리위에 둥지를 틀어서 알을 낳고는 새끼를 까서 기르는 것이었다.'

순여사가 화들짝 놀라 깨어보니 꿈이었다. 온몸이 땀으로 축축하게 젖어있는데 법당마루에도 땀이 흥건하게 고여 있었다. 순여사는 민망하여 마루에 흘린 땀을 닦고 있는데 주지스님이 다가와 수건을 건네주었다.

"신도님께서 무더운 날씨에 매일 108배를 드리느라 피곤하셨던 모양입니다. 우선 땀을 닦고 좀 쉬시지요."

"스님, 정성이 부족하였는지 부처님 면전에서 졸았어요. 이런 불경스러운 일을 어찌하면 좋을까요?"

"날씨가 원체 더워서 어쩔 수없이 나타나는 생리현상인지라 자비로운 부처님께서 크게 탓하지는 않으실 겁니다. 부인의 정성은 이미 부처님께서도 알고 계시니 무리는 하지 마세요."

"그럼 스님께서 저의 무례를 용서하여 주세요."

"몸이 피곤할 때는 잠시 쉬는 게 우선이에요. 공수간에 일러 음식을 마련토록 했으니 섭생에 유의하시어 기력을 찾은 후 불공을 드리도록 하세요."

불심이 깊은 순여사는 민망하여 한동안 쩔쩔 매었다. 다행히 인자한 주지스님의 격려에 힘을 얻어 죄송한 마음을 다소 덜었다. 그리고는 정신을 가다듬고서 다시 108배를 올렸다. 그날 밤 부인은 피곤하여 일찍 잠자리에 들었다. 백일기도 중에는 부정을 탄다하여 부부관계도 금하고 남자를 멀리해 왔는데 불현듯 남편의 사랑이 몹시 그리워졌다. 부인은 낮에 꾼 꿈이 길몽이라 생각하고는 기도를 중지하고 다음날 일찍 귀가를 서둘렀다.

진실한씨는 신경질 적으로 부채질을 해댔다. 아무리 부채를 휘둘러도 후텁지근한 날씨 탓인지 도통 시원한 느낌이 들지 않았다. 요즘 들어 공연히 짜증이 솟고 마음이 심란하여 하는 일이 손에 잡히지 않아 애를 먹었다. 농사일도 일꾼들에게 맞기고 들에는 나가지 않았다. 책을 펼쳐도 글자가 눈에 들어오지 않아 건성으로 시간만 때우며 앉아있었다. 부인이 절에 들어간 후 적적하게 지내왔는데 오늘따라 더 심한 것 같았다.

그때 부인이 애지중지 기르던 강아지가 킹킹 거리며 쏜살같이 밖으로 뛰쳐나갔다. 웬일인가 싶어 밖으로 눈길을 돌리자 처녀적부터 부인을 돌봐주는 한씨가 단봇짐을 들고는 환하게 웃으며 대문 안으로 들어섰다.

"나리, 그간 편안하셨어요? 마님 모시고 왔어요."

"오 그래요. 수고가 많았어요."

진씨는 마치 부인을 기다리고 있었던 것처럼 반갑게 맞았다. 다소 핼쑥해진 부인을 보고는 큰 걱정을 하였다.

"벌써 백일기도가 끝이 났어요? 그새 세월이 3년도 더 지나간 것 같구려."

"해거름에 달려오느라 아침부터 서둘렀어요. 날씨가 더운 탓인지 몸이 허해지고 마음의 안정이 흔들려서 조금 일찍 돌아왔어요."

"무더위에 얼마나 고생을 했기에 얼굴이 못쓰게 되었소? 몸은 야위었어도 얼굴은 예뻐져서 보기에 좋구려."

"여보 그게 정말이에요? 제가 정말 예뻐졌어요?"

"당신 미모야 어디 내놔도 빠지지는 않지요. 진즉에 말렸어야 하는데 더운 날씨에 고생을 했으니 아무 탈이나 없었으면 좋겠구려."

"몸에는 아무런 지장이 없으니까 걱정하지 마세요. 그럼 당신도 제가 보고 싶었군요?"

"그걸 말이라고 하는 게요. 밤이면 너른 방에 홀로 누워 잠을 자려면 예쁜 당신 얼굴이 어른거려 애를 먹었어요. 독수공방도 하루 이틀이지 몇 개월씩은 못하겠소."

"어쩌면 제 심정과 똑 같았을까요? 우린 천생연분인가 봐요. 그럼 인편으로 연락을 주시지 그러셨어요?"

"부인께서 무더운 여름철에 산중기도를 드리느라 여념이 없을 터인데 마음이 흐트러질까 걱정이 되었소이다. 당신이 돌아오기만을 학수고대하며 지내고 있었어요."

"저도 집안일이 궁금하고 당신이 보고 싶어서 기일을 앞당겨왔어요."

"당신이 안계시니 요즘은 통 사람 사는 재미도 없고 공연히 짜증이 납니다. 당신이 보고 싶어 멀쩡한 눈에서 진물이 흘러 애간장만 태우고 있어요."

"아휴 이를 어쩌면 좋아요?"

남편의 살가운 말에 부인은 만면에 미소를 머금고는 눈을 곱게 흘겼다. 남편을 바라보는 그윽한 눈길에 정이 철철 넘쳐났다. 애정 섞인 말에 그 동안 쌓였던 피로가 단숨에 멀리 날아가는 것 같았다. 사랑의 힘은 놀라워서 부부간의 금슬을 상승시키는 강한 힘이 있다.

이렇듯 금슬 좋은 부부가 아직껏 자녀를 두지 못했으니 세상일은 모르는게 더 많은 것 같다. 서로가 그리움에 목말라하던 부부는 그날 밤 일찍 동침했다. 메마른 대지를 단비가 적시듯 두 사람의 몸을 촉촉하게 적셔갔다. 한번 시작한 사랑은 땀에 흠뻑 젖도록 멈출 줄을 몰랐다. 순여사는 모처럼 육체의 욕망을 맘껏 즐기면서 짜릿한 밤을 보냈다. 마치 신혼시절처럼 애틋한 정이 솟아나며 온몸이 불꽃같이 달아올랐다.

부부는 며칠째 운우지정의 밤을 만들어 그간 육체의 목마름을 맘껏 풀었다. 남편과 황홀한 사랑을 나누자 순여사는 찌뿌듯하던 몸이 개운하게 해소되면서 날아갈 듯 가벼워졌다. 입맛이 살아나 음식이 당겨 꿀맛 같았다. 역시 남편의 사랑이 묘약이었다. 사람 사는 재미가 나는 것이 모든 게 즐겁고 하는 일에 신바람이 났다. 그 후 순여사는 신기하게도 입덧을 심하게 한 끝에 바라던 임신을 했다. 배가 점점 불러올수록 부처님께 기도를 올리며 치성을 드린 효험이라 믿었다.

"당신이 백일기도를 올리며 불공을 드린 효험이 나타났구려. 드디어 우리가 귀한 자식을 얻게 되었어요."

"당신은 제가 임신한 것이 그렇게 좋아요?"

"애를 낳고나면 매일 같이 업어 주고 안아주리다."

진씨는 임신을 한 부인의 몸에 무슨 탈이라도 날까봐 조바심을 하며 신주단지 위하듯 떠받들었다. 자식 두는 일이 가정에 기쁨을 가져왔다. 진씨의 얼굴에는 웃음꽃이 피어서 떠나질 않는데 시도 때도 없이 실성한 사람처럼 싱글벙글거렸다. 순여사는 남편의 사랑을 듬뿍 받으며 호강을 하다가 다음해 여름 딸을 순산했다.

진실한씨 부부는 삼칠일이 지나자 집안의 경사를 자축하며 큰 잔치를 열었다. 여러가지 음식을 넉넉하게 장만해서 친척들과 동네사람들을 초청하여 푸짐하게 대접했다. 사람들은 뜻밖의 잔치를 반기면서 즐거운 시간을 가졌다.

"이 작은 생명이 가정에 웃음을 주고 행복을 주셨군요. 장차 가정을 빛내는 일군이 될 거예요."

"우리에게 말할 수 없이 큰 기쁨을 선사해주셨어요."

하루 종일 덕담을 나누며 축하인사를 받느라 집안이 떠들썩했다. 불심이 강한 순여사는 가정에 찾아온 행운이 부처님의 보살핌이라 여기고는 쌀 열섬을 절에 시주했다.

"스님, 이번에 부처님의 공덕으로 귀한 딸을 얻었어요. 감사의 시주를 올리고 싶으니 받아주세요."

"부인의 정성이 부처님을 감동시켰나 보군요. 고대하던 자녀를 얻어서 가정에 복을 주셨으니 소승도 기쁨이 큽니다. 주신 재물은 중생을 위하여 이롭게 쓰겠습니다."

마음이 넉넉한 진씨 부부는 여러 사람들에게 물질을 베풀면서 딸을 얻은 기쁨을 나눠 가졌다. 그리고 하얀 제비가 점지해준 귀한 외동딸이라 하여 이름을 진귀한이라 지었다.

5 운명을 바꾼 폭발 사고

반듯한군이 공고 2학년이 되던 해 그 동안 이론으로만 배우던 용접기술을 실습하는 시간이 되었다.

"내가 그토록 바라고 꿈꾸어 왔던 용접기술을 배우는구나."

가슴이 사정없이 뛰었다. 반군은 설레는 가슴을 진정하며 각오를 새롭게 다졌다. 우리나라에서 필요한 것은 무엇이든지 직접 만들겠다는 꿈을 키워왔던 터라 자신감이 넘치며 두려울게 없었다. 선생님의 주의 말씀이 계속됐지만 학생들은 듣는 둥 마는 둥 열중하지 않았다. 반군은 진지한 자세로 선생님의 말씀에 귀를 기우렸다.

"인간은 태어 나면서부터 끝임 없이 배워야 한다. 기술을 배우는건 어렵지만 내 것으로 만들면 평생 쓸 수 있는 재산이 된다. 기술을 소중한 재산으로 만들기 위해 한시도 배움을 멈춰서는 안 된다."

선생님의 주옥같은 말씀이 반군의 마음을 사로잡았다.

"실습은 안전이 우선이다. 사고는 예고 없이 순식간에 일어난다. 안전 또 안전이 제일이야. 실습시간에는 한 눈 팔지 말고 정신을 바싹 차려서 조심하고 또 집중하여라. 오늘 이 시간에는 단단한 무쇠가 어떻게 절단되는지 그 과정을 잘 익히도록 해라.”

선생님이 시범을 보여주셨다. 용접봉에 불이 붙으면서 ‘쏴’하는 소리가 퍼져나갔다. 학생들의 눈망울이 커지며 함성과 탄성이 쏟아져 나왔다. 용접봉의 시뻘건 불꽃이 이내 파랗게 변하더니 빨갛게 달궈진 쇠가 힘없이 끊어졌다. 무쇠가 절단되는 모습이 신기하고 놀랍기만 했다. 반군은 한 가지라도 빠트리지 않으려고 정신을 집중하여 남보다 더 열심히 실습에 임했다.

학생들이 용접봉을 잡고 본격적인 실습이 시작되었다. 어수선한 교실 안 분위기가 좀체 가라앉지 않았다. 묘하게도 운명의 여신은 이런 방심의 틈새를 지켜보고 있다가 약점을 비집고 파고 들어온다. 가스통과 연결된 호수에서 가스가 조금씩 새고 있었다. 수십 명의 학생들이 거의 동시에 가스밸브를 열고 용접봉에 불을 붙였다.

그 순간 섬광과 같은 불꽃이 번쩍이더니 실습실에 거대한 폭발음이 진동 했다. 새어 나온 가스에 불이 붙으며 여러 개의 낡은 가스통이 터져버린 것이다. 연쇄 폭발이 일어나면서 화재가 발생하여 교실 안은 순식간에 불바다로 변했다. 그것은 꿈과 정열에 불타던 젊은 새싹들의 생명을 빼앗아버리고, 세계 제일의 용접공이 되겠다는 반군의 운명을 순식간에 바꿔버린 치명적인 사고였다. 불길에 화상을 입고 파편에 맞아서 수십 명의 학생들이 죽고 또 중상을 입었다. 누구도 예상치 못했던 대형 폭발 사고였다.

반군은 폭발하는 강한 불길이 몸을 덮치는 순간 붕 뜨는 느낌을 받으며 무엇엔가 세게 부딪쳤다. 마지막으로 번쩍이는 불빛을 봤다는 느낌만 남았을 뿐 기억나는게 없었다. 의식이 깨어나 다시 정신을 차렸을 때는 침대에 누워있었다. 짙은 어둠이 있을 뿐 완전히 딴 세상으로 변해있었다. 아무리 눈을 깜박이며 앞을 보려하여도 아무 것도 볼 수가 없었다.

반군은 정신을 차려서 조심스럽게 눈을 만져보았다. 눈 위에 낯선 붕대가 덮여 있었다. 어떤 불길한 예감이 스치며 겁이 벌컥 났다. 붕대를 만지고 있는데 어머니가 다가오셨다.

"애야, 이제 정신이 들었니?"

"어머니, 여기가 어디에요? 제가 어떻게 됐어요?"

"실습시간에 폭발사고가 일어나서 눈을 다쳤어. 방금 전에 눈 수술을 끝냈단다. 어디 아픈 곳은 없는 거야?"

"그럼 이곳이 병원이에요?"

마취가 풀리는지 정신이 몽롱하고 몸의 여기저기가 쑤시고 아팠다. 반군은 어머니로부터 병원에서 상처를 치료하고 눈 수술 받은 이야기를 듣고는 깜짝 놀랐다.

그로부터 2주간의 시간이 지나갔다. 병실의 침대에 누워 지내자니 마음대로 움직일 수가 없어서 하루하루가 너무도 힘들었다. 그런 중에도 문득문득 찾아오는 어떤 알지 못할 불안감에 시달렸다. 시간이 갈수록 정말 앞을 볼 수 없으면 어쩌나 하는 두려움과 공포에 몸을 떨었다. 짧은 시간 이었지만 세상을 볼 수 없는 것이 얼마나 갑갑하고 불편한가를 실감했다. 반군은 지금까지 살아온 날 중 가장 고통스러운 시간을 보낸 것 같았다.

반군의 운명을 가르는 시간이 다가왔다.

"자 앞을 똑 바로 보아라. 이 불빛이 보이느냐?"

"지금이 밤인가요? 빛이 어디에 있어요?"

의사가 손전등으로 불빛을 보여줬다. 그런데 빛이 전혀 보이지 않았다. 아무 것도 볼 수가 없었다.

"깜깜해요. 빛이 어디에 있어요? 왜 아무 것도 보이지가 않는 거죠?"

사람들의 웅성거림과 부모님의 떨리는 목소리가 들려왔다.

"우리 아들 눈이 어떻게 됐나요?"

"폭발 할때 강한 압력의 불길에 시신경이 손상되어서 시력을 잃은 것 같군요. 참으로 안타깝네요."

"선생님, 그럼 다른 방도가 없을까요?"

어머니의 음성은 거의 울음으로 변해있었다.

"최선을 다했지만 어쩔 수가 없군요. 죄송합니다."

"그럼 저는 앞을 볼 수가 없는 거예요? 이대로 어둠 속에서 살아야 해요?"

반군의 처절한 울부짖음이 병실을 떠나지 않았다. 보이는 것이라곤 짙은 어둠과 절망뿐 그만 실명을 한 것이다. 꿈 많고 총명했던 반군은 한순간에 세상의 빛을 잃고 칠흑 같은 어둠의 세계에 갇혀버렸다. 여름철 짙은 먹구름이 몰려와 파란 하늘을 순식간에 삼켜버린 것처럼 뜻밖의 폭발사고는 꿈 많은 소년의 희망을 산산이 조각내버리고 운명의 물줄기를 바꿔버린 참혹한 결과를 가져왔다.

목숨을 건진 것은 천만다행이었으나 용접공의 꿈을 빼앗아갔다. 이루 말할 수 없는 공포가 그를 감싸 안으며 두려움에 떨게 하였다. 찬란한 꿈을 가졌던 소년 앞에 희망은 사라지고 절망이 앞을 가로막았다. 불행의 신은 순탄할 것만 같았던 반군의 앞날에 전혀 예상치 못했던 운명을 선사하면서 너무 일찍 그를 찾아왔다.

"얘야, 음식을 먹고서 힘을 내야지? 너는 눈을 잃었지만 친구들은 목숨을 잃은 사람도 있어."

어머니의 목소리는 슬픔으로 가득 차있었다.

"엄마, 전 앞으로 어떻게 살아야 해요? 앞을 볼 수 없는 몸으로 세상을 살아갈 수 있을까요?"

"아들아, 신께서 착한 너를 버리지 않으실 거야. 하나를 잃으면 더 큰 것으로 갚아주실 거야. 우선 건강을 찾아야 해."

어머니는 반군의 입안에 음식을 떠먹여 주셨다.

"전 세상을 어떻게 살아야 해요? 불편해서 살수 없을 것 같아요."

"똑똑한 재능은 없어지는게 아니야. 인간은 어려움 속에서도 성장할 수 있단다. 아무리 많은 시간이 걸리더라도 엄마가 네 꿈을 찾아줄게. 엄마는 널 위해 살 거야."

"앞을 볼 수 없는데 잃어버린 꿈을 찾을 수 있을까요? 엄마가 제 꿈을 찾아주세요."

울부짖는 아들의 절규가 애처로워서 애간장이 타들어갔다.

"내 눈을 주어서 네가 빛을 찾을 수 있다면 그렇게 하마. 어미의 간절한 마음으로 불편 없이 살도록 해줄게. 생명은 소중하여 함부로 해서는 안 돼. 먹기 싫어도 엄마 성의를 봐서 음식을 먹고 기력을 찾아다오."

"전 볼 수도 없고 공부를 할 수도 없어요. 앞으로 세상을 어떻게 살아야 해요?"

"폭발사고는 잊어야 해. 그날 운이 나빴던 거야. 지금부터 새로운 시작이야. 엄마와 다시 시작하는 거야."

모자는 손을 잡고 한동안 흐느껴 울었다. 아들의 몸부림을 바라보는 것만으로도 안타까워서 어머니의 마음은 찢어질 듯 아팠다. 빛이 없는 깜깜한 세상은 낮과 밤을 구별할 수가 없다. 일순간에 청운의 꿈은 깨져버리고 세상의 모든 것을 빼앗아 가버린 것 같았다. 앞을 볼 수 없는 현실은 어둠과 고통이 지배할 뿐 할 수 있는 일이라곤 아무 것도 없었다. 시간이 갈수록 절망으로 변해갔다.

"위기는 누구에게나 찾아온단다. 너에게 일찍 찾아왔지만 대신 극복할 수 있는 시간도 많지 않겠니?"

그로부터 어머니와 아들은 처절한 고통을 함께 나눴다. 현명한 어머니의 격려가 불안에 휩싸인 반군의 어지러운 마음을 어루만져 주었다. 부모님의 눈물겨운 정성으로 상처가 아물고 건강이 회복되어갔다. 그렇지만 마음의 상처는 아물지 않고 더욱 깊이 새겨졌다. 반군은 젊은 날의 불행과 상처를 안고 평생 불편한 몸으로 인생을 살아야 하는 운명을 맞았다.

어느 날 갑자기 눈먼 자가 되었다면 얼마나 답답할까? 앞을 볼 수 없는 세상은 할 수 있는 일이 없는 세상으로 바뀌고 만다. 그 말 못할 처절한 심정은 짐작하기도 어려울 것 같다.

"내게서 꿈도 희망도 모든 게 사라져 버렸구나. 이렇게 살아서 무엇 하랴?"

하루아침에 천당에서 지옥으로 떨어진 기분이었다. 무엇하나 제힘으로 할 수 있는 일이 없어서 살아도 산 것 같지가 않았다. 앞날이 창창하여 희망으로 가득 찼던 반군은 모든 게 끝났다고 생각하고는 한순간에 절망에 빠져버렸다. 이럴 경우 환자들은 모든 것을 잃었다는 상실감과, 아무 것도 할 수 없다는 절망감에 빠져 깊은 수렁 속에서 헤어나지 못한다. 자포자기 상태가 된 환자는 말수가 적어지고 짜증을 잘 내며 살아갈 의욕을 잃고 모든 걸 포기하려 한다.

반군은 쉽게 죽을 수 있는 방법이 무엇일까 고민하며 죽음을 떠올렸다. 부모님은 명랑했던 아들의 침울한 모습을 보는 것도 안타까운데 한번은 실제 죽고 싶다는 말에 충격을 받았다.

"갑갑해서 미치겠어요. 이렇게 사느니 차라리 죽고 싶어요."

"에구머니 이를 어쩌면 좋아? 개똥밭을 굴러도 이승이 낫다는데 앞날이 구만리 같은 네가 죽는다는 말이 웬 말이냐?"

"어머니, 제 운이 다한 걸까요?"

"네 나이가 몇 살인데 그런 말을 하니? 네가 그렇게 힘이 든단 말이냐? 힘들어도 참고 견디면 곧 밝은 날이 찾아올 거야."

"사는 게 힘들어서 그랬어요. 제 자신이 미워져서 그래요. 죽고 싶은 마음뿐이에요."

"아들을 잃는 이별의 슬픔이 얼마나 큰지 엄마는 모른다. 너를 잃는다면 엄마 또한 살아야할 이유가 없을 것 같구나. 아들아, 힘을 내어서 우리 함께 힘차게 살아보자.”

엄마의 눈가에 눈물이 고였다. 곁에서 모자가 하는 말을 듣고 있던 아버지는 불같이 화를 내시면서 엄하게 꾸짖었다.

“정녕 네가 못난 아들이 되고 싶으냐? 젊은 애가 죽을 용기가 있다면 어떻게든 살아날 궁리부터 해라. 평생 남의 도움만 받으려하지 말고, 너보다 힘들게 살고 있는 사람을 단 한번만이라도 돕겠다는 생각을 해봐라. 나약하고 어리석은 선택으로 네 자신을 학대하지 말거라.”

반군은 아버지의 꾸중을 듣는 순간 정신이 번쩍 들었다. 나보다 힘든 사람을 돕겠다는 생각을 하라는 아버지의 말씀이 잠자고 있던 어린 영혼을 흔들어 깨웠다. 괴로움과 절망에 빠져서 죽음을 고민하던 반군은 자신의 생각이 어리석었다는걸 깨닫고는 곧 후회했다.

“인생길은 선택의 연속이야. 어떤 길을 가고 무슨 일을 할 것인지 그건 너의 선택에 달려있어. 갈 길이 보이지 않을 때는 아버지 손을 잡아라. 내가 길을 인도하여 주마. 앞으로 무엇을 선택할 것인지, 어떤 길로 갈 것인지 곰곰이 생각해 보아라.”

그 후 새로운 변화가 일어났다. 반군은 자신을 생각하는 시간이 많아졌다. 죽겠다는 망상을 할 때면 머리가 터질 것 같았는데 자신이 못나고 비겁하다는 생각이 들었다.

‘내가 할 수 있는 일은 무엇일까? 나처럼 힘들게 살고 있는 사람들을 도울 수 있을까? 내가 살아야할 이유를 찾아야 하지 않을까?’ 앞을 볼 수 없다고 평생 아무런 일도 하지 않으며 살수는 없다고 생각했다. 아무리 힘들어도 죽는 것보다는 낫다는 생각이 들었다. 여러 의문이 꼬리를 물면서 고민이 떠나지 않았다. 어머니는 풀이 죽어서 지내는 아들을 볼 때마다 근심이 쌓여갔다.

“그 애가 왜 죽고 싶다는 생각을 했을까요?”

"청춘의 찬란한 꿈을 잃었으니 얼마나 답답하겠어요? 우리가 힘을 모아 다시 일어설 수 있도록 용기를 주어야 해요."

이럴 때 주위 사람들의 따뜻한 이해와 관심이 필요하다. 희망과 용기를 주어서 삶의 의욕을 일깨워주어야 한다. 인생은 살아야 할 가치가 충분하며 노력하면 잘 할 수 있다는 자신감을 심어주어야 한다. 어머니의 희생과 아버지의 사랑이 반군을 조금씩 일으켜 세웠다.

화불단행이란 말이 있다. 인생을 살다보면 불행은 한번으로 끝나지 않고 줄을 이어서 다가오는 경우가 많다. 안타깝게도 가정의 비극은 반군의 실명으로 끝나지 않았다. 어머니는 아들이 불의의 사고로 실의에 빠지자 큰 충격을 받으셨다. 꿈을 잃고 괴로워하는 아들을 지켜봐야 하는 어머니의 마음도 처절하게 타들어 갔다. 어머니의 상심은 자신이 실명한 것 보다 더 애통해하셨다. 시력이 점점 나빠지더니 급기야 앞을 보기가 힘들어졌다.

"제눈이 이상해졌어요. 앞이 잘 보이지가 않아요."

"외아들 병간호하느라 피곤해서 그런가 봐요. 당신이 좀 쉬어야겠어요."

아들의 병간호에 애를 쓰시던 어머니는 급기야 심신이 상했다. 애통한 심정은 시력을 나빠지게 하더니 희미하게 보였다. 아버지는 서둘러서 눈의 시력과 몸의 기력을 회복할 수 있는 약재를 써서 어머니의 건강을 돌봐주셨다. 그러나 한번 상한 심신은 쉽게 회복되지 않아서 한쪽 눈의 시력을 거의 잃게 만들었다.

6

아버지의 가르침

예상치 못한 사고로 실명을 하자 반군은 꿈도 잃고 삶의 의욕까지 잃어서 깊은 시름에 빠졌다.

"평생을 어둠에 갇혀서 갑갑하게 살아야 한단 말인가?"

답답해서 미칠 것 같았다. 세상을 볼 수 없는 불편은 너무도 컸다. 마음대로 움직이는 것조차 힘들게 되자 할 수 있는 일이 없었다. 막막하고 답답하여 좀체 안정을 찾기가 힘들었다.

"볼 수도 없고 맘대로 움직일 수도 없게 되다니 상상할 수 없는 일이 일어났구나. 나는 무슨 일을 하며 세상을 살아야 할까?"

넓은 운동장을 맘껏 달려보고 좋아하는 축구도 하고 싶었다. 친구들과 냇가에서 헤엄치고 물고기를 잡으며 놀던 때가 그리웠다. 어릴 적 행복했던 시절의 추억이 떠오를 때면 갑갑하여 미칠 것 같았다.

"왜 나에게 이런 시련이 찾아온 걸까? 나의 가혹하고 유별난 운명이 신의 뜻이란 말인가?"

홀로 옛일을 생각할 때면 저절로 눈물이 나왔다. 작은 일에도 짜증이 솟고 재미있는 일이 없었다. 갑자기 변한 환경으로 사는게 지옥처럼 힘들었다. 생활이 불편하여 몸과 마음이 괴롭고 모든 게 귀찮아졌다.

"언제까지 부모님께 의지해서 살아야 할까? 평생을 이렇게 답답하게 살아야 한단 말인가?"

앞날에 대한 불안과 끝없는 분노가 솟으며 모든 게 미워졌다. 생각할수록 세상이 원망스러웠다. 아무리 고민해도 앞날이 보이지 않았다.

"이렇게 갑갑하게 사느니 차라리 죽어버릴까?"

그런 생각을 하면 안 된다는 걸 알면서도 불쑥 불쑥 죽음의 유혹이 찾아와서 마음의 안정을 찾을 수가 없었다. 말수가 적어지고 괴로워하는 자식의 모습을 지켜보는 부모님의 마음도 슬픔으로 가득 찼다.

인생의 희망을 잃고 괴로워하는 아들에게 삶의 용기를 준 것은 아버지였다.

"감옥에서 만난 두 사람이 있었다. 한 사람은 마룻바닥을 바라보며 신세한탄을 하며 지냈어. 그의 눈에는 절망만이 보여 불평과 원망을 입에 담고 살았지. 그런데 한 사람은 밤하늘에서 별빛의 아름다움을 보았고 바깥세상의 자유로움을 알았다. 아들아, 넌 무엇을 보고 싶으냐?"

"아버지, 저는 이제 별빛 쏟아지는 찬란한 밤하늘을 볼 수 없지만 하늘의 별을 보고 싶어요."

"너는 꿈 많고 총명한 아이였어. 이제 미움과 분노를 버리고 먼저 네 자신의 불행을 받아드려야 해. 한숨만 쉬지 말고 무엇을 해야 할지 곰곰이 생각해 보거라."

"세상을 볼 수가 없는데 제가 할 수 있는 일은 아무 것도 없을 거예요."

"너는 다른 사람이 갖지 못한 장점이 많았어. 세상에서 너만이 할 수 있는 일이 있을 거야. 그것이 뭔지 함께 찾아보자. 넌 틀림없이 어떤 일을 잘하는 꼭 필요한 사람이 될 거야."

"정말 제가 할 수 있는 일이 있을까요?"

"할 수 있다는 긍정적인 생각은 강한 힘을 준단다. 역경을 이겨내고 할 수 있다는 꿈을 가져야 해. 꿈은 살아서 움직이는 생물과 같아서 꿈을 잃는다면 살아 있어도 죽은 것과 같은 거야."

"제 꿈은 모두 날아가 버렸어요. 어떻게 다시 꿈을 찾을 수가 있겠어요?"

"어둠에 쌓인 깊은 밤이 있어야 별빛이 더 밝고 찬란하지 않겠니? 자신의 신체적인 장애를 극복하고 인류를 위해 헌신하며 성공한 사람들은 셀 수없이 많았어."

"전 그들과는 다르지 않을까요?"

"인생의 성공은 편안함과 풍족할 때보다 오히려 역경과 부족함에서 오는 경우가 많았어. 먼저 어려움을 극복하려는 의지가 필요한 거야."

"앞을 볼 수 없는데 제가 할 수 있는 일이 있을까요?"

"봄에 핀 아름다운 꽃이 어디 저절로 피었겠느냐? 그것은 추위와 눈보라를 이겨낸 강인한 인내가 만든 거야. 어떤 사람에게 고난은 실패의 핑계가 되지만, 다른 사람에게는 성공의 동기가 될 수 있단다."

"제가 실명하지 않았다면 저도 잘할 수 있었어요."

"고난과 역경 그리고 부족함은 인간을 성숙시키는 자양분이야. 꼭 해야 된다는 의지를 갖게 하고, 목표를 심어주어서 할 수 있다는 능력을 키워준단다."

"저에게 갑자기 닥친 불행을 이겨낼 자신이 없어요."

"좌절은 아무나 하는 게 아니야. 그건 큰 꿈을 꾸는 자만이 할 수 있는 거야. 실망하지 말고 아무도 생각지 못하는 상상력을 가져봐라. 너만이 할 수 있는 큰 꿈을 가져라."

"제가 또다시 큰 꿈을 가질 수 있을까요?"

"넌 훌륭한 사람이 될 자질을 갖췄어. 실명했다고 그게 어디로 가겠니? 명석한 두뇌와 일을 할 때면 집중할 수 있는 특별한 재능이 있어. 그건 인생의 큰 장점이 될 거야. 눈으로 볼 수 없으면 손끝으로 느끼고 마음으로 보면 돼."

"어떻게 손끝으로 느끼고 또 마음으로 볼 수가 있을까요? 앞을 볼 수 없는데 그게 가능할까요?"

"손에 익는다는 말이 있지 않니? 손에 익혀서 네 것으로 만들어 보렴. 그럼 자신감이 생겨서 손으로 느끼고 마음으로 볼 수 있게 될 거야. 지금부터 시작해도 늦지 않았어. 의미 있는 너의 미래를 개척하고 만들어보렴."

"제가 정말 잘할 수 있을까요? 왜 자신감이 없을까요?"

"용기 있는 사람은 두려워하지 않는다고 했어. 넘어지고 일어서야 걷고 뛰는 법을 알게 되는 거야. 한번 넘어졌다고 포기해서는 안 되겠지?"

"그렇게 쉽게 포기할 수는 없어요."

"장애물이 있다고 멈추지 말고, 벽에 부딪치면 돌아서 가고, 갈 수 있는 방법이 무엇인지 생각해보아라. 종종 열쇠 꾸러미의 마지막 열쇠가 굳게 닫친 자물쇠를 열게 한단다. 그게 바로 희망이 아니겠니?"

"넘어지면 다시 일어서라고요? 저도 다시 일어설 수 있을까요?"

"신이 지으신 모든 생명에는 각자 저마다의 역할이 있어. 열매를 먹은 새는 멀리 날아가 똥을 싸서 씨앗을 퍼트리고, 다시 식물이 자라나게 하여 동물은 그걸 먹고 번성할 수 있는 거란다. 만물의 영장인 인간의 능력은 무한해서 얼마든지 잘 할 수 있어. 포기하지 않으면 너만이 할 수 있는 일이 있을 거야."

"제가 힘을 낼게요. 정신을 차려서 상상력을 발휘해볼게요. 숨어있는 잠재력을 일깨워서 다시 한 번 도전 해볼게요."

"인간의 성공과 실패, 그리고 행복과 불행은 자신이 만드는 거야. 남의 탓으로 돌리는 것은 잘못된 생각이야. 이제부터는 신체적 장애를 이유로 해보지도 않고서 못할 거라고 미리 포기하는 일은 없도록 해라."

낙천적인 성격의 아버지는 실망에 빠진 아들에게 무슨 일이든 잘할 수 있다는 용기를 주시면서 자신감을 심어주셨다.

아버지의 말씀에서 다시 희망을 보았다. 용기를 갖고 어느 한길에 열중하겠다고 다짐했다.

"제가 정말 어떤 일을 잘할 수 있을까요?"

"너는 무엇이든지 해낼 수 있어. 고난이 있을지라도 할 수 있다는 희망을 한시도 놓지 말거라. 한곳에 집중하여 너만의 길을 만들어라. 그럼 꿈이 고난에서 구원해주고 행운이 웃으면서 찾아올 거야."

"할 수 있다는 꿈을 포기하지 않을게요. 제가 하고 싶은 일을 꼭 하고야 말거예요."

"전능한 신께서 착한 너에게 고난을 헤쳐 나갈 힘도 주실 거야. 보람 있는 일을 하면서 네 인생을 살아야 한다."

"할 수 있다는 용기와 믿음을 가질 거예요. 세상을 향한 저만의 꿈을 다시 꿀게요."

"꿈꾸고 도전하는 자가 큰 것을 성취할 수 있는 법이야. 이제부터 마음의 눈을 떠야한다. 네겐 불가능은 없다는 걸 보여 다오."

실의에 빠진 사람에겐 할 수 있다는 용기를 주는 건 미덕이며 지혜다. 다시 일어설 수 있도록 격려하면서 자신감을 심어주어야 한다.

"이제부터는 두려움이 최고의 적이 될 거야. 숨겨진 능력으로 찬란한 미래를 만들어서 실명을 신의 축복으로 만들어 보렴."

그 순간 희망이 보이면서 번뜩이는 생각이 떠올랐다. 무엇을 본다는 것은 좋은 쪽을 보느냐 나쁜 쪽을 보느냐에 따라 달리 보인다. 생각하고 마음먹는 것도 자신이 결정한다.

"언제까지 미워하고 분노하며 살 수는 없어. 나의 장애를 인정하고 받아드려야 해. 좁은 철창 속에 가둬두지 말고 넓은 하늘을 날아가는 새가 되어야 해. 새로운 인생을 만들어서 자유롭게 살아야 해. 행복과 불행은 나의 마음먹기에 달려 있을 거야."

아버지의 사랑에 찬 격려가 반군의 마음을 움직이며 감동을 주었다. 실명을 인정하고 무엇이건 배워서 할 수 있는 능력을 길러야 한다고 생각했다.

이 무렵 반군은 충격적인 이야기를 들었다. 어머니가 자신을 간호하던 중 한쪽 눈을 실명하여 앞을 볼 수 없다는 사실을 알았다. 마음이 여린 반군은 애처롭게 울부짖었다.

"어머니까지 시력을 잃으시다니 나 때문이야. 내가 나쁜 아들이야."

더 이상 장애를 핑계로 세상을 비관하며 살수는 없다. 현실에 안주하여 패배자의 길을 갈 수는 없다고 자각했다. 어머니에게 기쁨을 드리면서 보람된 일을 하며 살겠다고 다시 한 번 결심했다.

"다른 사람을 원망하지 않을 거야. 다시 일어서서 꿈을 이루고 말거야."

나태와 게으름은 소신 없는 자가 즐겨 쓰는 핑계와 변명이다. 의지가 있다면 어떤 일도 할 수 있다.

"난 조금 일찍 장애인이 되었어. 나의 적은 두려움이야. 다시 할 수 있다는 용기와 꿈을 가져야 해."

반군은 할 수 있다는 자신감을 찾았다. 자신의 부족함을 성공의 출발점으로 삼기로 결심했다.

인간은 실수를 한다. 실수를 하고서도 고치지 않는 게 잘못이다. 실패와 좌절에서 벗어나는 길은 오직 자신의 노력과 의지에 달려있다. 삶은 앞을 보고 나갈 때 발전한다. 어느 것이 중요한지 결정하기 힘들 때는 우선순위를 정하여 처리하는 것이 요령이다. 빨리 가려고 서두르다보면 넘어지고 조급함 때문에 낭패를 당한다. 조금 늦더라도 완벽하게 처리하는 게 유리하다. 지혜로운 사람은 우둔한 사람이 하기 싫어하는 일도 서슴지 않으며 나중에 하려는 일을 먼저 한다.

"실명했다고 배움을 멈춰서는 안 돼."

반군은 무엇이건 배워야한다고 생각했다. 배움을 실천하면 미래가 보장된다.

배우는 속도는 늦더라도 차근차근 익히고 완전하게 익혀서 자신의 것으로 만들어야 한다. 그렇게 하려면 새로운 지식을 얻기 위하여 책을 볼 수 있는 능력을 길러야 한다. 총명한 반군은 이런 결론을 얻기까지 수많은 날들을 고민하며 괴로워했다.

7 장애를 극복 하기 위한 몸부림

"인생은 꿈을 갖고 살아야 한다. 할 수 있다는 믿음을 가져라."

아버지의 말씀이 귓가에 맴돌았다. 반군은 자신감을 찾고 다시 꿈과 희망을 보았다. 꿈을 꾸고 꿈을 이루기 위한 새로운 몸부림이 시작되었다. 점자책을 통하여 다양한 문자생활이 가능하다는 걸 알았다. 점자는 시각장애인이 읽고 쓸 수 있는 문자고 지식교육을 가능하게 해준다. 반군은 새로운 길을 찾기 위하여 맹아학교에 입학했다. 지금까지 살아왔던 생활방식과는 전혀 다른 세계로 뛰어든 것이다. 첫 번째 시간 선생님으로부터 그의 운명을 결정지을 감동적인 강의를 들었다.

"시각장애인으로 살아가는 것보다 더 비극적인 일은 앞을 볼 수는 있으나 꿈이 없는 사람이야."

이 말을 듣는 순간 짜릿한 전율 같은 감동이 맹렬하게 가슴 속으로 파고 들어왔다. 그리고 헬렌 켈러 여사의 인생에 대한 놀라운 이야기가 그의 마음을 사로잡았다.

"그녀는 볼 수도 없고, 듣지도 못하는 맹아와 농아를 지닌 장애인이었다. 그런데도 일반사람보다 몇 백배 아니 몇 천배의 노력을 경주하여 중증 장애를 극복하고, 손으로 보고 또 마음으로 보게 되었지. 한 인간으로 성공하여 우뚝 서서 인류의 발전에 기여하고 찬란한 빛과 같은 발자취를 남겼다. 바로 인간 승리를 이뤄낸 것이야."

그리고 장애를 이긴 수많은 사람들의 성공담을 들었다. 반군은 자신의 일처럼 기뻐하며 할 수 있다는 용기와 자신감을 얻었다.

"어쩌면 장애는 사람을 차별하려는 용어일지 모른다. 귀로 들을 수 없는 베토벤은 인간에게 감동을 주는 불후의 교향곡을 작곡하였고, 소아마비에 걸린 루스벨트대통령은 경제공황을 극복하고 무려 4선을 하면서 미국의 부흥을 이끌면서 2차 대전을 승리하여 세계평화에 기여했다. 이들은 자신의 장애를 극복하고서 인류발전에 큰 업적을 남긴 사람들이야. 무엇으로도 할 수 있다는 의지를 꺾지 못했어. 여러분들도 노력하면 자신의 장애를 극복하고 얼마든지 국가 사회를 위하여 훌륭한 일을 할 수 있단다. 자신이 갖고 있는 의지와 노력으로 사람들이 불가능하다고 생각하는 것들을 가능한 것으로 만들어라. 나도 할 수 있다는 믿음을 갖고 네 인생을 개척하여라."

학생들은 뜨거운 반응을 일으키며 새로운 각오를 다졌다. 선생님의 강의는 학생들에게 할 수 있다는 자신감을 심어주면서 용기와 희망을 주었다. 반군은 장애를 가진 많은 위인들이 자신보다 더 큰 시련을 극복하고 인생을 보람되게 살았다는 사실에 큰 감명을 받으며 교훈을 얻었다. 최선의 결과는 역경을 극복하고 끝없는 노력을 할 때 이룰 수 있다는 걸 알았다.

생소한 점자공부를 시작했다. 어려움이 따랐지만 점자를 초보적인 것부터 착실하게 배웠다. 무엇이든 배워서 미래를 개척해야 한다는 결심을 하고 새로운 각오를 다짐했다. 그에게는 남다른 집념이 있었다. 누가 시키지 않아도 점자공부에 전념했다. 새로운 것에 대한 흥미와 도전 의식이 불타올랐다. 점자를 공부하는 것이 즐겁고 싫증이 나지 않았다. 남들은 할 수 있는 일을 자신만 못할 것이 없다는 오기심도 발동됐다.

그는 타고난 공부벌레였다. 눈으로 볼 수 없는 것을 손끝의 감각으로 익히는 고난의 과정이다. 반복하고 또 복습하면서 읽는 연습을 계속했다. 손끝이 아프고 저려도 멈추지 않았다. 서서히 변화가 일어났다. 손끝이 예민하게 발달하면서 새로운 환경에 적응했다. 글자가 손끝에 잡히고 머릿속에 각인되었다. 점자에 손을 대면 글자가 눈에 보이고 그리고 마음 속에도 점자가 보였다. 드디어 마음의 눈이 열리기 시작한 것이다.

어머니의 가없는 희생이 따랐다. 앞을 볼 수 없는 철부지 자식을 돌보는 일이 어디 쉽고 간단한 일이겠는가? 잠이 많은 반군을 시간 맞춰 깨워서 공부할 수 있는 여건을 만들어주시고, 예민해진 아들의 심기를 안정시키려고 무던히 애를 쓰셨다. 어머니는 정성으로 만든 간식을 챙겨 먹이며 체력을 보충해주고 애정 어린 손길로 그를 돌봤다. 세상에서 시간과 정성을 들이지 않고 얻을 수 있는 결실은 없다.

틈틈이 반군의 손을 잡고 산책하며 운동을 시켰다. 자연을 가까이하면서 맑은 심성을 갖도록 신경을 써주셨다. 어느 날 뒷산에 올랐는데 귀에 익은 새소리가 들려왔다.

"엄마, 예쁜 새소리가 들리네요. 새가 많은가 보죠?"

"깃털이 노란 새가 보이는데 참 귀엽고 예쁘구나. 먹이를 입에 문 걸보니 아마 새끼를 낳아서 기르고 있나봐."

그때 반군은 어릴 적 고무총으로 나무위에 앉아 있는 노란 새를 쏴서 죽였던 기억이 떠올랐다.

"제 마음 속에 어릴 때 보았던 깃털이 고운 노란 새가 보이는 것 같아요."

"네 눈에 점점 더 많은 것이 보였으면 좋겠구나."

"중학교에 다닐 때 고무총으로 노란 새를 쏴서 죽인 적이 있었어요. 예쁘게 노래를 부르고 있는 귀여운 새를 죽인걸 보면 전 나쁜 아이였나 봐요."

"생명의 존귀함을 깨우쳐서 너를 크게 쓰려고 잠시 시험에 들게 한 걸 거야. 그토록 마음 아파하니까 지금은 다른 세상에서 노래를 부르고 있을 거야."

"정말 다른 세상에서 노래하고 있을까요? 그때 생명을 죽이지 말고 구하는 일을 하겠다고 다짐했어요."

"그새를 기억하고 있는 동안 계속 노래를 부를 거야. 생명을 구하는 일을 하겠다니 대견한 생각을 했었구나?"

"저도 그런 일을 하며 살고 싶어요. 앞으로는 제가 알고 있는 모든 것들이 떠오르고 볼 수 있을 것 같아요."

죽은 새를 바라보며 눈물을 흘렸던 기억이 남아있다. 마음 속에 새의 형상이 떠오르면서 기억하고 있는 것들을 볼 수 있고 느낄 수가 있었다. 드디어 마음의 빛이 보이기 시작한 것이다.

"아버지의 사랑과 엄마의 정성으로 제가 다시 일어설 수 있을 것 같아요. 이젠 손끝으로 느끼고 때로는 마음으로 볼 수 있을 것 같아요."

"네 노력이 헛되지 않았구나. 넌 이제 세상의 빛이 될 거야."

"제가 실명을 하여 앞을 볼 수 없는데 어떻게 세상의 빛이 될 수 있겠어요? 그건 과욕이 아닐까요?"

"넌 범생이가 아니라 착하고 공부 잘하는 준재야. 네 능력은 미래로 뛰어넘을 무한의 잠재력을 지녔어. 아들아, 자신감을 가져라."

"저에 대한 칭찬이 힘과 용기를 줄 거예요. 그렇지만 지나친 기대는 하지마세요. 다만 저의 최선을 다해볼게요."

"네가 하는 행동이 귀하고 거룩하면 너는 세상을 밝히는 빛이 될 거야. 우리 아들은 할 수 있어."

"점자 공부를 열심히 하여 제 머릿속에 지식과 꿈으로 가득 채워서 떳떳하고 보람된 일을 하며 살게요. 다른 사람의 도움만 받을게 아니라 도움을 주는 삶을 살겠어요."

"사랑하는 아들아, 고통은 한순간이지만 영광은 평생을 간단다. 오 하느님, 그리고 상제님, 부처님 감사합니다. 우리 아들을 지켜주세요."

착한 사람은 선천적으로 타고 나야 한다. 반군이 그랬다. 어느새 저렇게 변했을까? 아들은 의젓하게 성장하고 있었다. 눈먼 자신의 신세를 한탄하며 슬픔에 빠져 자책하던 철부지 아이가 아니었다. 어머니는 기쁨에 겨워서 눈물을 흘리며 감사의 말을 중얼거리셨다.

"사람에겐 저마다 타고난 운명이란게 있단다. 폭발사고가 있던 날 죽지 않고 살린 것은 신이 널 다른 일에 크게 쓰려고 하신 거야. 결코 용기를 잃지 말고 새로운 길을 찾아서 가치 있는 삶을 살아야 해."

부모님은 아들이 힘들어할 때마다 이렇게 용기를 주셨다. 칭찬과 격려 속에서 자란 아이는 감사할 줄을 안다. 진심에서 나오는 칭찬과 따뜻한 격려는 타고난 재능을 일깨워주고, 고난을 극복하는 힘을 주어서 인생을 변화시킬 수가 있다. 어머니의 정성은 반군의 쌓여가는 실력으로 나타났다. 모르는 것을 알게 되면서 배우는 즐거움이 더했다. 어머니는 뒷바라지 하느라 쌓인 피곤함도 잊은 체 아들의 성장을 흐뭇한 표정으로 지켜보셨다.

어리석은 사람은 당장의 괴로움을 참지 못한다. 지금 걸어가는 한 발짝의 발걸음이 고통이어서 걸핏하면 포기하고 멈추려한다. 현명한 사람은 현재의 어려움보다는 다가올 영광과 성취의 기쁨을 추구한다. 일시적인 편함을 거부하고 미래의 성공을 준비한다. 오늘 내딛는 힘든 발걸음이 성공을 위한 초석으로 믿고 열심히 그리고 힘차게 내딛는다. 할 수 있다는 긍정적인 믿음을 버리지 않고 실천하며 살아간다.

"아버지, 천재는 타고나는 것일까요? 아니면 만들어지는 것일까요?"

"천재는 타고난 재능만으로는 될 수가 없어. 피나는 연습과 복습을 반복해야

하며, 각고의 노력과 인내로 얻어지는 자신과의 싸움에서 승리한 결과야."

"자신의 머리만 믿고 노력하지 않으면서 자만한다면 천재도 둔재로 변하겠죠?"

"천재는 후천적인 노력의 결실로 재탄생하게 되는 거야. 천재는 다른 사람이 백의 노력을 할 때 나는 천배의 노력을 했다고 말하는 사람이 될 수 있는 거란다."

"아버지, 노력할게요. 제가 천재는 아니지만 백배 천배의 노력을 해서 저도 할 수 있다는 사실을 반드시 보여드릴게요."

"장하다 아들아, 너의 긍정적인 마음이 네 앞길을 밝히는 힘이 될 거야."

길가에 자라는 이름 없는 풀 한포기라도 저절로 자라지 않는다. 모진 비바람을 견디고 수없이 많은 밟힘을 당하면서 뿌리를 내리고 줄기를 뻗어 꽃을 피운다. 하물며 한 인간이 이룩한 성과는 결코 쉽게 얻을 수 있는 게 아니다. 끝없는 헌신과 피나는 노력을 하면서 많은 것을 희생하고 자신을 바칠 때 얻을 수 있는 결실이다.

드디어 무슨 책이든 자유롭게 읽을 수 있게 되었다. 특히 열심히 공부한 학과는 안마와 침술이었다. 선생님은 안마를 잘 배우면 시각장애인이 인생을 사는데 어려움이 없을 거라고 하셨다. 안마와 관련 있는 기본적인 혈 자리를 익히고 실습을 통해서 안마사 자격증을 획득했다. 혈 자리를 배우면서 침으로 병을 치료할 수 있다는 사실에 신기하다는 생각을 가졌다. 그것은 놀라운 발견이어서 침술에 관심을 갖게 되었다.

그는 부지런히 점자 공부를 하고 천재성을 발휘하여 우수한 성적으로 맹아학교를 졸업했다. 그때부터 반군은 많은 책을 읽으며 실력을 쌓고 교양을 넓혔다. 독서를 할수록 놀라운 변화가 일어났다. 미래에 대한 두려움이 사라지고 확신과 희망이 보였다. 반군은 자신의 인생을 살찌우기 위한 끈임 없는 노력을 멈추지 않았다.

8 외동딸의 고집

딸을 얻은 진실한씨 부부는 부러울 게 없었다. 재롱을 떨며 자라나는 아이를 바라만 보아도 기쁨이 솟아났다. 적적하던 집안에는 웃음꽃이 피어나고 행복으로 넘쳤다. 세상에 귀하다는 온갖 장신구를 사다가 몸치장을 해줬다. 불면 날 새라 넘어지면 깨질 새라 부족한 것 없이 공주처럼 고이 키웠다.

어린 딸은 별빛처럼 반짝이는 눈망울이 예뻤다. 눈에 넣어도 아프지 않을 것 같아서 집안의 재롱둥이로 귀여움을 독차지 하였다. 말을 배우면서 어찌나 귀엽게 재깔이는지 예쁜 짓을 골라했다. 탐스럽게 핀 아카시아 꽃처럼 하얀 이를 드러내며 웃을 때면 천사의 미소가 번지는 듯 주위가 환하게 밝아졌다. 집안 어른들은 서로 안아주고 업어주려고 한시도 가만히 놔두지를 않았다.

특히 이모님의 사랑이 컸다. 자랄수록 총기가 넘쳐나며 똑 소리가 났다. 마치 동쪽하늘에 떠오르는 둥근 달덩이처럼 인물이 훤칠하게 변해갔다. 여옥기인 이란 말이 있다. 얼굴이나 성질이 옥같이 깨끗하고 흠이 없는 사람이란 말이다. 귀한이 자라는 모습이 그러했다. 어른들은 장차 태양처럼 밝게 빛나는 아이가 될 것이라고 덕담을 아끼지 않았다.

"귀한아, 넌 이다음에 커서 무슨 일을 하고 싶으냐?"

"전 농부가 될 거예요."

"요 깜찍한 귀염둥이 하는 말 좀 봐, 부잣집 무남독녀 외동딸이 무엇이 부족해서 농사꾼이 되겠다는 거야? 그건 힘센 장정들이나 하는 일이야."

"전 귀염둥이가 아니라 귀한이에요. 농부가 되어서 부자가 될 거예요."

"넌 얼굴도 예쁘고 똑똑하니까 가수가 되어라."

"왜 어른들은 직업 같은 걸로 사람을 평가하려고 하세요?"

"얘가 꼭 애 늙은이처럼 말을 하네? 네가 고생할까봐 그러지."

"아버지처럼 트랙터와 이앙기를 운전하며 농사를 지을 거예요. 옛날 할아버지처럼 부자가 되어서 가난한 사람들에게 쌀도 나누어주고 좋은 일을 많이 하며 살 거예요."

귀한은 어릴 때부터 기특한 행동을 자주 하여 주위 사람들을 놀라게 하였다. 불쌍한 애들을 보면 자신이 가진 것을 스스럼없이 나눠주며 남을 도울 줄을 알았다. 부잣집 외동딸로 귀하게 자라 고집이 세고 호기심이 많다는 말은 들었지만 다른 아이들보다 하는 행동이 특이했다.

귀한이 중학교를 졸업하고는 주위의 반대를 무릅쓰고 농고에 들어가겠다고 우겼다. 부모님은 기가 막혀서 딸을 설득하느라 애를 먹었다.

"귀한아, 네가 무엇이 부족해서 농고에 가겠다고 우기는 거냐?"

"농고는 뭐 부족한 사람이 가는 곳인가요?"

"인생의 앞길은 소낙비 내리는 여름철 날씨 같이 수시로 바뀐다고 했어. 앞길이 창창한 네가 하필 힘든 농사를 짓겠다고 그러느냐?"

"힘으로 농사를 짓는 게 아니라 기술로 승부를 해야죠. 기술은 속도와 시간을 단축하여 생산단가를 낮춰줘요. 품질향상과 수확량을 증가시키면 소득의 증가로 이어져요."

"농업은 희망이 없는 사양산업이라 모두들 기피하고 있어. 여자가 힘든 일을 하겠다고 하니 기가 막혀서 그래."

"기후변화와 농약 살포로 인한 환경파괴로 어렵긴 하지만 기술과 장비로 극복해야죠. 다른 사람이 생각하지 못하는 방법으로 한발 앞서 나갈 테니 두고 보세요."

"너야 공부 잘하는 우등생인데 부모님이 어련히 알아서 뒷받침을 해줄까."

"최신 영농기술을 습득하여 새로운 분야를 개척할 거예요. 걱정하지 마세요."

"인문계에 진학해서 대학에 가면 얼마나 좋겠니? 대학을 졸업하고 조신하게 행동하면 좋은 혼처자리가 줄을 설 텐데 왜 부모님 애간장을 태우는 거야?"

"농고에서 공부를 해도 제 꿈을 펼칠 수 있어요. 대학에 가지 않아도 잘 살 수 있다는 걸 보여드릴게요."

귀한은 부모님의 반대에 부딪치자 침묵시위에 들어갔다. 벌써 며칠째 식사도 거르면서 농고에 가겠다고 고집을 부리자 딸의 모습을 애처롭게 지켜보던 엄마가 거들고 나섰다.

"귀한이 외동딸이라 오냐오냐 키워서 아버지 말도 듣지 않고 고집이 센 것 같아요. 저러다가 애 잡겠어요. 농고면 어떻고 공고면 어때요?"

"자식이라곤 외동딸 하나뿐인데 종아리를 때릴 수도 없고 이를 어쩌면 좋을꼬? 여자 성격이 고집불통인 걸보면 평범하게 살아갈 것 같지는 않구려."

처음에는 한 때의 고집인 줄 알았는데 자라면서도 생각을 바꾸지 않았다. 못된 짓이나 하고 불량 청소년같이 행동하는 것이 아니라, 공부 잘하고 착하게 자라는 딸이 농고를 원한다고 나무랄 수가 없었다.

"네가 원하는 농고에 가거든 인생의 많은 것을 배워라. 앞으로는 꺾을 줄 모르는 성격을 자제할 줄도 알아야 해."

진양의 생각은 남달라서 기어이 주위 사람들이 말리는 농업고등학교에 들어갔다. 얼굴이 예쁘고 성격이 활달하여 학교에서 인기가 제일 좋은 여학생이 되었다.

그중에서 허순풍군이 귀한을 맘에 두고 쫓아다녔다. 좀체 만나주지 않자 하루는 하교 길에 뒤를 밟았다. 귀한은 할 수없이 빵집에서 둘이 마주 앉았다. 허군은 눈이 부신 눈길로 귀한의 얼굴을 쳐다보느라 눈을 떼지 못했다. 평소 당돌하리만치 남학생들을 무시해왔으나 그럴 땐 어쩔 수 없는 여자였다. 난생 처음으로 설레는 감정을 느꼈지만 애써 숨기고는 입을 삐죽거리며 쏘아붙였다.

"왜 귀찮게 따라다니는 거야? 넌 할 일이 그렇게도 없니?"

"그런 눈으로 쳐다보지마. 너한테 심하게 빠져버릴 것 같단 말이야."

"얘가 만나자마자 무슨 뚱딴지같은 소릴 하는 거야? 나한테 감히 도전하겠다는 거야? 너 지금 작업 들어간 거니?"

"처음 널 봤을 때 하도 예뻐서 숨이 멎는 줄 알았어. 너같이 예쁜 눈을 가진 여학생은 처음 본 것 같아."

"멋진 말하며 여학생 꼬일 줄도 알고 제법이다. 공부는 못하면서 여자애들 꽁무니나 쫓아다니는 애들은 정말 매력 없더라."

"예쁜 여학생이면 잘생긴 남학생한테 관심을 갖는 게 당연한 게 아냐? 나한테 홀딱 반한 여자애들이 한둘이 아닌데 넌 왜 그래?"

"실속 없이 옷차림만 번지르르하면 뭐해? 공부하기도 바쁜데 한가하게 데이트나 할 때가 아니란 말이야."

"쓸 만한 애들은 어디 가고 별 볼일 없는 여자 애들만 모여들어 짜증이야. 친구가 되고 싶은데 나한테 기회를 주면 안 되겠니?"

"농고에 다닌다고 깔보는 애들이 있더라. 나하고 친구가 되고 싶으면 성적을 올려서 1등을 해봐."

"지금 1등은 네가 하고 있는데 어떻게 내가 1등을 차지할 수 있겠어? 내가 그렇게 염치없는 사람인가?"

"난 전교에서 1등을 할 테니까 너는 반에서 1등을 하란 말이야. 그게 나와 사귀는 조건이야."

"아휴 난 못살아, 좋은 방법이긴 한데 정말 내가 1등을 할 수 있을까? 한번 코피 터지게 공부해볼게."

"반에서 1등을 하는 건 어렵지 않을 거야. 잠자고 오락하는 시간 줄여서 열심히 공부해봐. 시시하게 공부도 못하면서 날 넘보려고 하지 마."

"하여튼 네 포부와 뱃장은 따라갈 수가 없을 것 같아. 역시 네 꿈은 엄청 크구나?"

"딴소리 하지 말고 나와 사귀고 싶다면 그 정도 노력은 해야지."

"기회는 기다려주지 않고 쏜살같이 지나간다고 했어. 그러다가 나같이 멋진 남학생 사귈 기회가 날아가 버리면 어쩌려고 그래?"

"난 기회가 찾아오길 기다리지 않고 만들면서 살 거야. 내가 예쁘다고 소문은 났지만 그렇더라도 열심히 공부해야 할 학생이 나한테 빠지면 되겠니? 나 좋다는 마음 얼마나 가는지 두고 볼 거야."

"평생 마음변지 않고 좋아할 자신 있어. 내가 어쩌다가 여학생한테 푹 빠졌는지 잘 모르겠어. 정신 차려서 공부하려고 하여도 그게 잘 안 돼."

"나하고 친구하고 싶으면 무조건 1등을 해야 돼. 대신 오늘 빵은 내가 사줄 테니까 많이 먹어라."

"퇴짜 맞을게 두려워서 아무 말도 못하면 나중에 후회하게 될 거야. 너한테 진지하게 충고하는데 너 그거 아니?"

"거창하게 뜸 들이지 말고 시원하게 말해봐."

"인간은 이룰 수 없는 사랑에는 안달을 하는데, 쉽게 이룰 수 있는 사랑엔 콧대를 높이면서 뚱길까? 그곳에 착각이 있기 때문일 거야."

"무슨 책을 읽었기에 뚱딴지같은 소릴 하는 거야? 그게 무슨 뜻이니?"

"인생을 살면서 특히 사랑의 괴로움에 빠졌을 때 생각해봐. 좋아하는 여학생과 사귀려면 3년간 열심히 공부하면 될까? 그런데 그녀를 잊으려면 10년도 더 걸릴 거야. 그럼 가슴이 얼마나 아파야 할까?"

"우리 마음 속에 잡초와 같은 쓸데없는 잡념으로 채우지 말고 선한 생각으로 채워봐. 사방팔방을 밝은 빛으로 비추면 어두운 그림자가 생기지 않는다고 했어. 넌 성격이 밝아서 6개월이면 충분할 거야."

농고를 다니는 여학생이 많지 않았던 시절인지라 귀한은 남학생들이 사귀고 싶어 하는 선망의 대상이었다. 그녀는 목표가 뚜렷하고 주관이 강해서 한눈을 팔지 않았다.

부모님은 귀한의 진로에 미련이 남아 틈만 나면 바꾸도록 설득했지만 요지부동이었다. 딸이 하는 말이 진취적이고 포부가 커서 고집을 꺾지 못했다.

"얘야, 농고에서 공부하는 게 힘들지?"

"아빠, 힘들긴요? 제 적성에 딱 맞는 것 같아요."

"땀 흘리고 거름냄새 맞으며 실습하는게 재미있단 말이냐? 그러지 말고 인문계 고교로 전학해서 대학에 들어가라. 적성에 맞는 학과 선택해서 공부마치면 네 앞에는 무지갯빛 행복이 기다리고 있을 거야."

"김제평야에 나가 끝없이 펼쳐진 농장을 바라만보아도 신바람이 나고 배가 불러와요. 그걸 놔두고 왜 다른 일을 해요?"

"여자가 어떻게 농사를 지으면서 인생을 힘들게 살겠다고 그러느냐?"

"농장에서 쑥쑥 자라는 벼이삭과, 밭에 심어놓은 채소를 보고 있노라면 행복하고 농사일이 좋은걸 어떡해요? 전 혼자만 호의호식하며 편하게 잘사는 삶보다 다른 사람을 도우며 봉사하는 삶을 살고 싶어요."

"네 생각을 탓할 일은 아니지만 굳이 그럴 필요가 있겠니? 평범한 삶을 살면서 여자의 행복을 누리며 살면 안 되겠니?"

"전 혼자만 행복하게 살고 싶지 않아요. 달콤하고 편안한 현실에 안주하려는 삶은 나태에 빠져서 인생을 퇴보하게 만들 거예요. 힘들고 험한 일이라도 그것을 이겨내서 성취하려는 노력이 있어야 인생은 발전하고 성공할 수 있다고 생각해요."

곁에서 부녀가 이야기하는 걸 듣고 있던 엄마가 발끈했다.

"왜 고생할 일을 자청해서 하겠다는 거야? 여자가 농고에 다니는 것도 그렇고, 계속 부모님 뜻을 거스르며 고집을 피우는 건지 당체 네 속을 알 수가 없구나?"

"어떤 사람은 좋은 집에서 비싼 옷 입고 맛있는 음식을 먹으며 힘든 일하지 않고 사는 걸 바랄지 몰라도 삶의 의미와 미래를 보장해주지는 못해요. 전 한번뿐인 인생을 그렇게 살고 싶지 않아요."

"내가 친구들 만나면 창피해서 죽겠다니까. 부잣집 외동딸이 하필 농고에 다니느냐고 놀릴 때면 얼굴을 들 수가 없어서 쥐구멍이라도 들어가고 싶은 심정이야. 왜 엄마 속을 썩이는 거야?"

"젊은 처녀가 힘든 노동을 통하여 성취하는 기쁨을 얻겠다는데 그게 왜 창피해요? 전 편안한 삶보다 땀 흘리며 일하는 즐거움과 행복을 누리고 싶어요. 앞으로는 기죽지 마시고 맘껏 자랑하세요."

"넌 인생을 힘들게 살지 않아도 돼. 공주처럼 편하게 살 수 있도록 내가 만들어 줄게. 왜 사서 고생길을 가겠다는 거야?"

"그런 삶이 당장 부러움과 환심을 살지 몰라도 진실한 사람의 마음을 얻을 수 없고 보람된 인생을 살 수는 없어요. 저도 무언가 사회에 기여하고 싶어요. 제가 하고 싶은 일 하면서 행복하게 살게요. 부모님을 결코 실망시키지 않을게요."

"여자가 진득한 맛이 있어야 매력이 있는 법인데 부모님 말씀에 사사건건 변명하며 고집을 피우는 거니? 저러다가 고집불통의 못된 딸이라 소문날까 걱정이야."

"엄마는 제 생각과 주관을 이야기하는 건데 그걸 고집이라고 흉을 보면 어떡해요? 그럼 제가 어디 가서 말 한마디도 못하는 벙어리 바보가 되는 걸 원하세요?"

"유행은 변해도 단정함은 변하지 않는다고 했어. 네가 긴장하면 말이 많다는 건 알고 있지만 그렇더라도 변명이나 고집피우는 건 좀 줄여라."

"엄마는 언제 적 이야기를 하시는 거예요? 엄마가 처녀 적에 그런게 미덕이었는지 몰라도 지금은 개성 있고 주관이 뚜렷한 여자가 각광받는 시대라고요. 지금 제 생각과 포부를 말씀드린 거예요."

"네 고집 센 건 평생 변하지 않을 거야. 글쎄 그렇게 꼬박꼬박 말대꾸하지 말고 가끔은 부모님 말씀에 순종하는 척이라도 해주면 안 되겠니?"

"이젠 대학가라고 더 이상 보채지만 않으면 좋겠어요. 그런 선택된 삶이 대부분 사람들이 바라는 행복인지 몰라도 맞지 않는 사람도 있어요. 전 이미 특별한 삶을 살고 있어요."

엄마는 딸이 하는 말이 진취적이고 비범하다고 생각했다. 쉽게 자신의 고집을 꺾지 않을 걸 알고는 점차 단념했다.

그래도 아버지는 미련을 버리지 못하고 틈만 나면 설득하려고 애를 쓰셨다.

"한 때는 엉뚱한 생각을 하는 줄 알았는데 정말 네 고집을 꺾을 수 없다는 말이냐?"

"엉뚱한 생각이 아니라 창의력이에요. 인생에서 상상력이 부족하면 만년 2등밖에 못해요. 결코 선두를 차지할 수 없다는 말이에요. 부모님 도움 없이 제 스스로 혼자서 일어서고 싶어요."

"나중에 무슨 일을 하려고 저렇게 고집을 부리는 건지 가끔은 정말 네 속을 모르겠구나. 네 뜻이 그러하다면 더 이상 말리지 않으마."

"지식보다 중요한 것은 상상력이라고 했어요. 상상력이 빈약한 사람이 자신의 주관을 꺾으면 망해요. 상상력을 존중해주는 사람이 있어야 발전할 수 있어요. 제가 특별히 머리가 좋은 것도 아닌데 대학까지 갈 필요는 없다고 생각해요. 아이디어만 있으면 얼마든지 성공할 수 있어요."

"네가 학교에서 공부를 제일 잘하는데 왜 머리가 안 좋다고 그래? 우리 집안에서 대학생 한명은 나와야 하지 않겠어?"

"제가 괜찮은 딸이란 걸 꼭 보여드릴게요. 제가 노력하지 않고 부모님 재산을 물려받는다면 몸은 편하게 살지 몰라도 운으로 얻은 편안에 행복할 것 같지가 않아요."

"물려받을 재산이 얼마나 많은데 행복하지 않겠어? 재물을 모으는 건 삶을 풍요롭게 살기위한 게 아니겠니? 넌 대궐 같은 집에서 손에 물 한 방울 묻히지 말고 왕비처럼 살란 말이야. 고생하지 말고 그걸 관리만 하면 돼."

"그럼 제가 이룬 건 하나도 없겠죠? 부모님 잘 만난 덕으로 호강하는 여자로 알거예요. 제가 요행이나 바라면서 기뻐하는 게으름뱅이 딸이 되는 게 좋겠어요?"

"그런 삶이 나쁘다는 거니? 넌 소박하고 평범한 삶을 살았으면 좋겠구나."

"자신만을 위해서 살기엔 인생이 짧지 않을까요? 육체적 노동을 싫어하는 것은 게으르고 무능한 자가 즐겨하는 일이에요. 그건 자신의 행복을 포기하는 것과 같다고 생각해요. 제 꿈을 펼치면서 땀 흘린 보람을 가꾸고 싶어요. 저도 잘할 수 있는 기회를 갖고 싶어요. 예쁜 딸을 믿어주세요."

부모님은 딸이 생각하는 것이 남달라서 앞서 있다는 걸 알았다. 아쉬움이 남아 속은 상해도 더 이상 그들의 생각을 강요하지 않았다. 진양은 농업과 관련된 공부를 한 눈 팔지 않고 열심히 했다. 방학이나 농사철이면 누가 시키지 않아도 일꾼들한테 농사짓는 법을 배웠다. 고등학교를 졸업하고 대학진학을 마다하고 기어코 남들은 하기 싫어하는 농사일에 뛰어들었다.

그녀는 학교에서 배운 농업기술을 응용하여 특용작물을 재배했다. 남들이 잘 재배하지 않는 채소와 과일에 관심을 갖고 그들이 생각하지 못하는 농사를 지으면서 한발 앞서나갔다. 학교에서 배운 이론을 접목하여 새로운 농법을 실험하며 그녀 나름의 영농기술을 쌓아갔다. 재배기술이 어려운 만큼 판매 가격이 높았다. 그녀는 일한만큼 소득이 늘어가는 재미에 빠져 농사일에 전념했다.

몇 년이 지나지 않아 새파랗게 젊은 처녀가 각종 농기구를 다루는 건 물론 웬만한 정비와 수리까지 척척할 수 있는 만능 농사꾼이 되었다. 멋을 부릴 줄도 모르고 그녀를 좋아서 쫓아다니는 남자친구를 사귈 생각도 하지 않았다. 부모님은 시집갈 생각은 하지 않고 농사를 짓는 딸이 대견스러우면서도 한편으론 걱정이 늘어갔다. 김제 땅에서 몇 째 안가는 부농의 자녀인데도 부모님을 도와 농사를 짓는다고 효녀로 소문이 났다.

귀한은 나이에 비해 생각이 깊고 언행이 가볍지 않았다. 부자티를 내는 법도 없고 일꾼들이나 가난한 사람을 업신여기지 않았다. 주위 사람들은 소탈하면서 붙임성이 있는 그녀를 좋아했다. 젊은 여자가 소신 있게 일을 해서 장차 큰일을 할 것 같다고 말했다. 한마디로 개성이 강하고 주관이 뚜렷하여 보통 여자들과는 다른 생각을 하며 살았다.

인생은 외모나 재산, 명예 등 모든 걸 완벽하게 갖췄다 하여 행복한 건 아니다. 오히려 그걸 지키고 더 갖기 위해 노심초사하느라 근심과 걱정이 따르고 때로는 자만심에 빠지기도 한다. 자신이 좋아하는 일을 즐기며 만족하는 삶속에서 진정한 행복을 찾을 수 있게 된다. 그녀는 남들과 다른 창의적인 일을 하면서 자신의 길을 가야겠다고 생각했다.

9 스님이 주신 교훈

맹아학교를 졸업한 반군은 무슨 책이든 자유롭게 읽으며 공부를 할 수 있는 능력을 갖췄다. 책을 읽는 다는 건 교양과 지식을 쌓아서 인간을 성장시키는 가장 좋은 방법이다. 자신에게 무한한 잠재력이 있다는 사실을 발견했다. 세상의 지식에 눈을 떠서 많은 것을 알게 될수록 빛을 잃은 자신의 처지가 안타까웠다. 몸은 불편하여도 마음은 자유롭게 살고 싶었다. 자신의 일을 하면서 자신보다 더 불행하게 살고 있는 사람들을 돕고 싶었다. 남을 도울 수 있는 방법은 아픈 사람을 치료하여 주는 일이라고 생각했다. 반군은 비로소 인생의 목표를 찾은 것 같았다.

피는 속일 수가 없는지 반군은 침술에 남다른 관심과 재능이 있었다. 한의사가 되어서 환자들을 치료하는 모습을 상상했다. 자신도 할아버지처럼 병든 사람들의 건강을 찾아주는 일을 하고 싶었다. 쉽게 이룰 수 있는 꿈은 아니지만 그들에게 용기를 주고 싶었다. 장차 어떤 일을 하면서 세상을 살아갈까 고심하던 반군은 자신의 생각을 부모님께 말씀 드렸다.

"아버지, 상상력은 인간을 발전시키는 원동력이라고 하셨죠? 앞으로 제가 하고 싶은 일을 생각해봤어요."
"너는 성격이 차분해서 무슨 일을 하든지 잘 할 수 있을 거야. 무슨 일을 하고 싶으냐?"
"전 앞을 볼 수 없는 괴로움을 체험으로 알고 있어요. 환자들은 더 고통스럽겠죠? 저도 침술을 배워서 할아버지가 행하신 것처럼 건강을 잃은 사람들을 도와주고 싶어요. 그들의 건강을 찾아주면 제가 행복할 것 같아요."
"어떻게 침술공부를 하겠다는 생각을 했느냐? 너의 생각과 꿈이 그렇게 큰 줄은 몰랐구나. 그런 일을 하기엔 힘들지 않겠니?"
"어렵다고 시도조차 않는 건 비겁할 것 같아요. 한번 힘든 일에 도전 해보고 싶어요. 제 생각을 어떻게 생각하세요?"
"기회는 자신이 만드는 거란다. 누구나 할 수 있는 일은 기회가 될 수 없고, 사람들이 바라는 기회는 찾아오지 않겠지. 다른 사람이 어렵다고 하는 일, 불가능하다고 생각하는 일에 도전해서 될 수 있게 만드는 것이 바로 기회가 되는 거야. 우리 힘을 합쳐서 큰 기회를 만들어 보자."
"그럼 제 생각에 찬성하시는 거죠?"
"미래는 너의 인생이란다. 네가 선택하고 결정한 일을 존중하마. 내가 생각하지 못한 일을 하겠다니 뜻이 장하다. 그런데 너에게 큰 어려움이 따를 거야. 그래도 언제나 네 편이 되어서 꿈을 이룰 수 있도록 적극 도와주마."
반군은 정상인도 하기 어려운 한의사가 되려고 굳건한 마음을 먹고 도전장을 내밀었다.
본격적으로 침술 공부를 시작하면서 새로운 도전이 시작됐다. 맹인이 침술을 배우는 건 무모한 일이라며 말리는 사람들이 많았다. 그렇지만 해보지도 않고서 포기할 수는 없다고 생각했다.
"침술공부는 의욕만으로 되는 일이 아니야. 다른 일을 해보도록 하게."

"어렵고 힘든 일이니까 해보려고요. 한계에 도전하여 할 수 있다는 걸 시험하고 싶어요."

"학교에서 배운 안마를 열심히 하면 편하게 살 수 있는데 왜 고생을 사서 하려고 하는가?"

"제게는 할 수 있다는 의지와 젊음이 있어요. 평생을 공부하며 고생을 하게 되더라도 보람도 있지 않을까요?"

"공연히 헛고생하지 말고 현실을 똑바로 보게."

포기하지 않는 것도 능력이다. 기본적인 혈 자리는 맹아학교에서 배운 터라 본격적으로 전신의 혈 자리를 배우기 시작했다. 혈 자리는 몸 전신에 분포되어 있는데 병을 고쳐주는 신비한 샘이다. 혈 자리마다 병을 치료하는 효능이 다르기 때문에 모든 혈 자리를 기억하고 찾을 수 있어야 한다. 각 혈 자리가 갖고 있는 고유의 효능과 병에 따라서 취해야 하는 혈 자리를 익혔다. 수많은 병을 치료하고 다스리는 치료방법을 공부하기 시작했다.

부모님이 혈 자리 찾는 모델이 되셨다. 반사경씨는 기초적인 침술을 가르치면서 자신의 짧은 침술실력을 한탄하며 한의사가 되지 못한 것을 뼈저리게 후회했다. 다행히 한약재 공부를 하며 선친께 배운 한의공부가 도움이 되었다. 비록 한의사 자격증을 따지는 못했어도 어릴 적부터 침을 놓는 걸 보고 자란 탓으로 침의 문리를 터득하고 있었다. 그는 아들이 한의사의 길을 갈 수 있도록 모든 뒷받침을 해주기로 마음먹었다. 그는 선친의 가업을 이어가지 못한 죄송함을 아들을 통하여 이어가기를 바랐다.

반사경씨는 한의 서적을 펴놓고 한의 공부에 매진하면서 아들의 공부에 조금씩 도움을 주었다.

"혈 자리의 위치가 거기가 거기 같아서 헷갈릴 때가 많지? 족삼리는 바로 여기란다. 자꾸 만지고 익혀서 느낌을 네 것으로 만들어라."

혈 자리를 알기 위해서는 몸을 만지면서 익혀야했다. 그런 연습을 수없이 반복하며 혈 자리를 찾아서 익혔다. 침술공부의 성과가 마음먹은 대로 나타나지 않았다. 때로는 손끝이 부르트고 피멍이 들었다. 그럴 때마다 반군은 자신을 채찍질 하기를 멈추지 않았다.

'고통은 한 순간이나 영광은 영원할 거야. 성공은 갑자기 떨어지는 행운이 아니야. 이 정도의 어려움은 얼마든지 참을 수 있어.'

힘들 때마다 그 말을 수없이 되 뇌이며 참고 견뎠다. 침술공부의 진도가 느려도 실망하지 않고 전념했다. 아버지는 코피를 쏟으며 힘들어하는 아들에게 용기를 주면서 격려하였다.

"지금 겪는 어려움은 가보지 못했던 힘든 과정을 공부하기 때문이야. 이 길을 거치고 나면 앞날에 찬란한 미래가 기다리고 있어. 넌 틀림없이 많은 사람들의 존경을 받으며 스스로를 자랑스럽게 생각하는 사람이 될 거야."

혈 자리를 배우는 것이 만만치 않았으나 하나씩 차분하게 익혀서 완전히 자신의 것으로 만들었다. 남들은 한 두 번에 할 수 있는 공부를 수없이 반복했다. 이것이 장차 그를 천하의 명의로 성공시킨 비결이 되었다. 노력하는 사람에게 불가능은 없다고 했다. 몸의 부위를 만지며 터치하는 시간이 많아질수록 손끝의 감각이 발달되고 예민한 감각기관으로 변했다. 점차 손끝이 혈 자리를 찾아갔다. 마치 능숙한 바이올린 연주자가 음의 높낮이에 따라 손가락이 자유자재로 음계를 짚는 것처럼 특정부위의 혈 자리까지 정확하게 찾을 수 있게 되었다. 곧 손끝의 예민한 촉각이 눈 역할을 대신하게 된 것이다. 그것은 피눈물 나는 연습과 반복의 과정을 되풀이하면서 얻은 결과였다.

엄격한 수도사와 같은 생활이 지속되었다. 잠자는 시간을 빼고는 손에서 책을 놓지 않았다. 자신이 세운 목표를 성취하는 건 쉽게 이룰 수 있는 건 아니다. 수시로 맨손체조를 하고 찬물에 세수를 하면서 나태 해지려는 정신을 가다듬었다. 추운 겨울에는 손끝이 저려왔다. 한 여름에는 엉덩이와 등에서 땀띠가 솟아올라 상처가 아물 틈이 없었다. 졸음이 엄습할 때면 허벅지를 꼬집고 송곳으로 찌르기를 반복했다. 지금도 허벅지에는 그만이 아는 상처자국이 고생한 흔적처럼 수십 개가 남아있다. 그의 멈출 줄 모르는 도전 앞에 사람들은 혀를 내둘렀다.

침술과 관련된 점자책이 닳고 헤져서 헌책이 되도록 읽고 또 읽었다. 어떤 병은 책의 몇 페이지 어느 부분에 설명이 되어있고, 어떤 혈 자리는 책의 몇 페이지 어느 지점을 찾으면 된다는 위치까지 머리에 남았다. 침술 공부가 어려워서 막히거나 의문이 쌓이면 오이와 무를 사다가 침놓는 연습을 하며 배운 지식을 반복해서 익혔다. 눈이 먼 사람이 침술을 배우고 익히는 일은 남들보다 수백 배의 노력을 요하는 어려운 과정이다. 바로 피눈물 나는 연습과 복습을 통하여 얻은 결실이었다. 실력이 늘면서 몸이 아픈 이웃 사람들과 친지들에게 침을 놔주고 병을 고쳐주는 일이 잦아졌다.

십년의 세월이 바람처럼 빠르게 지나갔다. 그건 행복한 사람에겐 쏜살처럼 지나간 시간이지만 힘들고 지친 사람에게 고난의 시간이 된다. 공부하는 게 힘이 들어도 밤 낮없이 침술공부에 전념했다. 공부가 막힐 때면 아버지는 전문가를 찾아가서 모르는 걸 질문하고 배웠다. 공부하는 양에 비하여 진도는 답답할 정도로 더딘 것 같아도 진전이 있어 실력이 쌓여갔다. 침술공부를 할수록 재미를 느껴서 한눈팔며 딴생각을 할 틈이 없었다.

작은 실개천이 모여서 큰 강을 이루고, 끝없이 떨어지는 한 방울의 낙수가 바위를 뚫는다고 했다. 작은 변화가 조금씩 쌓여가면서 소리 없이 큰 변화로 이어졌다. 아버지는 공부에 지친 아들의 모습을 볼 때마다 측은하여 말리고 싶었다.

"침술 공부하는 게 힘들지? 성공한 사람은 뭔가 다른 점이 있다더니 너를 두고 하는 말인가 보다. 너는 다른 사람이 생각할 수 없는 것을 생각하고, 다른 사람이 하지 못하는 일을 할 수 있게 되었어."

"지금까지 10년밖에 안 걸렸어요. 모르는 걸 알 때마다 새로운 지식을 깨우치는 기쁨이 큰걸요. 앞으로 10년만 더 공부하면 뭔가 손에 잡힐 것 같아요."

"벌써 10년이나 공부했단 말이냐? 네가 고생한 보람이 있어 웬만한 병은 치료할 수 있게 되었어. 침술실력이 크게 발전한 것 같구나."

"겨우 혈 자리 찾는 수준에 머물렀거늘 모든 병을 치료하고 낫게 하려면 더 많은 공부를 해야해요. 이제야 가는 길이 조금씩 보이기 시작한걸요."

"네 자신을 낮게 평가하지 마라. 독학으로 공부를 했어도 근동에서 너만큼 한의지식에 밝고 침을 잘 놓는 사람 찾기도 드물게야."

"저는 잔병이나 치료하는 수준의 실력에 안주할 수가 없어요. 남들이 치료할 수 없는 중증의 환자를 다스리려면 지금 실력으로는 어림도 없어요. 이 정도 실력으로 만족할 수가 없어요."

"그런데 이를 어쩌면 좋을꼬? 아비는 너의 꿈을 채워줄 수 있는 실력이 없구나. 네가 이쯤해서 침술공부를 접어도 실망하지 않으마. 넌 열심히 공부해서 뜻을 이뤘어."

인간은 혹독한 시련을 겪은 만큼 강인하게 성장하고 성숙해진다. 안락한 생활에 머물다보면 몸은 편할지 몰라도 나태하고 게으름에 빠진다. 지금 침술실력만으로도 환자들 치료에 지장이 없었다. 침술에 대한 지식이 늘어갈수록 배워야할 범위와 분야가 넓고 많다는 걸 알았다.

반사경씨는 자신의 힘으로는 아들의 독학에 대한 열정과 침술에 대한 무한한 지적욕구를 채워줄 수가 없음을 알았다. 반씨는 수소문 끝에 아들과 함께 법주사의 선방에 기거하고 있는 소침 스님을 찾아갔다. 스님은 침술의 대가로 당대 최고의 명의로서 침술이 신의 경지에 이르렀다는 칭송을 듣고 계셨다. 어떤 대가도 받지 않으면서 주로 난치병 환자를 치료하며 오직 생명을 구하는 일에만 심혈을 기우리고 계셨다.

"스님, 제 자식을 스님의 제자로 받아주시고 높은 침술을 가르쳐 주십시오."

"나는 병든 사람에게 침을 놓아 병을 치료하고 있으나 따로 제자를 두고 가르치지는 않고 있소이다."

"제 자식은 어릴 적 사고로 눈을 잃고 맹인이 되었습니다. 다행이 침술에 관심을 갖고 배우고자 하는 열의가 멈출 줄 모르고 있으니 부디 앞길을 열어주시기 바랍니다."

스님은 반군과 대화를 나누면서 첫 눈에 비범한 재능을 알아챘다. 벌써 침술에 상당한 공부양이 있어 기초 지식을 쌓은 건 물론 웬만한 병은 치료할 수 있는 실력을 갖추고 있었다.

"불과 10여년 공부를 했다면서 침술 실력이 보통이 아니구먼. 젊은이의 침술에 대한 열정을 느낄 수가 있겠네."

무엇보다도 침술에 대한 무한한 발전 가능성을 보았다. 침술을 배우려는 의지가 강하여 환자를 치료하는데 필요한 겸손함과 많은 장점을 소유하고 있었다. 스님은 거듭되는 간청과 정성에 마음이 움직였다. 눈이 먼 젊은이의 노력을 가상히 여겨 오랜 관례를 깨고 단 한명의 제자로 받아드렸다.

이때 스님은 평생 삶의 지침이 될 인생의 좌우명을 주셨다.

"모름지기 침을 놓는 일은 환자의 고통을 덜어주고 건강을 찾아주는 성스러운 일이야. 섣부른 재주를 믿고 생명을 경시하거나, 물질을 탐하여 돈벌이의 수단으로 사용하는 작은 인간이 되어서는 안 된다."

"스승님의 가르침에 어긋남이 없도록 삶의 지침으로 삼아 대의의 길을 걷겠습니다."

"환자를 대할 때는 부모님이 병든 자식을 안아주는 심정으로 대하라. 환자를 내 몸처럼 다뤄서 병든 몸을 치료해주고 마음에 든 병까지 씻어주는 의술가가 되어야 한다."

"저도 평생 스승님이 가시는 길을 따르겠습니다."

"너에게서 의인이 될 자질을 보았으니 그 길을 향하여 멈추지 말고 정진하여라. 한시도 자만하지 말고 성심을 다하여라."

그로부터 스님의 엄격한 수련이 시작됐다. 스님은 침술과 함께 정신적인 가르침을 주셨다. 먼저 바른 인간이 되어야 한다고 가르쳤다. 환자를 치료하는 의사로서의 소양과 지녀야할 몸가짐과 자세를 강조하셨다.

혈 자리의 위치와 찾는 요령, 정확하게 침을 놓는 요령, 맥을 짚고 병증을 진단하는 방법, 병에 따라서 취해야할 혈 자리와 그리고 마음의 병까지 치료할 수 있는 침술을 차근차근 가르쳤다. 스님의 가르침을 받을 때마다 침술에 깊이를 더하면서 지금껏 알지 못했던 병의 치료와 침술의 신비에 접근하여 어떤 깨달음을 얻는 것 같았다. 침술의 정수인 장침의 시침법과 스님만이 알고 있는 비책을 모두 전수받았다. 병에 따라서 침을 찌르는 각도와 깊이 등 세세한 부분의 기술과 난치병을 치료하는 스님의 경험과 비법을 빠짐없이 배웠다. 틈틈이 난치병 환자를 시침하고 임상경험을 쌓으면서 침술의 실력이 일취월장 쑥쑥 발전했다.

그리고 인간의 내면세계를 알 수 있는 귀중한 공부를 했다. 그것은 스님이 수십 년간 공부하고 연구하며 갈고 닦아온 주역을 배웠다.

"주역은 중국의 고전으로서 우주만물의 변화를 담은 철학과 도덕적인 수양서야. 단순히 인간의 길흉화복을 내다보고 점을 치는 책으로 알고 있다면 잘못이다. 주역을 통하여 사람을 사랑하는 사상을 배우고 인간존중의 소중함을 깨우치도록 하여라."

"스승님, 두렵습니다. 미련하고 어리석기 그지없는 제가 어찌 그런 큰 사상을 배울 수가 있겠습니까?"

"처음부터 아는 사람이 있다더냐? 천지가 운행하는 이치란 우주와 삼라만상의 변화를 관장하고 이끌어가는 신의 영역일 것이다. 그 신의 영역의 일부라도 인간의 영역으로 내려서 알 수 있다면 인간의 건강과 행복을 지키기 위한 훌륭한 길잡이가 될 것이야. 중국고전의 정신을 배워서 네 인격의 깊이를 더하도록 하여라."

생년 월일을 통하여 사람의 성품은 물론 운명까지 알 수 있는 소중한 공부였다. 똑같은 병이라도 사람의 성품과 체질 그리고 계절에 따라서 취해야 할 혈 자리가 조금씩 다르다는 것을 깨우쳤다. 반군은 감히 신의 영역에 도전하여 인간의 내면을 들여다보고 이해할 수 있는 지식을 쌓았다.

책을 읽고 또 읽고 반복해서 읽으며 한의공부에 정진했다. 여기에 스님의 경험이 쌓인 가르침을 더하여 완전히 자신의 것으로 만들었다. 어떤 책은 백번 이백 번을 읽었다. 그가 얼마나 노력하며 정진했는지 짐작이 간다. 그것은 눈으로 볼 수 없는 것을 손끝으로 익혀서 마음으로 이해하는 어려운 과정이었다. 한 눈 팔지 않고 침술의 실력을 쌓기 위한 노력을 끝없이 반복하며 어려운 과정을 숙달시켰다.

침술의 실력이 쌓이면서 산사에 찾아오는 환자들을 치료하는 일이 일상이 되었다. 몸이 아픈 환자들에게 시침하면서 수많은 임상경험을 쌓았다. 그럴 때마다 환자들은 신통하게도 몸의 아픈 증상이 씻은 듯 좋아지는 것을 느꼈다. 눈이면 젊은이가 귀신같이 침을 잘 놓는다는 소문이 주위 사람들에게 퍼져갔다.

다시 십년의 세월이 바쁘게 지나가 그의 나이 38살이 되었다. 한 눈 팔지 않고 침술을 익히며 갈고 닦아서 그의 인생을 살찌운 소중한 세월이었다. 어느 날 환자들의 진료가 끝나자 스님은 뜻밖의 말씀을 하셨다.

"그 동안 산사의 어려운 환경 속에서 공부하며 환자들을 치료하느라 고생이 많았다. 드디어 내가 청출어람青出於藍의 보람과 기쁨을 얻었으니 내 소임은 끝이 난 것 같구나."

"스승님, 갑자기 무슨 말씀이신지요? 저의 분심잡념과 불찰이 있어 게으름으로 공부를 소홀히 하고 있다면 꾸짖어주십시오."

"벌써 나와 공부한 시간이 10년이 넘었지? 일찍이 너의 비범함을 보았는데 타고난 영민함에 부지런함까지 갖췄으니 세상에 이루지 못할 일이 무엇이 있겠느냐? 각고의 노력으로 이젠 나의 침술을 능가하게 되었으니 앞으로 선방의 출입은 그만 하도록 하여라."

"어찌 그런 송구한 말씀을 하십니까? 제가 평생을 배워도 모자랄 것인데 어떻게 스승님의 의술을 뛰어넘을 수가 있겠습니까?"

"본시 푸른빛은 쪽에서 나왔으나 쪽보다 더 푸르고, 얼음은 물이 변해되었으나 물보다 차갑다했다. 내 몸은 늙고 기력이 쇠하여 더 이상 가르칠 것이 없구나. 제자가 스승보다 낫다는 것은 가르치는 자의 기쁨이고 행복이야. 그래도 배움은 끝이 없으니 멈춰서는 안 될 것이야."

"부족한 제자에게 가르침을 멈추지 말아주십시오."

"넌 이제 나의 실력을 뛰어넘었어. 내 단언컨대 한수이남에서 너의 침술을 능가할 자는 없을게야. 산사에서 내려가 꾸준히 정진하며 외롭고 힘든 환자들의 벗이 되어라. 성심으로 의술을 베풀어 병자들을 구하면서 너의 시대를 활짝 열도록 하여라. 병을 씻어주는 의인의 길을 실천하여 세상을 밝히는 빛이 되어라. 이게 너에게 주는 마지막 가르침이다."

"스승님이 걸어오신 외로운 길을 기꺼이 이어가겠습니다. 병든 환자를 치료하는 일에 매진하겠습니다. 저에게 주신 교훈을 받들어서 가르침에 어긋나지 않도록 실천하겠습니다."

각고의 노력으로 드디어 스님의 비책을 모두 전수받았다. 어느 누구에게도 뒤지지 않는 실력을 쌓아서 한의사의 꿈을 이뤘다. 십년이면 강산도 변한다고 했는데, 강산이 두 번이나 변하고도 남을 세월을 침술공부에 전념했다. 인간이 한 가지 일에 매달려 배우고 정진한다면 이루지 못할 일이 없다. 멈추지 않는다면 다소 천천히 가는 것은 문제가 되지 않는다. 그는 숫한 세월을 침술공부에 전념하여 아무나 할 수 없는 일을 성취한 것이다. 이제 어떤 병이든 치료할 수 있는 실력을 쌓아서 자신감이 생겼다.

지난 세월을 뒤돌아보면 폭발사고로 실명 하던 날, 세상은 온통 어둠뿐이었지만 무지가 더 심한 어둠과 고통이란 걸 깨달았다. 그 깨달음이 그를 일깨워주고 새로운 길을 찾아가도록 인도했다.

'눈으로 빛을 볼 수는 없어도 마음으로 보는 빛까지 포기해서는 안 된다는 것과, 세상에 불가능은 없다는 사실을 보여 달라'는 아버지의 가르침에 따라 어둠에서 탈출하려고 각고의 노력을 다하였다. 노력하는 자에게 불가능은 없다. 자신이 하지 않으면 아무도 나의 운명을 바꿔주지 못한다. 인간은 자신이 하려고 마음만 먹으면 무슨 일이든 이룰 수 있고, 어려운 것도 배워서 내 것으로 만들 수가 있다. 그것이 의지력이고 할 수 있는 능력이 된다. 남다른 의지가 있었기에 다른 사람은 꿈도 꿀 수 없는 일을 성취한 것이다. 드디어 반군은 마음의 빛을 찾아서 불가능은 없다는 사실을 보여주었다.

눈을 감으면 병에 따라서 취해야할 혈 자리와 치료법등 생각하는 것들이 보이고 떠올랐다. 성공은 준비된 자에게 찾아오는데 행운이라 부른다. 실패는 준비하지 않는 게으른 자에게 찾아오는데 이를 불운이라 한다. 어떤 노력도 하지 않는 모자라고 나태한 자에게 성공과 행운은 찾아오지 않는다.

"자신의 노력여하에 따라 장애도 축복이 될 수 있단다."

한때는 아버지의 말씀을 이해할 수가 없었다. 그 말씀을 실천하기 위하여 교훈처럼 마음에 새겨서 실천했다. 인생을 다른 사람에게 의지해서 살수는 없으며, 부담을 줘서는 안 된다는 자각을 하게 되어서 기필코 꿈을 이룬 동기가 되었다. 그것은 남들은 10년 걸려서 한 일을 20년 넘게 갈고 닦아서 이룩한 꿈이었다. 반군은 인간이 할 수 있다는 능력을 자랑스럽게 보여주면서 그 동안 노력한 보람이 당당하게 현실로 나타났다.

"앞을 볼 수 없는 몸으로 한의 서적이 닳도록 읽으며 침술을 익혔으니 너야말로 천재중의 천재로구나."

"아버지의 도움이 없었으면 전 홀로 설수가 없었어요."

생각의 차이가 성공하는 인생과 실패한 인생으로 갈라놓는다. 인간은 자신의 발전을 위하여 사고방식의 변화를 가져와야 한다. 반군이 성공한 것은 결코 우연한 일이 아니라 남들은 하지 못한 피눈물 나는 노력으로 쟁취한 고귀한 산물이었다.

10 작은 기적, 무료 침술원 개원

인간은 꿈과 희망을 안고 살아야 한다. 성공은 할 수 있다는 긍정적인 생각에서 출발한다. 그것이 긍정의 힘이다. 원대한 이상을 품고 도전할 때 누구도 상상할 수 없는 놀라운 힘이 솟아난다. 바로 긍정적인 생각이 무한정의 긍정의 힘을 만들어 주기 때문이다. 인간은 어떤 사람을 만나서 무엇을 배우느냐에 따라 성공과 실패의 길로 나뉜다. 물이 담긴 그릇의 모양에 따라 모습이 달라지듯 인생의 성패도 달라진다. 현명한 자를 따르면 성공의 길을 걷지만, 어리석은 자를 따르면 험난한 길을 걷게 된다. 이왕이면 모양 좋은 그릇을 닮아서 큰 그릇이 되어야겠다.

반군이 한의사가 되겠다는 말에 대부분의 사람들은 헛된 꿈인 줄 알았다. 그러나 하겠다는 긍정적인 생각은 성공을 이룬 원동력이 되어서 불가능 하다고 믿었던 꿈같은 일을 이뤘다. 훌륭한 스승님을 만나 성심을 다하여 배움에 열중하더니 세상에 널리 이롭게 쓰일 큰 그릇으로 성장했다. 자랑스러운 꿈이 실현되던 날 두 부자는 무료 침술원의 간판을 내걸었다.

'몸이 아픈 사람은 침 맞고 가세요.'

이것이 무료 침술원 간판에 쓰여 있는 글이다. 반듯한씨는 침술에 자신감을 갖게 되자 그의 나이 40세가 되던 해 침술원을 개원했다. 치료비를 받지 않는 무료였다. 그때부터 무료진료를 평생의 철칙으로 삼아 소침 스승님이 주신 교훈을 실천했다. 그것은 피와 땀을 흘리며 갈고 닦아서 만든 노력의 결실이고 보람이었다.

"대기만성이라더니 너를 두고 하는 말이로구나. 아들아, 이제 세상을 밝히는 빛이 되어라."

무료 침술원을 개원하자 사람들은 작은 기적을 이뤘다고 박수를 쳤다. 사실 그건 작은 기적이 아니라 편견을 깨는 엄청난 기적이었다. 돈을 받지 않고 병을 치료해준다니 환자들은 충격을 받았다. 병든 사람들에게 무료로 침을 놓아 병을 고쳐주어서 세상의 주목을 받기 시작했다. 이때부터 그의 선행은 환자들의 우상이 되어서 세상의 빛으로 떠올랐다.

병원을 비롯한 의료 기관에서는 치료하기 전에 돈부터 받는다. 돈이 없으면 병을 치료 할 수가 없고, 어떤 진료도 받을 기회조차 주지 않는다. 지금은 사람이 죽어가도 아예 병원 문턱에도 가볼 수가 없는 세상이다. 의술이라지만 영리목적이 우선이다. 한술 더 떠서 과잉진료에 바가지 요금까지 등장했다. 심지어 멀쩡한 환자를 의료사고로 죽여 놓고는 병원 책임이 아니라고 오리발을 내밀며 보상조차 거부한다. 양심 없는 의사와 무책임한 병원이 수두룩하다.

무료 침술원을 개원하자 조롱하며 비웃는 자들도 있었다. 한심한 자들은 한술 더 떠서 말을 지어내기에 바빴다.

"앞을 볼 수 없는 자가 침을 논다고? 지나가는 소가 웃을 일이 아니오?"

"지금 세상에 운영이 되겠어요? 돌팔이 아니면 정신까지 어떻게 된 게지요."

"자신이 없으니까 공짜로 침을 놔주겠다는 거예요. 흙 퍼서 장사하는 것도 아니고 뒷감당을 어떻게 하려고 그럴까?"

"실력이 없으니까 잔머리 굴리는 거예요. 우리야 안가면 그만인데 걱정할 게 뭐가 있겠어요."

반원장에 대한 비난은 오래가지 않았다. 무료 침술원은 아무나 할 수 있는 일이 아니다. 앞으로도 그런 일을 하는 사람은 없을 것이다. 장한 일을 한다고 박수치는 사람들이 그런 비웃음을 잠재웠다.

"세상에 공짜로 병을 치료해주는 사람이 어디 있어요? 실력이 뛰어나서 누구한테도 뒤지지 않는대요. 다른 사람이 할 수 없는 일을 한다면 박수치며 환영을 해야지 흉을 볼 일이 아니에요."

"색안경 끼고 삐딱하게 볼 필요는 없어요. 벌써 치료받고 병 고친 사람들이 많대요."

세상에는 남이 못되기를 바라는 인간들이 수두룩하다. 그러나 세상은 이런 비뚤어진 시각으로 악담하는 사람들의 바람대로 돌아가지 않는다. 사람들은 반신반의 하면서도 무료로 치료를 해준다는 말에 관심을 갖기 시작했다. 침을 맞은 사람들은 신기하게도 병이 씻은 듯 낫는 걸 체험했다.

참새가 어찌 봉황의 뜻을 알리오? 남의 비난이 두려워서 무료진료를 포기하거나 멈출 수는 없다. 다른 사람의 마음을 바꿀 수는 없어도 희생적인 삶의 모습을 실천하면 변화를 이끌어낼 수 있다. 한번은 동네 젊은이가 패싸움을 하다가 심하게 다쳐서 들것에 실려 침술원을 찾아왔다.

"원장님, 허리가 아파서 죽겠어요. 빨리 침 좀 놔주세요."

반원장은 장침을 꺼내 허리부터 침을 놓기 시작했다. 첫 번째 침을 놓자 젊은이는 아파 죽겠다고 고래고래 소리를 질러댔다.

"왜 이렇게 아프게 침을 놓는 거예요?"

"젊은 사람이 웬 엄살을 그리 떠는 게요?"

"이걸 침이라고 놓는 거예요?"

"일곱 살 먹은 어린이도 잘 참아요. 엄살이 심하구먼."

"이러다가 돌팔이가 사람 잡겠네."

젊은이가 말을 가리지 않고 내뱉자 나이든 환자들이 한마디씩 거들었다.

"젊은이가 말이 거칠구먼. 아프지 않은 침이 어디 있어?"

"아프지 않게 침을 놓는 한의원으로 가던가 병원으로 갈 것이지 무료침술원에는 왜 온 거야?"

"이봐요, 잔말 말고 아프지 않게 침을 놓으란 말이야."

침을 맞고 난 젊은이는 싸가지 없이 말을 하고는 휑하니 나가버렸다.

"쇠꼬챙이로 쑤셔대도 이보다는 덜 아프겠네. 다시는 침술원에 오나보자."

반원장은 기가 막히는지 잠시 앉아서 허탈한 표정을 지었다. 그런데 다음 날 젊은이가 어머니와 함께 찾아와서 용서를 빌었다.

"어제는 제 아들이 소란을 피워서 죄송해요. 심성은 착한 아이니 저를 봐서 용서해주세요."

"원장님, 글쎄 하룻밤 자고나니까 끊어질 듯 아프던 허리가 단번에 좋아졌지 뭐예요. 오늘 한 번 더 침을 놔주세요."

"오늘도 침을 맞으면 아플 텐데 그래도 괜찮겠어요?"

"아픈 침을 맞아야 허리가 빨리 낳겠죠?"

"앞으로는 젊은 혈기를 소란 피우는데 사용하지 말고 약자를 돕는데 사용해보게."

젊은이는 3일 간 침을 맞고는 움직이기 힘든 허리가 감쪽같이 나았다. 반원장은 병든 사람이면 누구나 차별 없이 침을 놓고 치료를 해줬다. 사람들은 열광하며 환호했다. 간사하고 변덕스러운 게 인간의 마음이다. 진실은 숨길 수가 없는지 눈이 먼 봉사가 침을 귀신같이 잘 놓는 소문이 들불처럼 번져갔다. 소침 스승님의 가르침을 되새기며 오직 침 하나로 아픈 사람들의 병을 고쳐주는 사회의 파수꾼 역할을 하였다. 어느새 몸이 아픈 환자들의 희망으로 떠오르며 그의 손길을 기다리는 사람들이 많아졌다.

한번은 침을 맞고 효험을 본 친지어른이 찾아와서 그에게 용기와 자신감을 심어주었다.

"인간은 필요한 것을 곁에 두고서 특별한 것을 찾으려고 헛고생을 한단 말이야. 자신의 잘못된 습관을 고치는 것도 용기가 필요해."

"제가 무슨 실수라도 저질렀나요? 잘못한 것을 가르쳐주시면 시정하여 반복하지 않겠어요."

"내 경험담을 이야기한 걸세. 자네같이 의술이 뛰어난 사람이 코앞에 있었는데 공연히 유명세를 쫓아서 헛수고를 했구먼."

"송구한 마음 몸 둘 바를 모르겠어요. 제가 견마지성을 다할 수 있도록 수시로 채찍질해주세요."

"내가 10여년 넘게 고생하던 어깨 통증이 침을 여덟 번 맞고서 감쪽같이 나았어. 자네의 침술은 범상치가 않아 이미 명의의 경지에 들어섰네. 앞으로 계속 정진하여 세상을 구하는 명의가 되기 바라네."

"이제 겨우 침을 놓는 문리를 터득한 초보단계에 이르렀거늘 칭찬이 과하시네요. 아직 배울 게 많아서 갈 길이 멀기만 한걸요."

"앞으로 무료 침술원이 불같이 일어설게야. 내 병을 고쳐준 고마움을 보답하는 뜻으로 성금함을 마련해 왔으니 이걸 문 앞에 놓고 치료를 하게나. 자네도 생활인이 되어야하는데 언제까지 공짜로 침을 놔 줄 수는 없지 않겠는가?"

"몸이 아픈 환자들에게 치료비를 받으며 침을 놓을 생각은 없습니다."

"치료비를 받으라는 말이 아닐세. 자네도 밥은 먹어야 치료를 계속할 수 있지 않겠는가? 침술원을 운영하려면 수월찮게 경비가 들어갈게야. 감사 표시를 하려는 사람이 자진해서 내겠다는 치료비는 받아도 괜찮네."

"미처 거기까지는 생각지 못했어요. 아버지가 운영하는 약재상에서 도움을 주시기로 하셨어요."

"자네는 그럴 자격을 갖췄고 그렇게 해야만 하네. 다만 의술을 베풀면서 물질을 탐하지 말고 돈이 없어 병을 고칠 수 없는 환자들의 등불이 되게. 먼저 치료에 힘을 쏟되 치료비는 그들의 성의에 맡기면 될 거야."

"어르신의 말씀을 생활의 지침으로 삼아 실천하겠어요. 더욱 맹진하여 환자들의 고통을 덜어주는데 온힘을 쏟겠습니다."

친지 어르신의 충고가 현실적인 대안이 되었다. 환자들이 병을 고치고 고마움의 뜻으로 자발적으로 내려는 성의까지 막을 필요는 없다.

침술원을 찾아오는 환자들의 수가 날이 갈수록 늘어났다. 얼마 지나지 않아 전국에서 환자들이 찾아들었다.

"원장님 용하다는 소문을 듣고서 멀리 해남 땅에서 올라왔어요. 공짜로 병을 치료해준다니 이렇게 고마울 데가 어디 있겠어요?"

"벌써 해남까지 소문이 났어요? 어디가 아파서 그래요?"

"평생 농사만 지으며 살아온 탓인지 아프지 않은 곳이 없어요. 온몸이 쑤시고 저려서 하루도 편할 날이 없어요."

"침을 맞아서 효과는 보았어요?"

"원장님 손길이 참으로 신기해요. 신의 손을 가졌는지 글쎄 아픈 증상이 많이 줄어들었지 뭐예요."

몸이 아파 고통 받는 사람들이 많다는 걸 알았다. 환자들을 대할 때면 늘 겸손한 마음으로 치료에 임했다.

"제가 치료할 수 있는 병은 절반도 안돼요. 섭생에 유의하면서 몸 관리를 잘 하셔야 병도 빨리 나을 거예요."

"다른 사람들 병은 깨끗하게 낫게 해주시면서 왜 저한테만 그런 말씀을 하시는 거예요?"

"병은 침이 아니라 습관으로 고친다고 했어요. 침에만 의지하지 말고 규칙적이고 절제된 생활을 하셔야 해요."

정성을 다하면 사람의 마음을 얻을 수 있다고 했다. 환자들은 반원장이 치료하는 모습을 보고는 진심을 알게 되었다. 병이 완쾌된 사람들이 늘어가면서 무료 침술원은 가난한 환자들의 희망으로 떠올랐다. 병을 잘 고쳐주는 한의원으로 소문이 나서 착실하게 자리를 잡아갔다.

11 명의의 손길 하늘을 찌를까?

한번은 한쪽 다리가 불편한 절름발이 청년이 환자를 업고 경찰서에 찾아왔다. 남루한 행색에 땀에 흠뻑 젖은 모습이 몹시 지치고 다급해보였다. 젊은이는 눈물을 흘리며 하소연 했다.

"제 아버지가 허리를 다쳐서 돌아가시게 생겼어요. 사정이 급하여 이리로 왔으니 아버지를 살려주세요."

위급환자는 병원을 찾아갔으나 돈이 없다는 이유로 문전박대를 당했다. 환자를 업고 다니느라 기진맥진한 청년은 마지막으로 경찰서로 간 것이다. 환자가 원체 위급한 상태라 지체할 틈이 없었다. 경찰은 환자를 차에 태워서 무료 침술원으로 이송했다. 반원장은 급한 환자가 왔다는 전갈을 받고는 땀을 닦으며 응급실에 들어섰다. 환자는 미동도 못하는데 얼굴에는 사색이 짙어서 도저히 치료가 불가능해 보였다.

"원장님께서는 죽어가는 사람도 살리셨다는 소문을 들었어요. 불쌍한 제 아버지를 내치지 마시고 제발 침이라도 한번 놓아주세요."

절름발이 아들은 눈물을 흘리며 호소했다. 환자의 맥을 짚으며 진찰을 해보니 맥이 잡히지 않았다. 척추를 심하게 다쳐서 전신이 마비되어 몹시 위급한 상태였다. 환자는 가늘게 숨을 쉬고 있을 뿐 시체나 다름없었다. 지금이야말로 소침 스님으로부터 전수받은 난치병 환자를 치료하는 비책을 써야할 때라고 직감했다. 우선 위급 혈 자리에 시침하여 환자를 안정시킨 후 정성을 다해 치료하기 시작했다.

허리에 장침을 꽂는 순간 환자의 몸이 움찔하면서 미동이 일어났다. 동시에 입에서 신음소리와 함께 긴 한숨이 새어나왔다. 그것은 치료할 수 있다는 밝은 신호였다. 점차 약했던 맥이 돌아오며 의식을 찾았다. 시간이 갈수록 화색이 돌면서 조금씩 표정이 밝아졌다.

"환자가 어쩌다가 이지경이 되었어요?"

"아버지가 공사장에서 일을 하시다가 높은 곳에서 떨어졌어요. 병원에서는 돈이 없다고 치료를 거부하고 있으니 원장님께서 살려주세요."

"떨어질 때의 충격이 커서 허리의 신경조직에 치명상을 입었어요. 소생할 수 있을지 장담할 수가 없으나 다만 여한이 남지 않도록 최선을 다해보리다."

그 후 절름발이 아들의 아버지에 대한 효성은 눈물겨운 정성으로 이어졌다. 그는 아버지를 지게에 지고 다니면서 힘겹게 침술 치료를 받았다. 이틀에 한 번씩 어느 때는 삼일에 한 번씩 꾸준히 침을 맞았다. 불편한 몸으로 병든 아버지를 살리려는 아들의 모습은 지극정성으로 이어졌다.

"소중한 생명을 함부로 다뤄서는 안 됩니다. 침을 맞는 것이 힘들고 어렵더라도 치료를 포기하지 마세요. 다친 허리의 상태가 중하고 통증이 심하여 침을 맞으면 더 아플 거예요. 그건 몸이 낫고 있다는 증거니까 실망하지 마세요. 그리고 가족들의 도움이 필요해요. 침을 맞지 않는 날에는 뜨거운 물수건으로 허리를 자주 감싸주세요."

아닌 게 아니라 침을 맞으며 허리가 더 아팠다. 환자는 참을 수 없을 만큼 심한 통증이 찾아왔지만 낫고 있다는 말에 자신감을 얻었다. 척추를 심하게 다쳐서 온몸을 움직일 수가 없었는데 치료를 받을수록 조금씩 차도가 보였다. 시간이 갈수록 마비됐던 몸이 풀리면서 거동하수 있게 되었다. 환자는 반원장이 땀을 뻘뻘 흘리며 치료하는 모습을 볼 때마다 나을 수 있다는 믿음을 가졌다.

치료가 시작되고 반년쯤 지날 무렵, 환자는 힘들어 하는 모습을 자주 보였다. 정신적인 불안감은 시침의 효과에도 나쁜 영향을 미쳐서 치료를 더디게 한다.

"침 맞는 게 힘드시죠? 아직도 아픈 곳이 많은가요?"

환자는 한동안 침묵하다가 어렵게 입을 열었다.

"그 동안 건물에서 떨어질 때의 악몽을 자주 꾸어 언제 죽을지 모른다는 절망감이 엄습할 때마다 힘이 들었어요. 원장님의 정성어린 치료를 받아 마음은 편해졌는데 이젠 가족들에게 짐이 되는 것 같아요. 쓸모없는 인간이 되었다는 자괴감에 차라리 죽는 게 낫겠다는 생각이 들곤 합니다."

"세상에 쓸모없는 사람이 어디 있겠어요? 잠시 참고 견디면 건강을 찾아 일상으로 돌아갈 수 있으니 용기를 내세요."

환자가 경제적인 어려움을 겪으며 힘들게 생활하고 있다는 사실을 알았다. 딱한 사정을 알고는 아무도 모르게 환자의 집에 쌀과 고기를 보내서 그를 도와주었다.

"몸이 상하여 오랜 기간 침을 맞을 때에는 잘 먹어야 기력이 솟고 치료에 효과가 있다면서 침술원에 오신 분이 이것을 보내주셨어요."

"세상에 이렇게 고마운 사람이 있단 말인가? 그분이 누구신지 존함이라도 알려주시오."

"나중에 침술원에서 만나면 직접 말씀 드리겠다고 하셨어요."

환자는 고깃국에 흰 쌀밥을 말아서 맛있게 먹을 때면 가족들에게 눈물을 흘리면서 말했다.

"내 팔자에 고깃국에 쌀밥을 말아먹다니 꿈만 갈구나. 몸을 다쳐 죽게 생긴 목숨을 원장님 덕분에 살아났는데, 또 어느 분인지 모르겠으나 쌀과 고기를 보내주시어 육신의 건강을 챙겨주시니 이렇게 고마울 데가 있겠느냐? 내 기필코 살아서 그분들의 은혜를 조금이라도 갚아야겠구나."

환자는 거듭 도움을 주는 것이 이상하여 한번은 쌀과 고기를 전해주는 사람에게 꼬치꼬치 캐물었다.

"벼룩도 낯짝이 있다는데 쌀과 고기를 주는 사람이 누구인지 알지도 못하면서 받아먹으려하니 염치가 없구려. 부탁하건데 나중에 감사의 인사라도 드릴 수 있도록 존함만이라도 귀띔해주시오."

"사실은 아무에게도 말하지 말라고 당부하셨는데 원장님이 도와주시는 거예요. 원장님께는 비밀로 해주세요."

"목숨을 살려주신 것만 하여도 은혜를 갚을 길이 없거늘 식량과 고기까지 주셔서 건강을 챙겨주시다니 고마움을 어찌 갚는단 말인가?"

환자는 도움을 주는 사람이 반원장이란 사실을 알고는 마음 속에 은혜를 깊이 새겼다.

그 후 환자는 침을 맞을수록 차도가 있어서 삶의 용기와 의욕을 되찾았다. 절름발이 아들이 아버지를 지게에 지고 다니며 고생하는 모습은 눈물겨웠다. 사람들은 아들의 정성에 감탄하며 입을 모아 효자아들이라고 칭찬했다. 치료가 시작되고 3년쯤 지나자 놀라운 일이 일어났다. 식물인간이 되어서 움직일 수도 없었던 환자가 신기하게도 걸어 다닐 수 있게 된 것이다. 환자는 아들의 손을 잡고 다니며 침을 맞았다. 몸의 외관으로 보아서는 오히려 아들이 환자 같았다. 그가 건강을 찾아가는 과정은 기적에 가까웠다.

"원장님이 아버지를 치료하는 모습을 곁에서 지켜보면 눈물이나요. 땀을 뻘뻘 흘리며 아버지를 살리려고 온 정성을 다하고 계세요. 은혜를 어떻게 갚아야할까요?"

"처음에는 통증이 하도 심해 죽고 싶은 마음뿐이었는데 나를 살리려는 원장님의 정성에 탄복하고 말았다. 지금은 성금 낼 돈이 없으니 마음에 간직하고 있다가 돈을 벌면 그때 가서 갚아야겠구나."

"원장님을 만난 건 하늘이 주신 복이에요. 맨 날 빈손으로 와서 치료를 받으려니 죄송하고 뵙기에 염치가 없어서 그래요."

"내 마음은 더 다급하구나. 어떡하든 은혜를 갚을 수 있는 방법을 찾아보마. 내가 따로 생각하고 있는 것이 있으니 치료부터 받아보자."

사람들은 몸이 불편한 아들이 고생하는 모습이 안타까워서 이제 치료를 중단하여도 되겠다고 말했지만 고집스럽게 단념하지 않았다. 환자는 치료가 끝나면 언제나 백 원짜리 동전 하나씩을 성금함에 넣었다. 그게 또 시빗거리가 되어서 세인의 입방아에 올랐다.

"돈이 없으면 차라리 성금함에 돈을 넣지 말 것이지 겨우 백 원짜리 동전 하나가 뭐야?"

"인생을 험하게 살아도 염치는 아는 사람 같군요. 그런데 백 원짜리 동전하나를 뭣에 쓴대요?"

그런 모습을 지켜본 어떤 사람들은 간혹 비웃고 깔보았다. 이상한 눈초리로 멸시하면서 백 원짜리 인생이라고 수근 거렸다. 그러거나 말거나 환자는 남의 시선은 개의치 않고 언제나 백 원짜리 동전 하나씩을 성금함에 넣었다. 그렇게 환자는 5여 년 간 쉬지 않고 치료를 받아서 혼자 걸어 다닐 수 있게 되었다.

환자는 반원장이 자신을 위하여 하늘에서 보내주신 사람이라 믿었다. 몸에 병이 들어 불행하게 살고 있는 사람과, 고통으로 살아갈 희망을 잃은 사람들에게 착한 일을 하기 위하여 태어난 사람처럼 보였다. 드디어 말없는 정성이 쌓이더니 기적을 만들었다. 치료를 마치던 날 환자는 그의 인생에서 두 번째 감격스런 최고의 날을 맞았다.

"절름발이 아들 등에 업혀 처음 침술원을 찾았을 때는 몸을 움직일 수조차 없어서 죽는 줄 알았어요. 신비의 침술을 지닌 원장님 덕분에 죽어가던 목숨을 살렸어요. 인간답게 살 수 있도록 새로운 인간으로 다시 태어났어요. 그 동안 성심껏 치료해주셔서 감사합니다."

"환자분을 치료한 건 제게도 영광의 기회였어요. 저도 그런 엄청난 일을 할 수 있으리라 생각지 못했거든요. 몸 관리 잘하셔서 아프지 말고 건강하게 사세요."

"절망 속에서 꺼져가는 생명을 기어코 살려주셨으니 큰절이라도 드리고 싶어요. 제가 돈이 없어 치료비를 내지 못해 겨우 백 원짜리 동전 하나씩을 성금함에 넣었지만, 그건 원장님의 은혜를 잊지 않고 살겠다는 저의 결심이고 약속이었어요. 결코 은혜를 잊지 않겠습니다."

"건강을 찾으신 것으로 치료비는 낸 것이나 다름없어요. 부디 행복하게 사시기 바랍니다."

"원장님 제 이름은 절름발이 효자 아비 공손한으로 기억해주세요."

"당분간 무리한 일은 하지 마시고 편안한 마음으로 사세요."

공손한씨는 몇 번이나 감사의 인사를 하였다. 하마터면 전신이 마비될지도 모를 위험한 상태였다. 살아난다 하여도 평생을 식물인간으로 살아갈 수밖에 없는 산송장과 같았다. 그런 자신을 성심을 다하여 치료해주고 인간적으로 대우해주면서 기적적으로 건강을 찾아준 것이다. 눈이 먼 반원장이 죽어가는 자신을 살리려는 처절한 노력을 보면서 깊은 감명을 받았다. 치료를 받을 때마다 어떻게 은혜를 갚을 수 있을까를 곰곰이 생각했다. 그는 건강을 찾은 후 자신이 할 수 있는 일이 있음을 깨달았다.

반원장은 죽음 직전의 환자를 신비의 침술로 살렸다. 사람들은 환자를 치료하는 그의 집념과 침술의 깊이를 알게 되어 신뢰하는 믿음이 쌓여갔다.

인연은 일상의 작은 일에서 시작된다. 두 사람은 생명을 주고받은 특별한 인연을 맺었다. 후일 그의 인생에 엄청난 변화를 가져다 줄 소중한 인연의 씨앗이 됐다는 걸 그때는 알지 못했다. 침술원에는 사정이 딱한 환자들의 내왕이 잦은지라 모두를 기억할 수는 없어도 특이한 환자여서 기억에 남았다.

침술원에는 가난한 환자들이 많이 찾아왔다. 그들은 대부분 돈을 내지 않아 성금함은 늘 비어있었다.

"맨 날 빈손으로 와서 침만 맞고 돌아가려니 염치가 없어요."

"돈 걱정은 하지 말고 부지런히 치료하여 병 나을 생각만 하세요."

"빈대도 낯짝이 있다는데 원장님 뵐 면목이 없어서 그러지요."

"병이 완치될 때까지 꾸준히 침을 맞으세요. 도중에 치료를 중단하면 안 됩니다."

"제가 몸이 나으면 열심히 일을 해서 나중에 성금을 낼게요."

"다른 걱정은 하지 말고 병 고칠 생각이나 하시라니까요."

말 한마디로 천 냥 빚을 갚는 환자들이 많았다. 환자들은 병을 치료하고 공치사로 때워도 그들의 말속에서 힘을 얻었다. 작은 정성을 표시하는 환자들이 있어서 따뜻한 인정을 느끼곤 했다.

"이 달걀은 집에서 기르는 암탉이 낳은 거예요. 원장님 드리려고 모아놨다가 가져온 것이니 이걸 드시고 힘을 내세요."

"이건 도로 가져가셔서 할머니가 삶아 드세요. 잘 잡수셔야 병도 빨리 나아요."

"늙은 사람의 성의를 무시하면 섭섭해요. 혹시 달걀 열개가 적어서 그러시는 거예요?"

"그럼 이번만 받아서 잘 먹을게요. 이런 거 가져오지 않아도 괜찮아요."

환자들이 많아져 몸이 고달파도 수입이 늘어나는 건 아니다. 할 일이 많아지고 지출규모가 커져서 침술원 운영에 적자가 났다. 그도 생활인이 되어야 하는데 그래도 무료진료를 포기할 수는 없었다. 그럴 때마다 아버지의 격려가 힘이 되었다.

"지금 환자수가 폭발적으로 늘어나고 있구나. 너는 침술원 운영은 걱정하지 말고 환자들 진료에만 힘을 쏟아라. 네가 명의로 인정을 받게 되면 지금 겪는 어려움은 자연적으로 해결될 것이야.”

“오랫동안 부모님을 고생시켜드려서 죄송해요.”

“네가 환자들의 존경을 받으며 병을 고쳐주고 있으니 자랑스럽다. 지하에 계신 할아버지도 기뻐하실 거야.”

어려움이 있는 반면 보람도 있었다. 고치기 힘든 고질병을 안고 고통 속에서 살던 사람들이 건강을 찾은 후 눈물을 흘리며 감사인사를 할 때면 쌓였든 피로가 저절로 씻겨 졌다.

“원장님 덕분에 걸을 수 있게 됐어요. 시장에도 가고 여행을 가도 될 것 같아요. 원장님 은혜를 평생 잊지 않고 살겠어요.”

“당분간 무리한 일은 하지 말고 규칙적으로 생활하며 오래오래 사세요.”

“원장님은 환자들의 희망이에요. 원장님도 건강하셔서 병든 사람들을 많이 치료해주세요.”

병은 사랑만으로 치료할 수 있고 위로만으로도 좋아진다고 했다. 의술을 시행하는 사람은 환자의 마음까지 어루만져주며 돌볼 수 있어야 한다. 침술원에 기적 같은 일이 자주 일어나 감동을 주었다. 중증의 환자가 치료를 받고 건강을 찾아서 일상의 생활에 복귀할 때마다 힘이 솟았다.

자신을 희생할 줄 아는 사람은 위대하다. 환자를 치료하는 일이 힘들고 수입은 보잘 것 없어도 삶의 기쁨으로 이어졌다. 환자들의 치료횟수가 늘어가고 임상경험이 거듭될수록 그의 침술의 경지는 깊어갔다. 병이 완치되고 효과를 본 사람들의 숫자가 늘어나면서 병든 몸을 의지하는 사람들이 많아졌다. 이것이 보이지 않는 큰 재산이 되었다.

처음 무료 침술원을 시작할 때는 돈이 없어 병을 치료받을 수 없는 사람들이 찾아왔다. 세월이 지나면서 돈은 있어도 치료하기 어려운 병을 지닌 사람들이 찾아왔다. 어느새 반원장은 오직 침 하나로 다른 사람은 고칠 수 없는 병을 낫게 하는 명의로 소문이 자자했다. 바로 물질대신 명성을 얻게 된 것이다. 보이지 않던 명성은 눈으로 보일 듯 쌓여갔다. 이제 명의소리를 듣게 된 그의 손길은 하늘을 찌를 기세로 높아졌다.

반원장은 묵묵히 환자들 치료에 전념했다. 환자들의 병을 고쳐주고 고통을 덜어준다면 그 자체만으로 고귀한 일이다. 매일 혼자서 수많은 환자들을 치료하기란 감당하기가 어려웠다. 어느 때는 파김치가 되도록 지치고 힘이 들어서 코피를 자주 흘렸다. 환자가 증가하면서 일손이 부족했다.

한의사 중에는 반원장의 신비한 침술을 배우려는 사람들이 있어서 그들도 자원봉사의 일을 하며 환자들을 치료하였다. 반원장의 명성을 듣고 침술을 배우려고 찾아오는 사람들이 많았다. 그들에게 기초적인 침술을 가르치고 교육을 시켜서 성적이 우수한 사람들에게 실습의 기회를 주었다. 병의 상태가 중증이거나 치료가 까다로운 환자들은 반원장이 시침하고, 경미한 환자들은 지침을 받아서 시침토록 했다.

인간은 감정의 동물이다. 감동을 받거나 은혜를 입으면 자신도 어떤 혜택을 받은 만큼 보답을 하고 싶어 한다. 하나의 선행은 또 다른 선행으로 이어져 세상을 밝히는 등불이 된다. 병을 치료한 환자들은 성금함에 돈을 넣는 사람들이 점점 많아졌다.

"원장님은 환자들의 희망이에요. 작은 금액이지만 오늘은 감사의 성금을 내겠습니다."

병이 완쾌되어 건강을 찾은 사람들은 정성껏 성금을 내었다. 특히 만성질환으로 고생하던 사람들이 완쾌될 때는 감사의 보답을 하였다. 훌륭한 일을 한다면서 독지가들의 기부금도 답지했다. 무료진료였지만 병을 고친 사람들은 염치없이 그냥 돌아가지 않았다. 그게 세상의 인정이고 인간이 살아가는 도리다. 몇 년이 지나지 않아 무료 침술원을 운영하며 생기는 제반 비용을 웬만큼은 충당할 수 있게 되었다.

12 화마가 준 상처

거름냄새가 진동하는 비닐하우스에서 어린 토마토 묘목을 돌보던 귀한이 불쑥 한마디 던졌다.

"아버지, 올해도 토마토 농사가 잘되겠죠?"

"토마토 씨알이 굵고 실해서 품질이 좋아졌구나. 네가 농고에서 배운 영농기술이 내가 해온 전통 농사법보다 수확량이 월등하게 많아졌어. 농사짓는 실력이 늘고 있어서 풍년이 들 거야."

"영농조합에서도 우리 집 토마토가 품질이 우수하다고 가격을 높게 쳐주고 있어요."

"그래서 사람은 배워야 한다니까. 그런데 맨 날 토마토 묘목과 씨름만하지 말고 올해는 시집갈 궁리나 했으면 좋겠다."

"전 시집 안갈 거예요. 아버지하고 농사지으며 사는 재미가 쏠쏠한데 귀찮게 시집은 왜 가요? 부모님 모시고 이렇게 재미있게 살 거예요."

"빈말이라도 당체 그런 말은 하지마라. 진씨네 집안에 미인이 났다는 소문이 인근고을까지 파다하게 퍼져서 매파들 발걸음이 바빠졌단다. 며느리삼고 싶다는 사람이 많은데 뭐가 부족해서 결혼을 하지 않겠다는 거냐?"

"당분간은 농사일에 전념할 생각이에요. 결혼은 천천히 생각해볼게요."

"메뚜기도 한철이라고 결혼도 때가 있는 법이야. 딸아이 나이 먹는 모습을 지켜봐야 하는 부모님 심정을 알겠느냐? 제발 맘에 맞는 짝을 찾아 연애도 해보고 결혼할 준비를 해야지."

"그간 가뭄으로 과일 생육이 나빠져서 손해를 볼 것 같아요. 그걸 복구하려면 농사일에 매달려야 한다고요."

"글쎄, 고집은 그만 부리고 농사일은 일꾼들에게 맡겨라. 친구들처럼 결혼하여 애들 낳고 다복한 가정 이뤄서 사는 게 부럽지도 않은 거야?"

"농사가 왜 이렇게 재미있죠? 토마토가 제 예쁜 손을 좋아하나 봐요. 손길을 주면 줄수록 굵은 열매로 보답을 하잖아요."

"일찍 일어나는 새가 실한 벌레를 잡는다더니 토마토가 부지런한 너를 알아보나보다. 그런데 힘든 농사일이 재미있다니 하여튼 네 속은 알다가도 모르겠다."

"저에게는 부모님이 더 소중해요. 더구나 병석에 누워계신 엄마가 계신데 어떻게 시집을 가요?"

"너 좋다고 쫓아다니는 동창생은 없는 게야? 학교 다닐 때는 인기가 좋아서 남학생들의 우상이었잖니?"

"쓸데없이 전화하며 집적대는 애들한텐 가차 없이 쏘아 붙이니까 요즘은 전화도 잘 안와요."

"여자가 거만해도 매력이 없어. 차가운 여자라고 소문이 나지 않았으면 좋겠구나. 그럼 성격 좋다는 허군은 만나고 있는 게야?"

"가끔 만나고는 있지만 끌리지는 않아요. 남자가 꿈이 있어야하는데 시시한 생각이 들어요."

"젊은이가 싹싹하여 편할 것 같던데 성에 차지 않는단 말이지? 넌 어떤 타입의 남자를 원하는 거냐?"

"자신만을 위한 이기적인 삶보다 다른 사람을 배려하고, 조금은 희생적인 남자면 좋겠어요."

"그런 남자가 있을까? 연애 한번 못해보고 좋은 시절 다 보낼 셈은 아니지? 제발 남자친구와 데이트도 하고 멋도 좀 내봐라."

"참 아버지는 그런 걱정을 다하세요? 일할 시간도 부족한데 한가하게 무슨 연애를 해요?"

몸이 허약한 순진한 여사는 몇 년 전에 중풍으로 쓰러져 집안에서 지냈다. 사람들은 거동이 불편한 어머니 병수발을 하며 농사를 짓는다고 효녀라고 칭찬했다.

"사지가 멀쩡하고 인물이 훤칠한데 왜 시집을 안 가겠다는 거야? 부모님 모시고 사느라 혼기를 놓쳤는데 어떻게 걱정을 하지 않아 이것아."

"농사일과 일꾼들 관리는 제게 맡겨주시고 편히 쉬세요. 엄마가 여행을 좋아하시니까 온천이라도 다녀오세요."

"지금도 놀고 있는데 이마저 손 놓고 앉아있으면 뭣하겠니? 사람은 움직일 수 있을 때 무엇이건 해야 되는 법이야."

아버지는 딸이 결혼할 생각은 하지 않고 농사일에만 몰두하고 있어 그게 걱정이셨다.

그때 마을 쪽에서 화재경보 사이렌 소리가 들려왔다. 멀리서 소방차가 요란하게 경적을 울리며 마을 입구로 들어섰다. 진양은 본능적으로 집히는 게 있는지 하던 일을 멈추고 집 쪽으로 달려갔다. 한걸음에 도착해보니 지붕에서 불길이 훨훨 타오르고 있었다. 마을 사람들은 발만 동동 구르며 쳐다만 보고 있을 뿐 사람구할 생각은 하지를 못했다. 어머니가 불속에 갇혀있다는 생각에 앞뒤 가릴 것도 없이 집안으로 뛰어 들어갔다. 신출귀몰한 그녀의 행동을 미처 말릴 틈이 없었다. 거동이 불편한 어머니는 삶과 죽음의 경계에서 신음하고 계셨다. 진양은 담요로 어머니를 덮어씌운 후 들쳐 업고 밖으로 탈출했다. 활활 타오르는 거친 불길이 두 모녀를 사정없이 덮쳤다.

"불길에 휩싸인 집안으로 들어가 어머니를 들쳐 업고 나오다니 용감한 아가씨야. 어디서 그런 용기가 솟아 나왔을꼬?"

"귀한이야 효녀 아니에요? 남정네들도 할 수 없는 일을 한 걸보면 참으로 놀라운 아가씨에요."

"다행이 일이 잘됐으니 말이지 무모한 행동이 아닐까요?"

"어떻게 남자가 되가지고 그런 멍청한 말을 하세요? 그럼 어머니가 불길에 타 죽어 가는데 멀건이 쳐다보고만 있어야 되겠어요?"

"어머니를 구하긴 해야겠지만 그럴 용기가 있을지 모르겠어요."

"그런 걸 타고난 용기라고 하는 거예요. 우리 마을에 효녀가 났으니 열녀비라도 세워야겠어요."

불행히도 화재의 후유증이 엄청 컸다. 진양은 거센 불길의 화마를 피하지 못하고 온 몸에 화상을 입고 말았다. 눈썹과 머리카락이 모두 타버리고 팔뚝과 여러 곳에 심한 상처를 남겼다. 특히 얼굴과 목에서는 진물이 흘러내리는 중상이었다. 그 후 도시의 큰 병원에서 여러 차례 성형수술을 받았으나 짙은 흉터자국이 남았다. 피부이식을 한 탓인지 얼굴근육이 거칠어지고 탄력을 잃어서 남의 피부처럼 느껴졌다. 꽃같이 피어오르는 처녀의 얼굴에 흉한 상처가 남았으니 거울을 볼 때마다 미칠 것 같았다. 의사는 시간이 지나면 흉터가 회복될 거라 말했지만 그녀의 상심은 컸다.

그런데 엎친데 덮친다더니 화상의 후유증과 겹쳐서 성형수술의 부작용이 나타났다. 얼굴 모습이 보기 흉할 정도로 뒤틀려 버려서 눈과 입까지 심하게 돌아갔다. 점점 눈꺼풀이 천근처럼 무거워서 감고 뜨는 것도 힘이 들었다. 마치 흉측한 괴물처럼 변하여 끔찍하게 보였다. 낯선 사람들은 마치 못 볼 괴물을 본 것처럼 놀라면서 외면했다. 그들의 시선이 날카롭게 느껴져서 창피하고 민망했다. 그렇잖아도 죽고 싶은 심정인데 참 괴상하게 생긴 여자도 있다는 듯 이상한 눈초리로 쳐다보며 쑤군거릴 때면 쥐구멍이라도 들어가고 싶었다.

어머니의 목숨은 구했으나 착한 효녀에게 긴 슬픔과 불행이 찾아왔다. 화마가 준 상처는 씻을 수 없는 깊은 트라우마가 되어서 그녀의 인생을 옭아매는 멍에가 되었다. 이런 걸보면 인간의 운명은 순간에 달려있는 경우가 많은 것 같다. 결코 잘난 척하며 교만에 빠져서 살 일은 아니다.

얼굴이 돌아갔을 때는 침을 맞으면 효과가 있다는 말에 제법 이름이 알려진 한의원을 찾아갔다. 진찰을 마친 원장은 구안 와사증세로 진단하면서 돌아간 모습에 혀를 내둘렀다.

"이렇게 심하게 돌아간 얼굴은 처음 보는 것 같군요. 솔직히 침으로 다스릴 수 있을지 모르겠어요."

"한방치료를 받으면 치료할 수 있다고 들었어요. 돈이 많이 들어도 좋으니 좋은 약재를 써서 우리 딸 얼굴을 고쳐주세요."

"한번 치료는 해보겠으나 완치를 장담할 수가 없어요. 인간이 지닌 침술로는 치료가 힘들 것 같아서 하는 말이니 나중에라도 원망은 하지 마세요."

"그럼 치료가 불가능하다는 말씀인가요?"

"혹시 침술이 신기의 경지에 이른 사람이라면 모를까 지금 세상에 그런 사람이 있을 리도 없고 운에 맞길 수밖에 없겠어요."

한의원 원장은 처음부터 치료에 난색을 표했다. 솔직한 것은 좋으나 치료가 어렵다는 말에 실망이 커서 낙담했다. 그때부터 고통스럽게 침을 맞고 쓰디쓴 한약을 달여 마시며 고생길로 들어섰다. 한동안 치료를 받아도 아무런 차도가 없자 원장은 스스로 손을 놓았다.

"침을 놓아도 변화가 없으니 내 능력으로는 치료할 수가 없군요. 다만 웃을 수만 있어도 다행이니 돈을 써서 웃게라도 해주세요."

진양은 허탈하여 온몸에 힘이 쭉 빠져버렸다. 부녀는 애간장을 태우며 여러 한의원을 찾아다녔으나 치료에 별다른 진척이 없었다.

구안 와사 증은 생각보다 무서운 병이었다. 얼굴피부가 남의 살처럼 뻣뻣하고 근육이 제대로 움직여주지 않아서 천근처럼 무거웠다. 우선 말하기가 어렵고 웃을 수가 없었다. 좋다든지 싫어한다든지 자신의 기분에 따라 자연적으로 발생하는 얼굴의 감정표현을 지을 수가 없었다. 자신도 모르게 눈물을 흘리고 눈이 잘 감기지 않았다. 항상 무뚝뚝한 표정이어서 마치 성난 사람처럼 보였다.

설상가상 먹는 것도 힘들었다. 음식을 제대로 씹기가 힘들어서 맛이 없고 침을 질질 흘렸다. 입술이 닫치지 않아 음식을 자꾸 흘리는 바람에 다른 사람과 식사하기가 민망했다. 발음이 정확하지 않아 말씨가 어눌하고 자꾸 더듬거렸다. 무슨 말을 하는지 이해할 수가 없어서 처음 보는 사람과는 대화조차 어려웠다. 일상생활에서 겪어야 하는 불편과 어려움이 한두 가지가 아니어서 고통은 날로 늘어갔다.

설상가상 시간이 갈수록 상태가 심해졌다. 한때는 인근고을에서 제일가는 미인으로 소문이 났었는데 마치 마녀처럼 괴상망측하게 변해버렸다. 잘 아는 사람들은 진양을 똑바로 쳐다보는 것도 눈치가 보여서 눈길을 외면하곤 했다. 처녀의 얼굴이 흉측하게 망가졌으니 그녀는 삶의 의욕을 잃고 죽고 싶은 심정이었다. 남의 시선이 두렵고 무서워서 대인기피증이 생겼다.

하루아침에 천국에서 지옥으로 떨어진 기분이었다. 그녀가 하는 행동으로 봐서는 천사의 심성을 지녔는데 삶은 불행으로 이어졌다. 인간이 겪는 불행 중에서 병마는 어느 날 방심의 날개를 타고서 찾아온다. 그리고는 멀쩡하게 살고 있는 사람의 행복을 빼앗고, 긴 세월 고통을 주면서 인간을 괴롭히는 악마와 같이 행동한다. 불행은 쉽게 물러가지 않으면서 인간을 괴롭히며 삶의 질을 망가트린다. 돈이 아무리 많은들 무엇 하랴. 병을 치료할 수 있는 뾰족한 방법이 없어서 눈물과 한숨으로 지냈다. 신은 인간에게 모든 복은 주지 않는다고 말하는데 정말 행운만을 누리며 사는 사람은 드문 것 같다. 그래서 웬만하면 만족하고 감사할 줄 알아야 한다. 이제 결혼은 아예 꿈도 꿀 수 없는 슬픈 현실이 되고 말았다. 딸의 불행해진 모습에 부모님의 근심 걱정은 그칠 날이 없었다.

13 괴로움을 씻어준 명상의 시간

비뚤어진 얼굴을 치료할 수 없게 되자 귀한은 깊은 시름에 빠졌다. 거울을 보고 있노라면 얼굴모습이 흉측해서 한숨이 저절로 나왔다. 자신은 쇠사슬에 묶여 있는 애완동물 같은 신세가 되었다는 생각이 들 때면 미칠 것 같았다. 어쩔 수 없다는 실망이 급기야 마음의 병이 되었다.

"요즘 귀한의 특이한 행동이 혹시 늦도록 시집을 못가서 쌓인 욕구불만 때문이 아닐까요?"

"무남독녀 외동딸을 키우면서 그렇게 모른단 말이오?"

"그럼 우울증이 병이에요?"

"우울증 환자는 모든 것을 근심거리로 보는 특징이 있어요. 아마 복권에 당첨되더라도 걱정할 거예요. 식욕을 잃어서 식사를 거르기 때문에 얼굴이 핼쑥해졌지요? 그게 병증으로 보여서 주위 사람을 안타깝게 하고요. 만사가 귀찮아져서 움직이는 걸 싫어해요. 틈만 나면 잠을 자는데 침묵을 하면서도 짜증이 심해져요. 성격도 공격적으로 변하고요."

“귀한이 고통 받는 게 우울증 때문이란 말이군요? 금지옥엽 같은 내 딸이 정신병자 취급받는건 절대 안돼요.”

“한창 멋을 부릴 아가씨가 얼굴이 상했으니 오죽 답답하겠어요. 불길 속에 뛰어들었을 때의 참혹한 광경이 생각나면 제정신이겠어요?

“이를 어쩌면 좋아요? 그게 다 나 때문이라 말이죠?”

“정신적인 상처를 입고 삶의 의욕을 잃었어요. 항상 불안하고 초조하여 집중을 못하는데 일이 나빠진다고 생각하는 거예요.”

“뭔가 즐거운 일이나 하고 싶은 일이 없을까요?”

“자신을 스스로 조절할 수가 없어서 비관에 빠졌어요. 의욕을 잃어서 자신만 불행하다고 생각하는 거예요.”

“그래서 한밤중인데도 잠을 이루지 못하고 집안을 서성거리고 다녔군요? 부처님, 저희를 도와주세요.”

순여사는 두 손을 모아 합장하고 반야심경을 암송하며 딸의 안녕을 기원했다. 귀한은 얼굴을 상한 것이 마음의 상처가 되어서 삶의 의욕을 잃었다. 명랑하던 딸이 웃음을 잃고 고민하는 모습을 지켜봐야 하는 부모님의 마음은 까맣게 타들어갔다. 그녀는 일상생활에서 감정기복이 크고 우울감을 가질 때가 많아 주위사람들을 힘들게 하였다.

“우울증이 심각한 병이로군요? 그렇게 명랑하던 애가 단단히 꿰매 논 입처럼 말도 안하고 맨 날 심각한 표정으로 지냈군요?”

“어디 웃고 떠들며 말할 기분이 나겠어요? 다른 사람한테 짜증이나 내지 않아도 다행이지요.”

“천사표 같은 고운 웃음을 달고 살던 애가 그걸 잃었으니 본인도 괴롭겠지만 우리도 못 볼 일이에요.”

“성격이 거칠게 변해서 친구들과도 어울리지를 못해요. 혼자 외톨이가 되어서 외로움도 클 거예요.”

"저러다가 무슨 큰일을 내는 건 아니겠죠? 삶을 포기한채 죽겠다고 하는 건 아니죠?"

"생각이 깊은 애인데 그럴 리가 있겠어요? 말이 씨가 된다고 빈말이라도 그런 생각은 하지마세요. 마음을 편히 갖도록 사랑과 관심을 줘야 해요."

"제가 관심을 갖고 따뜻하게 보살펴줄게요."

"당신과 함께 있는 시간이 많으니까 웬만한 건 이해하며 관심을 기울여 봐요. 아무래도 정신과 치료를 받아야할 것 같아요."

분노의 침묵이란 게 있다. 그건 힘들고 외로울 때 누구에게나 찾아올 수 있는 마음의 병이다. 인간은 큰 사고를 당하여 몸이 상하거나, 하던 일이 실패하면 삶의 의욕을 잃는다. 그럴 때 대부분 분노와 함께 침묵이 찾아온다. 어쩔 수 없다는 절망감이 커지면서 급기야 자신의 의지로 컨트롤 할 수 없게 된다.

아버지는 명랑하던 딸이 풀이 죽어 지내는 모습을 볼 때마다 애처로워서 자주 대화의 시간을 가졌다.

"오늘은 모처럼 외출해서 친구들과 맛있는 것 먹으며 수다를 떨어보렴. 아버지가 용돈을 줄까?"

"돈은 필요 없어요. 친구들을 만나고 싶지 않아서 그래요."

"친구들과 만나 즐거웠던 추억을 떠올리며 기분전환을 해 보렴?"

"친구들의 즐거운 표정을 보는 것도 괴롭고 슬플 때가 있어요. 그냥 앉아 있기도 힘이 들어서 그래요."

"친구에게 감정적인 만족까지 주려고 애쓸 필요는 없단다. 가벼운 기분으로 만나 즐거움을 찾도록 해봐라."

"저만 불행하다는 생각이 들어서 미칠 것 같아요. 제가 살아야할 삶의 이유 같은 걸 모를 때가 있어요."

"마음의 상처가 그리도 크단 말이냐? 그럼 쇼핑을 하는 건 어떻겠니? 예쁜 옷도 사고 갖고 싶어 하던 명품도 몇 점 사거라. 지금 세일중이라 깎는 재미도 있을 거야."

"움직이는 게 싫어서 그래요. 집에서 책을 읽으며 쉬고 싶어요."

"지금 너에겐 변화가 필요해. 집에만 있지 말고 변화를 찾으러 어디 여행이라도 다녀와라. 활기차게 돌아가는 밖의 세상을 보면 멈춰있는 생각이 움직이게 될 거야."

"실속도 없이 친구들 만나고 목적 없이 여행을 하면 뭐해요? 한번 생각은 해볼게요."

"그러지 말고 여행을 떠나서 너만의 시간을 가져보렴. 여행을 하면서 감성을 키우고 유머감각을 챙겨 오너라."

"건강했던 시절 즐겁게 다녔던 여행의 아름다운 추억들이 얼룩질게 두렵고 잔인할 것 같아요. 제 몸속의 악몽 같은 고통이 사라지려면 시간이 필요할 거예요."

"세상은 냉엄해서 승자에게만 박수치며 열광을 하지. 작은 일이라도 열중해야 관심을 받을 수 있는 거야. 네가 가족들의 반대를 무릅쓰고 농고에 입학할 때의 기개를 다시 갖기 바란다."

"제 모습 지켜보느라 힘드셨죠? 이대로 쓰러지지는 않을 거예요. 무언가 잘할 수 있다는 걸 꼭 보여드릴게요."

"그럼 정신과 치료를 받아보는 건 어떻겠니? 기분이 우울하여 분노조절이 안 될 때는 많은 도움이 된다고 하더라."

"거울을 볼 때마다 숨이 멋을 것 같아요. 우울증이 아무런 이유 없이 찾아온 게 아니에요? 제가 생각이 복잡한 것은 사실이지만 정신과 치료는 아닌 것 같아요."

"어쩌면 몸에 난 상처는 작은 것인지 몰라. 마음에는 더 크고 깊은 상처가 있는 것 같구나."

"제 자신을 변화시키는데 엄청난 노력과 의지가 필요해요. 제가 용기를 가질 수 있도록 조금만 더 시간을 주세요."

인간이 살아가는데 특히 여성의 입장에서 자신의 인상이 그렇게 중요한 요인이 되는 걸까? 용모가 제일 중요한 것으로 평가하는 사람들이 많다. 사실 빼어난 용모로 하늘을 찌를 듯 누렸던 인기가 하루아침에 물거품처럼 사라져버렸는데 변해버린 환경을 받아드린다는게 쉬운 일은 아닐 것이다. 그녀의 가슴속에 가득 차 있었던 당당하던 자존심에 큰 상처를 입은 것이다. 집밖을 나가는 것조차 꺼리며 사람만나는 걸 무서워했다.

"당신 행동이 굼뜨지 않아요? 능력도 없으면서 자식한테 무한 책임을 지려고 하지 마세요."

"무한책임이 아니라 부모의 도리를 하려는 게지요."

"무작정 오냐오냐 떠받드는 게 부모의 도리에요?"

"깎아지른 절벽을 이룬 기암괴석 사이로 뿌리를 내린 생명이 있어요. 고고한 자태를 뽐내며 자라는 외로운 소나무가 어찌 홀로 자랄 수 있겠어요? 듬직한 바위를 만나 풍설을 막아주고 세월을 함께 했기에 거친 환경을 이겨내고 한 그루 분재처럼 멋지게 자랄 수 있는 거예요. 지금 귀한에겐 마음의 위로가 필요해요."

"당신이 할 수 없는 일은 제가 하고, 제가 할 수 없는 일은 당신이 하세요. 귀한이 훌훌 털고 일어나 예전같이 멋진 일을 하며 살 수 있도록 힘을 주세요."

누구에게도 말할 수 없는 고통을 홀로 참으며 눈물과 한숨을 짓는 사람이 있다. 정신적으로 힘이 들어서 따뜻한 격려가 필요한 사람들이다. 귀한이 그랬다. 깊은 터널 속에 갇히면 세상을 볼 수가 없어 불행을 안고 사는 것과 같다. 이럴 때는 빛과 희망을 찾기 위하여 빨리 터널을 벗어나야 한다. 어떻게 하여야 어두운 터널 속에서 빠져나올 수가 있을까?

진양은 독서와 명상을 하면서 어려운 시기를 견뎌냈다. 하루는 아인슈타인의 전기를 읽다가 정신이 번쩍 드는 글귀를 발견했다.

'지금 당신의 삶은 한없는 권태에 빠져서 힘이 드시나요? 인생은 모두 저마다의 존재가치가 있어요. 자기가 해야 할 일을 발견하여 인생의 진정한 의미를 깨닫게 될 때, 삶은 새로운 기쁨과 기적을 경험할 수 있어요. 삶을 사는 방식에는 두 가지 방법이 있어요. 하나는 모든 것을 기적이라고 믿는 것이고, 다른 하나는 기적은 없다고 생각하며 사는 것이지요.'

그 말이 자신에게 던지는 메시지라 생각했다. 번뜩이는 지혜가 떠오르면서 그녀에게 삶의 용기를 주었다.

"괴롭고 힘든 이 시간은 곧 지나갈 거야. 청춘을 빈둥거리며 낭비할 게 아니라 내 생활의 변화를 찾아야 해."

하늘은 스스로 돕는 자를 돕는다고 했다. 자기 스스로 하려는 의욕이 없는 자는 기회도 힘을 빌려주지 않는다. 어떤 일을 시작도 하지 않고 포기하는 것은 열정이 없거나 게으른 탓이다. 작은 일을 못하는 사람이 큰일을 할 수는 없다. 못한다고 불평할 바에는 차라리 해보고 나서 후회하는 게 낫다. 사과나무 밑에서 사과가 떨어지기를 바라지 말자. 저절로 떨어진 사과는 썩었거나 먹을 게 없다. 사과가 먹고 싶으면 직접 딸 수 있는 용기와 노력이 필요하다.

인간은 명상을 하면서 성찰의 시간을 통하여 성숙할 수 있다. 자신이 실패한 인생이란 생각이 들 때, 자신감과 의욕을 잃어서 모든 걸 포기하고 싶을 때, 그리고 삶이 괴롭고 힘들어서 외로워질 때 명상을 하는 건 좋은 습관이다. 바로 자신이 어떤 존재인가를 생각하는 시간을 갖는 것이다. 잠시 생각을 멈추어서 조용한 시간을 갖고 휴식을 주는 것만으로도 안정에 도움이 된다.

내가 제일 불행한 사람이라고 비관하지 말자. 힘이 들수록 긍정적인 생각으로 채워보자. 가까이에 있는 소중한 사람들과 나눴던 재미있는 추억이 있다. 일상의 생활에서 즐겼던 작은 성공의 기쁨과 경험도 많다. 그런 것들을 떠올리며 내 삶에 남아있는 희망의 불씨를 지펴보자. 고통과 슬픔 괴로움 같은 건 남겨놓지 말고 당장 쫓아버려야 한다. 지금 당하는 것도 힘들고 서러운데 굳이 미래로 가져갈 필요는 없다. 희망은 지금 무엇을 할 것인지 생각하고 실천하는 데서 찾아온다. 얼굴의 상처는 이젠 되돌릴 수 없는 것, 이것 때문에 평생을 고통스럽게 살수는 없다. 귀한은 자신의 불행을 극복하고 자신감을 찾아서 다시 일어서려고 외롭게 몸부림쳤다.

진양은 수시로 명상을 하며 기도를 했다.

"부모님께 웃음을 주는 착한 딸이 되고 싶어요. 아름다움을 잃었더라도 당당하게 살아갈 수 있는 용기를 주세요. 잃은 것을 슬퍼하기보다 남아있는 것에 만족하며 감사한 마음으로 살아갈 수 있도록 도와주세요. 다른 사람의 의견을 내 생각만큼 존중할 수 있는 아량과 부드러움을 지닌 여성이 되고 싶어요. 제게 꿈을 주신 것처럼 고난을 이기고 위엄을 지킬 수 있게 도와주세요.

넘치는 자신감을 주시고 우리 가정에 평화로운 삶을 주세요."

나는 세상에 하나뿐인 유일한 존재로서 무엇과도 바꿀 수 없는 보물보다 귀하다. 자신감을 갖고 당당하게 살아야 한다는 깨달음이 그녀를 자극했다.

14 드디어 지푸라기를 잡다.

병은 소문을 내라는 말도 있듯이 경험자의 조언이 치료에 도움을 준다. 귀한이 실의에 빠져 힘들게 지내고 있는데 하루는 이모님으로부터 반가운 전화를 받았다.

"귀한아, 예쁜 얼굴이 뒤틀려서 속상하지? 바람도 쐴 겸 청주에 한번 놀러오지 않을래?"

"그런데 이모님이 절 몰라보시면 어떡하죠?"

"나이 들어 눈이 어두워졌지만 김제에서 예쁘다고 소문난 널 몰라보겠느냐? 그런 걱정은 하지 말고 바람 쐬러 와."

"제가 예쁘다는 말은 어울리지 않아요. 변한 모습에 이모님이 보시면 깜짝 놀라실 거예요."

"그래서 하는 말인데 내가 최근 들은 이야기가 있어. 혹시 너한테 도움이 될지 모르겠구나?"

"이모님이 무슨 이야기를 들으셨는데요?"

"경기도 이천 땅에 눈먼 맹인이 운영하는 무료 침술원이 있다는데 글쎄 못 고치는 병이 없다는 구나."

그 말에 귀한의 귀가 번쩍 뜨였다. 모처럼 듣는 반가운 소식이어서 단번에 호기심이 일어났다.

"그래요? 이모님, 그런 곳이 있대요?"

"수년씩 앓고 있던 고질병을 고친 사람이 한두 명이 아니래. 소문이 하도 무성해서 알려주는 거니까 노는 입에 염불한다고 찾아가서 침을 맞아봐라."

"그런데 이모님, 앞을 볼 수 없는 봉사가 어떻게 침을 놓을까요?"

"신의 손을 가진 명의라고 소문이 자자하니까 그런 걱정은 하지 마. 소문이 사실과 다를 때도 있다지만 틀림없는 것 같아. 까짓 것 밑져야 본전이 아니겠니?"

"이천이 멀기도 하지만 또 헛걸음치지 않을까 걱정이 되어서 그래요."

"많이 속아서 맘에 내키지 않은가본데 시험 삼아서라도 한번 가봐. 한 가지 흠이라면 장침을 사용하기 때문에 아프다는 소문은 있더라."

"소문이 날 정도로 아프면 침을 어떻게 맞아요?"

"예쁜 얼굴을 찾을 수만 있다면 그깟 아픈 게 대수냐? 비뚤어진 얼굴로 평생을 힘들게 살수는 없잖니? 시집도 가야하고 무엇이건 일을 해야 하지 않겠어?"

"그럼 아버지하고 상의를 해볼게요."

"자신감을 갖고서 다시 도전해봐. 참을성이야 너 만한 애가 어디 있다고 그러느냐?"

진양은 지푸라기라도 잡고 싶은 심정으로 힘들게 살고 있던 터라 반신반의 하면서도 그 말에 귀가 솔깃했다. 기회는 노크하지 않는다. 자신이 스스로 문을 열고 들어갈 때 기회의 모습을 만날 수 있다. 오늘 할 일을 내일로 미루지 말라는 속담은 게으름을 경계한 말이다. 지금 작은 일을 하는 것이 나중에 모아서 하는 것보다 더 중요하다. 지금 행동하지 않으면 일이 쌓여서 더 어려워진다.

왠지 이모님이 귀띔해준 소문이 전과는 달리 솔깃했다. 목마른 사람이 샘을 판다고 진양의 심정은 샘을 파서라도 물을 마셔 갈증을 해소하고 싶었다. 다음날 아침 앞뒤가릴 것도 없이 아버지와 함께 이천으로 향하는 버스에 탑승했다. 버스를 타고 가면서 마치 똥마려운 강아지처럼 안절부절못했다.

"아빠, 왜 이렇게 가슴이 떨리는 거죠? 오늘도 허탕 치면 어떡하죠?"

"에이 그럴 리가 있겠니? 오늘은 감이 좋아."

"감이라뇨? 아빠 예감이 괜찮아요?"

"이번에는 왠지 모르게 징조가 좋은 것 같구나. 오늘은 맛이 좋다는 이천쌀밥을 먹으러간다고 생각하고 마음을 편하게 가져라."

"쌀이야 우리 농장에서 생산하는 쌀이 최고죠? 아빠, 이번에는 느낌이 괜찮아요?"

"결말이 확실하지 않은 일을 할 때는 불안하고 초조한 법이야. 그럴 때는 될 수 있다는 희망을 갖는 게 마음이 편하단다."

"이렇게 두렵고 떨리기는 처음인 것 같아요. 오늘도 헛걸음치는 게 아닌 가 괜한 걱정이 드네요."

"배짱 좋은 우리 딸이 왜 이렇게 소심해진 거야? 나쁜 예감은 종종 맞는다고 했으니 나쁜 생각은 하지 말거라. 아직 시도조차 하지 않았는데 불안하게 생각하지 마."

"오늘따라 가슴이 콩닥콩닥 뛰면서 안정을 찾기가 어려워요. 또 허탕 치는 게 아닌 가 자꾸 불안하네요."

귀한은 공연히 들떠서 흥분했다. 내심으로 크게 기대를 하고 있는 것 같았다. 사실 예쁘다고 소문났던 처녀가 얼굴을 상해서 몇 년째 고통 받고 있으니 속이 얼마나 타들어가겠는가? 아버지는 긴장한 딸을 위로하려고 애를 썼다.

"인생에서 일어나지도 않은 일을 미리 걱정하는 건 어리석은 일이야. 더구나 하지도 않은 행동을 짐작해서 남을 비난하는 건 나쁜 습관이야. 까짓것 허탕 치면 그때 가서 생각해 보자꾸나."

"아빠 말씀 명심할게요. 이모님이 공연한 말씀을 하신 건 아니겠죠?"

"우리가 몰라서 그렇지 그쪽 지방에선 아주 유명한 명의로 소문이 났다고 하더라."

"그러니까 이모님이 일부로 알려 주셨겠죠?"

"지금도 지구는 뱅글뱅글 돌아가고 있어. 아직은 자정능력이 정상적이라고 하니 네가 피켓 들고 환경오염을 하지말자고 외칠 필요는 없을 거야. 사사건건 걱정하지 말거라."

"아빠는 언제나 절 위로해주시는 유일한 분이에요."

"엄마도 네 걱정 엄청 하고 계신다. 오늘밤도 촛불에 불 밝히고 정한수 한 그릇 떠서 장독대에 올려놓고 네 병 낳게 해 달라며 두 손이 닳도록 싹싹 비실 게야. 몸도 허약한데 밤이나 세우지 않았으면 좋겠구나."

"그럼 엄마는 빼고요. 분명 엄마는 그렇게 하실 거예요."

"신은 소문에는 관심이 없고 진실에만 귀를 기울인다고 하셨어. 미리 안 될 거란 걱정은 하지 마라."

아버지는 긴장해서 불안해하는 딸을 웃기려고 애를 쓰셨다. 그 동안 헛고생한 게 하도 많아서 이번에도 실패하면 어쩌나 걱정이 앞섰다. 버스정류장에 내려 택시 운전기사에게 침술원의 위치를 물었다.

"이곳에 침을 잘 놓는 유명한 무료 침술원이 있다고 하던데 혹시 알고 계시오?"

"침술원의 반원장님을 모르면 간첩소리 들어요."

"그럼 그곳까지 우리를 안내해 줄 수 있겠소?"

"요즘은 환자들이 어찌나 많이 몰려오는지 침술원이 바쁠 거예요."

"그래요? 환자들이 그렇게 많이 와요?"

"몸이 아픈 사람들을 위해서 좋은 일 많이 하시는 분이에요."

침술원에 환자들이 몰려온다는 말이 반가웠다. 택시를 타자 기사는 단숨에 침술원으로 안내하여주었다.

대기실에 들어오는 진양의 얼굴은 한눈에 보아도 뒤틀려서 이상하게 보였다. 환자들의 시선이 쏠리면서 흘깃흘깃 훔쳐보았다. 여기저기서 자기들끼리 수군거리는 소리가 들렸다.

"어머머 저 여자 좀 봐. 얼굴이 꼭 외계인처럼 괴상하게 생겼네?"

"그러게, 징그럽다 얘. 왜 저렇게 됐지?"

"다친 사람한테 그런 말 하는 게 아니야. 젊은 여자가 어떻게 그런 모진 말을 하니?"

"죄송해요. 하도 이상하게 생겨서 저도 모르게 나온 말이에요."

"보아하니 시집도 안간 처녀인 것 같은데 어쩌다가 얼굴이 못쓰게 됐을꼬? 말뚝마냥 서있지 말고 이쪽에 와서 앉아요."

나이 지긋한 아주머니가 혀를 차면서 안타깝게 말했다. 잔뜩 긴장하고 있는 그녀의 처지를 동정이라도 하듯 자리를 챙겨주었다. 진양은 괜히 부끄러워서 무슨 큰 죄를 지은 양 다소곳이 앉아서 순서를 기다렸다. 기다리는 시간이 초조하여 길게만 느껴졌다. 그런데 진찰실에 들어가 반원장을 보는 순간 갑자기 심장이 빠르게 뛰는 것 같았다.

"원장님이 참 잘 생겼네."

나이는 들어 보이는데 인물이 훤칠했다. 좀체 남자한테 느껴보지 못했던 친근한 감정이 일면서 긴장했던 마음이 단번에 사라져버렸다. 어디선가 여러 번 본 듯한 호감이 가는 인상이어서 마음이 편해졌다. 이런 다급한 순간에 그런 생각을 하다니 자신이 생각해도 이상한 일이었다.

반원장은 병이 난 경위와 증세를 설명 듣고는 먼저 맥을 짚었다. 찬찬하게 맥을 보던 그의 얼굴이 어둡게 보였다. 그리고 얼굴을 한번 만져보자고 했다. 반원장은 일그러진 피부의 촉감을 느끼며 화상의 정도와 뒤틀린 얼굴 모양을 짐작했다. 젊은 처녀의 얼굴이 심하게 망가져서 괴로운 심정이 어떨까 동정심이 일었다. 왠지 모르게 남의 일 같지가 않아서 어떤 동병상린의 측은한 감정이 솟아올랐다.

"환자가 고생하고 있는 구안 와사증세가 심하여 완치되기는 어렵겠어요. 다만 인내심을 갖고 병을 맡겨주신다면 치료를 해보겠습니다."

"그럼 원장님, 내 딸아이의 얼굴이 제 모습을 찾을 수가 있을까요?"

"따님의 얼굴은 피부이식과 성형 수술의 후유증, 그리고 화상으로 인한 신경조직의 손상으로 나타나는 복합적인 증세예요. 돌아간 얼굴을 어느 정도 바로잡을 수는 있겠으나 원상회복은 어려울 것 같군요."

완치는 어렵다는 말에 가슴이 철렁 내려앉았으나 족집게처럼 집어내는데 깜짝 놀랐다. 아버지는 어떤 가능성을 느꼈는지 재차 물었다.

"그럼 얼굴모양이 지금보다는 똑바로 돌아올 수 있다는 말씀인가요?"

"침을 맞으면 당연히 효과가 있어요. 다만 침술의 치료는 일종의 마라톤 경기와 같아서 빨리 달리고 싶다고 먼저 골인하는 건 아니에요. 인내심을 갖고 꾸준하게 치료에 힘써야 효과를 볼 수가 있지요."

"치료기간은 얼마나 걸리겠습니까?"

"단순히 구안 와사 증만 치료해서는 일시적인 효과만 볼뿐 치료를 멈추면 다시 돌아가게 되지요. 남아있는 병의 뿌리를 제거하고 몸 안의 풍기까지 잡아줘야 함으로 적어도 1년은 소요될 것 같네요."

"치료는 매일 받아야하나요?"

"무조건 침을 맞는다고 효과가 있는 건 아니에요. 체력이 중요하니까 충분한 영양섭취와 휴식을 취하면서 치료를 받아야 효과가 있어요. 무리하거나 과로를 하면 안 됩니다."

반원장은 진양의 얼굴 모습을 속속들이 알고 있는 것처럼 거침이 없었다. 아버지는 딸의 망가진 얼굴을 완전하게 회복시킬 수 있다는 말을 듣고 싶어서 재차 물었다.

"그 동안 많은 치료를 했지만 완쾌가 불가능하다는 걸 알고 어둠속에서 살아왔어요. 제 딸의 앞길을 열어주세요."

"불가능은 사실이 아니라 어떤 사람의 의견일 뿐이라고 생각하세요. 모든 환자들의 병을 치료하여 건강한 삶을 찾아주는 것이 무료 침술원에서 하는 일이지요."

"원장님을 믿고 치료를 맡기겠으니 제 딸아이에게도 완치의 가능성을 열어주세요."

"반드시 나을 수 있다는 긍정적인 자세를 갖고서 치료에 전념한다면 바라는 만큼 완치될 수 있어요."

반원장의 말에 믿음이 가면서도 불안한 마음을 씻을 수가 없었다.

진양은 그 말을 듣는 순간 천상에서 들리는 옥황상제님의 옥음처럼 들렸다. 돌아간 얼굴을 바라는 만큼 완치할 수 있다니 정말 모처럼 듣는 반가운 말이었다. 그의 말이 신중하면서도 신뢰감이 일었다. 매일의 생활이 지옥과 같았는데 다시 삶의 희망이 보이는 것 같았다. 1년 이상 치료를 받아야 한다는 말에 가슴이 철렁 내려앉았으나 매사 신중하신 아버지는 주저 없이 결단을 내렸다.

"세상에 내 딸 같은 여자들이 설자리가 좁아져서 어디에 하소연 할 데도 없었어요. 치료에 가능성이 있다니 효성이 지극한 딸에게 조상님의 음덕이 내린 것 같군요. 부디 젊은 처자의 앞길을 열어주세요."

부녀는 구세주라도 만난 듯 흥분이 일었다. 이렇게 시작된 진양의 치료는 눈물과 고통, 그리고 정성으로 이어졌다. 실낱같이 가느다란 지푸라기라도 잡으려는 심정으로 애를 태우면서, 그것이 튼튼한 희망의 굵은 동아줄이 되어 병마를 털고 다시 일어설 수 있기를 간절히 염원했다.

15

신비한 경험, 다시 찾은 웃음

'쇠뿔도 단김에 빼라.'고 했다. 오늘 해야 할 일을 내일로 미루는 것은 게으른 자가 좋아하는 핑계이거나 나쁜 습관이다. 중요한 일은 미루거나 주저할 필요가 없다. 귀한은 그날부터 침을 맞기 시작 했다. 첫 번째 침이 몸속에 꽂히는 순간 짜릿한 전율이 전신을 파고들면서 몸 구석구석을 향하여 뻗어나갔다.

"아~."

자신도 모를 긴 신음소리가 비뚤어진 입술사이로 새어나왔다. 때로는 뻐근하고 어떤 때는 예리한 통증이 날카롭게 느껴졌다. 아린 것 같기도 하고 시린 것 같은데, 그것은 말로 형용하기 어려운 엄청난 아픔이면서도 지금까지 느껴보지 못했던 침술이 주는 신비한 경험이었다. 그 느낌을 평생 잊을 수 없을 것 같다. 어떤 알 수 없는 희망의 빛이 다가오는 것 같았다. 새로운 감동이 시작되면서 비로소 치료될 수 있다는 가능성이 느껴졌다.

얼굴과 몸의 여러 혈 자리에 침을 놓았다. 침이 몸속에 꽂일 때마다 엄청나게 아파서 얼굴을 찡그렸다. 너무 아파서 비명을 지르고 소리치며 엉엉 울고 싶었다. 그러나 진양은 침을 맞는 짜릿한 통증이 엄청 컸지만 이를 악물고 참았다. 아프다는 소리 한번 내지 않고 침을 맞는 모습에 다른 환자들은 처녀가 인내심이 대단하다고 혀를 차며 감탄했다.

정말 하늘이 도왔는가 보다. 한줄기 섬광 같은 빛이 몸속으로 들어오는 것 같더니 3일째 되던 날 놀라운 변화가 감지됐다. 천근처럼 무겁던 얼굴이 신기하게도 가벼워지는 느낌이 들었다. 남의 피부같이 뻣뻣하고 탄력을 잃어서 감각이 둔하던 얼굴에 생기가 돌았다. 예전의 피부처럼 부드러움이 느껴지며 전신에 활력이 솟아나는 것 같았다.

"아버지, 모처럼 얼굴 감각이 살아난 것처럼 예민해졌어요. 전에는 제 피부가 이렇게 탄력 있고 부드러웠어요."

"얼굴피부 감촉이 달라졌단 말이지? 천천히 아물지 않는 상처는 없다고 하더니 빈말이 아닌가보구나."

"어쩜 이렇게 신기하지요? 죽어있던 피부가 부드럽게 살아난 것 같아요."

"원 이렇게 고마울 수가 있단 말이냐? 이번에는 반듯이 나을 것 같구나."

아버지는 모처럼 활짝 웃으셨다. 숫한 치료를 받아도 백약이 무효처럼 아무런 효과가 없었는데, 느낌이 좋다는 것 자체가 진전이어서 자신감을 얻었다. 큰 병일수록 변화는 답답할 정도로 조금씩 일어난다. 그걸 느낄 수가 있다면 치료의 가능성이 높아진다. 진양은 하루 더 침을 맞고는 기분이 좋아서 고마움의 표시로 4만원을 성금함에 넣었다.

부녀는 이천으로 올 때의 무겁던 마음과는 달리 한결 가벼워진 발걸음으로 집으로 향했다. 예전의 얼굴모습을 찾을 수 있다는 희망이 생겨서 그런지 웃음이 저절로 나왔다.

"웃을 수 있다는 것이 이렇게 좋은 것이로구나."

말할 수 없는 기쁨이 절로 솟아나왔다. 자신도 모르게 솟아나는 웃음을 참을 수가 없었다. 인간은 웃을 수 있다는 것이 얼마나 큰 행복인지 모르며 산다. 웬만한 일로는 얼굴 찡그리지 말고 웃으며 살아야겠다. 이제 괴롭고 힘들었던 침묵의 고통에서 벗어날 수 있을 것 같았다. 귀한은 기분이 좋은지 수다를 떨었다.

"그런데 아버지, 사실은 침 맞을 때 엄청 아팠어요."

"비명을 지르지 않기에 별로 아프지 않은 줄 알았다. 넌 목소리가 고와서 비명을 질러도 예쁘게 들릴 거야."

"이를 악물고 참았어요. 앞으로 1년 정도 치료해야 한다는데 침을 맞을 때마다 소리 지를 수는 없잖아요?"

"인내심이 장하긴 한데 아플 땐 차라리 소리를 질러라. 그럼 덜 아플지도 모르거든."

"그러다가 엄살 잘 떠는 처녀로 소문나면 어쩌게요? 참을 수 있을 때까지 는 참아야죠."

진양은 기분이 좋으면서도 아버지를 고생시키는 게 민망했는지 살짝 맘에 없는 거짓말을 했다.

"아버지가 힘드시죠? 차라리 치료받는 걸 포기하고 그냥 농사나 지으며 이대로 살까 봐요."

"얼굴의 피부감촉이 달라졌다면서 그게 무슨 말이냐? 왜 금세 마음이 변한 거야?"

"아버지가 고생하시니까 죄송해서 드리는 말이에요."

"길이 없을 때야 가고 싶어도 갈수가 없었지만 이제 길을 찾았는데 별걱정을 다하는구나. 이참에 무슨 수를 써서라도 치료를 받아야 해."

"정말 얼굴을 고칠 수가 있을까요? 말이 1년이지 치료도 완치는 어렵다고 하잖아요?"

"원장님이 보통 신중한 사람이 아니더라. 여느 돌팔이들 하는 이야기와는 완전히 다르지 않더냐?"

"그런데 왜 자꾸 불안해지는 거죠?"

"나약한 생각에 빠져 네 자신을 괴롭히지 말거라. 이제 하늘이 도와서 틀림없이 나을게야."

"아버지가 저 때문에 고생하시고 비용도 한도 끝도 없이 들어갈 것 같은데 이 일을 어쩌면 좋아요."

"병든 엄마를 화마에서 구하려다가 다친 널 생각하면 죽어서도 눈을 감지 못할 것 같아. 모든 전답을 팔아서라도 비용을 될 테니 걱정하지 마."

"아버지를 편하게 해드린 적이 없는데 자꾸 불효하는 딸이 밉죠?"

"변화를 느낀다니 미운감정이 싹없어졌다. 괜한 생각은 하지마라."

"치료받으려면 이천까지 다녀야 하는데 농사일도 맘에 걸리고 뭣하나 쉬울 게 없어서 그래요."

"겨자씨는 보잘 것 없는 작은 씨앗이지만 어떤 풀보다 크게 자라서 새들이 쉬어갈 만큼 큰 나무가 된다. 네 심정이 겨자씨보다 작다고 여겨지더라도 낙담하지 마라. 인간은 자신이 생각하는 것보다 더 큰 능력과 잠재력이 있어."

"이번에는 정말 희망을 가져도 될까요?"

"세상살이가 어찌 순탄하고 좋은 일만 있겠니? 복잡한 네 심정이 답답한 줄은 알고 있지만 병이란 낫겠다는 의지가 필요한 거야."

"많은 노력을 해도 좋아지는 기미가 없어서 드리는 말이에요."

"인생에서 뜻대로 되는 경우가 얼마나 되겠니? 지금부터는 인내심이 필요할 거야. 딴생각은 하지 말고 먼저 네 자신과의 싸움에서 이겨야 한다."

"아버지를 닮은 진중한 딸이 되어서 매사 일희일비하며 살지 않을게요."

궁하면 통하고 사람이 죽으라는 법은 없다고 했다. 마음 졸이며 애를 태우시던 아버지는 예전의 발랄하던 딸의 모습을 보면서 환한 웃음을 지으셨다.

귀한이 다친 후 집안은 초상집 분위기였다. 아내까지 중풍으로 쓰러져서 고생하고 있는 터라 가정에 활력을 잃었다. 다시 서광이 비추기 시작해서 아버지도 한시름 놓은 표정이었다.

"이번이 마지막 도전이라 생각하고 성심을 다해서 치료받을게요."

"중국고사에 우공이산愚公移山이란 말이 있단다. 직역하면 우공이란 노인이 산을 옮긴다는 뜻이지."

"노인이 어떻게 맨손으로 산을 옮겨요?"

"중국사람 특유의 만만디 정신과 호방한 대륙기질을 엿볼 수 있는 고사가 아니겠니? 인간의 원대한 꿈과 불굴의 도전정신을 배울 수 있는 숨겨진 뜻이 있단다."

"중국 땅이 넓긴 하지만 고사를 보더라도 스케일이 엄청 크군요? 제가 만리장성을 보았을 때 인간이 어떻게 저런 큰 성을 쌓을 생각을 하고, 실제 성을 완성할 수가 있었을까? 감탄을 한 적이 있어요. 그릇이 커야 큰 것을 담을 수 있고, 생각이 커야 큰일을 하는 인물이 된다는 뜻인가요?"

"세상에 어떤 일도 하루아침에 이룰 수 없다는 의미야. 당대에 이루지 못하더라도 자자손손 대를 이어 산의 흙을 퍼 나르다보면 언젠가는 산도 옮길 수 있다는 뜻이야."

성공한 사람들이라 하여 모두 타고난 재능과 행운이 따라준 건 아니다. 우직스럽게 노력하며 불행과 실패를 극복하여 성공을 이루었다. 구름 뒤에는 밝은 빛이 존재하듯 어려운 과정이 지나면 희망과 행복이 따라온다. 노력이야말로 성공의 최고 조건이다.

"아버지 말씀은 병을 고치기 위하여 많은 노력과 정성을 다하라는 말씀이시죠?"

"쉬지 않고 노력하면 결국엔 큰일을 이룰 수 있다는 인생의 지혜가 담겨있는 경구란다. 이 말이 너를 두고서 하는 말 같구나."

"이번에는 인내심을 갖고 침착하게 치료를 받아서 완쾌하라는 말씀으로 이해할게요."

"그런 자세라면 병이 꼭 나을게다."

"아버지의 말씀이 제 자신을 부끄럽게 했어요. 병이 나으면 큰 생각을 실천하며 살게요. 저의 안락함보다도 다른 사람을 위한 일을 하고 싶어요."

"남을 위해 일한다는 생각은 쉽지 않은데 뜻이 장하다. 현대인은 느긋함과 여유를 모르며 살고 있어. 때로는 좀 늦더라도 완벽하게 처리하면서 살아가는 지혜가 필요한 거란다."

"아버지의 말씀이 제 인생에 길잡이가 될 거예요. 그럼 아버지는 원장님을 믿으시는 거예요?"

"몸이 망가지는 건 일순간이지만 회복하려면 평생이 걸릴지 몰라. 병의 치료는 노력과 정성이 없으면 나을 수가 없어. 다행이 원장님이 어떤 병이든 고칠 수 있는 실력을 갖춘 것 같아서 안심이 되는구나."

"이번에는 원장님을 믿고 열심히 치료를 받아볼게요. 정성을 다해 치료하여 꼭 완쾌할게요."

"이번에는 너에게 행운이 찾아와 예전의 곱던 모습을 되찾을 수 있을 것 같구나."

"아버지의 말씀은 언제나 저에게 희망과 기쁨을 주시네요. 이제부터 저의 행복은 제가 만들어갈게요."

"젊은 날엔 가끔 실수를 하렴. 실패의 경험을 간직하고 그것을 통하여 성공할 수 있는 법을 배워라. 실수로 인생이 성숙할 수 있다면 나쁜 건만은 아닐 거야. 공자님이 말씀하신 불천노 불이과不遷怒 不貳過라는 말은 '노여움은 남에게 옮기지 말고 똑같은 실수를 반복하지 말라'는 뜻이야."

"그것을 잊지 않기 위하여 교훈이 되도록 제 얼굴에 상처를 남겨놓았다고 생각할게요. 그럼 두 번 다시 같은 실수를 하지 않겠지요?"

인간은 꿈을 가져야 한다. 꿈은 할 수 있다는 희망과 될 수 있다는 목표를 이루게 한다. 꿈이 이뤄지지 않는다고 실망할 필요는 없다. 다시 꿈을 꾸고 도전하면 된다. 진정 가엾은 것은 한 번도 꿈과 희망을 가져보지 못한 줏대 없는 사람이다. 아버지는 자존심이 강한 딸이 기죽지 않도록 용기를 주었다. 부녀는 먼 길 여행에서 오는 피로도 잊은 채 가슴 뿌듯한 기쁨을 안고서 돌아왔다.

이천에 간 부녀의 일이 궁금하여 노심초사하던 순여사는 두 사람이 귀가하자 반가워서 어쩔 줄을 몰랐다.

"귀한아, 침을 맞은 게야? 아프지는 않았니? 이천이 꽤 멀지? 저녁밥은 먹었어?"

"엄마, 숨 넘어 가겠어요. 한 가지씩 말씀하세요."

순여사는 모든 게 궁금해서 속사포처럼 동시에 여러 질문을 쏟아냈다.

"그래 침을 맞으니까 어떠니? 네 얼굴을 고칠 수가 있다던?"

"엄마, 걱정하지 마세요. 이제 자주 웃을 것 같아요."

"원 세상에 이렇게 고마울 데가 있나? 크게 기대하지 않았는데 웃음을 찾을 수 있다면 뭣을 더 바라겠니."

"사람이 신중하고 말에 무게가 있었어요. 이번에는 효과를 볼 수 있을 것 같아요."

"그럼 단칼에 병마를 물리치려무나. 이젠 착실한 남자 만나 결혼도 하고 오순도순 사는 모습을 볼 수 있겠지?"

"비뚤어진 얼굴모습이 그대로인데 어떤 남자가 좋아하겠어요? 그건 당분간은 어려우니까 기다려주세요."

"인물이 빠지는 것도 아니고 남들은 다하는 결혼인데 그게 뭐가 어렵다고 고집을 부리는 거야?"

"고집이 아니라 이제 치료를 시작한 거라고요. 겨우 치료 한번 받고 왔는데 다 나은 게 아니라고요."

"그렇긴 하다만 넌 다른 애들과는 다른 점이 많아. 너 같은 처녀를 어디 가서 찾을 수 있겠어?"

"엄마의 초조한 심정은 알았으니 걱정하지 마세요. 저도 어린아이처럼 방긋방긋 웃기로 했어요. 엄마가 원하시던 웃음을 듬뿍듬뿍 선물하며 살게요."

"네가 웃는 모습을 보니 이젠 살 것 같다. 원래 우리 집안에 웃음이 넘쳐났었지."

"그리고 행복할 거예요. 제가 마음먹은 만큼 행복이 찾아올 테니까요. 멋지고 괜찮은 딸이란 걸 보여드릴게요. 엄마 아빠한테 웃음과 위안을 주는 딸이 될 거예요.

"세상에 사람이 살다보니 이런 일도 일어나네. 이제야 우리 딸이 철이 들어가는구나? 엄마는 널 위해 살 수 있어 행복하단다."

때늦은 후회에 엄마는 이렇게 위로했다. 괴로운 심정을 삭이지 못하고 부모님께 반항하듯 대해서 마음을 상하게 한 것이 후회가 되었다. 후회하여도 소용없다는 말이 있지만 후회로부터 배울 수 있다면 항상 나쁜 건 아니다. 후회는 늦는 경우가 많지만 잘못을 깨닫고, 똑같은 잘못을 하지 않는다면 자신을 발전시키는 기회가 된다.

엄마는 밝아진 딸의 모습을 보면서 안도했다. 진양은 이천에 갔다 온 이야기를 자세하게 전했다.

"눈이 먼 봉사라더니 인상이 험하지는 않던?"

"실명한 것이 억울하겠어요. 부처님 용안처럼 인자한 모습인데 인물이 아깝더라고요."

"젊은 나이에 명의소리를 들으며 환자들을 무료로 치료하는 걸보면 뛰어난 사람 같은데 무슨 운명이 그리도 얄궂고 박복하단 말이냐?"

"첨엔 원장님이 잘 생겨서 깜짝 놀랐어요. 인물이 훤칠한 것이 첫눈에 반할만한 호감이 가는 인상이더라고요."

"웬만한 남자한테는 눈길도 주지 않던 네가 괜찮게 보았다니 듣던 중 다행이네. 너와는 동병상련의 고통을 당하는 게 닮았나보다. 혹시 네 맘을 사로잡은 거냐?"

"제 맘을 사로잡은 건 아니고요, 아픈 침을 맞을 생각을 하니까 두려워서 가슴이 콩닥콩닥 뛰었는데 인상이 좋아서 그런지 무서운 생각이 싹 가시더라고요."

"네눈이 보통 높은 게 아닌데 이왕이면 다홍치마라고 아무래도 잘생긴 남자가 치료해주면 기분이 좋겠지? 세상에 모든 조건을 갖춘 사람은 드믄가 보구나."

"그에 대한 좋은 인상이 남은 건 사실이지만 그렇다고 괜한 생각은 하지 마세요."

모녀는 밤이 늦도록 이야기꽃을 피웠다. 모처럼 가정에 생기가 돌면서 사람 사는 냄새가 났다.

16 건강을 찾기 위한 집념

손가락에 끼고 있던 소중한 반지를 강물 속에 빠트렸다면 어떻게 될까? 물살이 세고 물속의 깊이를 알 수가 없으니 반지를 찾을 가망은 거의 없다. 낯선 땅에서 길을 잃고 어둠속을 헤매는 답답한 심정과 같을 것이다. 병을 치료하는 과정은 이보다 더 어렵고 힘이 든다. 장기간에 걸쳐 치료를 받아야 하는 중병이라면 낫는다는 보장이 없어 앞날을 예측할 수가 없다.

병은 고통스럽게 인간의 행복을 빼앗아 간다. 병마는 고통이 따라야 물리칠 수 있으며 대가 없이는 치료되지 않는다. 사고는 순간에 일어나지만 완치가 되려면 땀과 눈물을 흘리면서 많은 시간을 바쳐야한다. 한번 잃은 건강을 다시 찾기란 보통 어려운 일이 아니다.

아픈 사람의 심정은 절박하다. 지푸라기라도 잡아서 붙잡으려한다. 고통이 따르고 늘 불안하고 초조하다. 때로는 강한 태풍이 휘몰아치는 바다처럼 험하고, 모래 폭풍이 앞을 가려 시야를 분간할 수 없는 거친 사막과 같다. 몸은 지치고 정신은 피폐해져서 짜증이 솟는다. 겹친 피로가 엄습할 때면 쓰러질 것 같다. 그런데 치료에는 지름길이 없다.

그 고달픈 길을 홀로 가야 하는 험하고 외로운 길이다. 고통을 참으며 황량한 가시밭길을 헤치고 다니는 힘든 여정과 같다. 굳은 의지와 참을성이 있어야 하며 고통을 이기고 희망을 찾아가는 인내심과의 경쟁이다. 많은 시간과 노력과 그리고 소중한 돈을 써야 한다. 병을 치료하여 건강을 찾는 일은 온갖 갈등을 이겨내고 마음고생을 하면서 정성을 바쳐야 얻을 수 있는 고독한 자신과의 싸움이다.

그때부터 귀한은 김제에서 이천가는 길이 닳도록 오갔다. 일주일에 한 번씩 침을 맞으러 가면서 길 위에 뿌린 돈만도 숫하게 들어갔다. 고달프고 힘든 길이었지만 건강을 찾을 수 있다는 희망을 놓지 않았다. 그래도 반원장을 만날 수 있다는 기대감이 작은 위로를 주었다. 그녀는 아픈 침을 맞을 때마다 마음속으로 외쳤다.

"참고 이겨야 해. 기필코 극복해서 건강을 찾고 말거야."

침을 맞을 때 느끼는 두려움과 무시무시한 아픔을 어떻게 표현할 수가 있을까? 정말 엄청 아팠다. 어느 때는 데굴데굴 굴러도 시원찮을 것 같고 소리쳐 울어도 해소될 것 같지가 않았다. 침을 맞고 나면 힘이 쭉 빠지면서 쓰러질 것 같다. 짜증이 솟고 파김치가 된 것처럼 몸이 지친다. 특히 장기간 침을 맞게 되면 침 몸살까지 앓게 되어 만사가 귀찮아진다. 가만히 앉아있기도 괴로울 정도로 힘이 들어서 무력증이 찾아온다. 그래서 충분한 휴식과 영양 있는 식사를 하며 체력을 보충해 줘야한다. 심리적인 안정을 찾도록 주위사람들의 따뜻한 격려가 필요하다. 침을 맞을 때의 고통을 생각하면 다시는 맞고 싶지 않다가도 서서히 작은 편안함이 찾아온다.

다행이 작은 변화가 조금씩 일어났다. 몸이 느끼는 거북함과 불편함이 줄어들었다. 동네 어른들은 먼 길을 오가며 힘들게 치료하는 모습을 보고는 칭찬을 아끼지 않으셨다.

“전보다 얼굴모습이 많이 돌아왔어. 고통을 참으며 아픈 침을 맞다니 의지가 강하네?”

“할머니, 정말 얼굴모습이 돌아온 것처럼 보여요? 괜히 기분 좋으라고 하시는 말씀은 아니시죠?”

“거참 신기해, 비틀어졌던 얼굴이 바로 보여서 옛 모습을 찾았어. 침 맞는 게 무섭지도 않은 거야?”

“엄청 무서워요. 어떤 때는 징그럽고 진절머리가 나는걸요.”

“침 한번 맞고 거뜬하게 낫는 방법은 없다든? 아픈 침을 용케도 견디는구나.”

“뒤틀려버린 얼굴을 고칠 수 있는 방법이 이것밖에 없는데 어쩌겠어요? 이를 악물고 맞아야죠.”

“그 먼 길을 오가며 침을 맞다니 참 대견해. 곧 웃으며 살 수 있는 날이 오지 않겠니?”

“평생을 불구자로 살 수는 없잖아요? 어떤 때는 엉엉 울고 싶을 때도 있는걸요. 그래도 나을 수 있는 희망이 있어서 참을만해요.”

“넌 어려서부터 하고자 하는 것은 꼭 하고 마는 뚝심이 강했어.”

“한번 치료를 받을 때마다 거북이 한걸음 정도는 낫는다고 생각했어요. 그런데 그건 너무 많고 겨우 바늘귀보다도 작은 것 같다고 하더라고요.”

“예쁜 모습을 찾아서 천만다행이야. 이제 좋은 짝 만나 시집을 가야지.”

“제게 그런 날이 올까요? 지금은 힘이 들어서 다른 생각은 할 틈이 없어요.”

“정성이 지극하니 곧 웃는 날이 올 거야.”

진양의 말속에서 치료가 얼마나 힘이 드는지 짐작이 갔다. 분명한 것은 몸이 회복되고 있다는 사실이다. 고통스럽게 치료를 받으면서도 잠깐 고생하는 것이 낫다는 생각으로 위안을 삼았다. 다시 건강을 찾을 수 있다는 희망이 밝은 등불처럼 이끌어주었다. 인내심은 어느새 그녀의 생활철학이 되었다. 무표정하던 얼굴에 미소가 번지면서 예전의 명랑한 성격을 찾아갔다.

바쁜 농사철에도 아버지가 더 적극적이셨다. 한번은 완숙된 굵은 토마토 한 상자를 가져가 반원장에게 주었다. 산지가 아니면 구할 수 없는 최고급 상품이다.

"원장님, 이 토마토는 제가 농사지은 거예요. 가게에서 사먹는 것보다 맛이 좋을 거예요. 제 성의로 알고 받아주세요."

"직접 재배한 토마토를 주시니 고맙게 잘 먹을게요. 오가는 길이 멀어 힘이 들테니 앞으로 이런 수고는 하지 마세요."

그 후에도 농장에서 수확한 농산물을 갖다 주면서 치료에 대한 고마운 뜻을 전했다.

"사모님, 이건 참깨예요. 많은 량은 아니지만 참기름 짜서 드세요."

"이 귀한 걸 또 가져왔어요? 지난번에 갖다 준 고춧가루도 요긴하게 썼는데 염치없이 받아먹기만 해서 어떡하지?"

"집에서 농사지은 것이라 드리는 거예요. 맛있게 드시면 저도 기뻐요."

"여러 가지 채소와 농산물을 주는 걸보면 농토가 많은가 보네?"

"벼를 심는 논은 사만 평이 넘고 과일이며 채소를 심는 밭도 수천 평이 되어요. 토마토는 주로 제가 재배하고 있는걸요."

"아가씨가 농사일까지 한다니 재주도 많은 가 봐? 먼 길을 오가며 고생하고 있으니 이일을 어쩌면 좋아요?"

"사모님 내외분께서 친절하게 대해주셔서 부모님도 고마워하고 계세요."

반원장 부모님은 농산물을 받을 때마다 기뻐하셨다. 물질은 작은 것이라도 관심을 갖게 한다. 꼭 값비싼 게 아니라도 감정을 좋게 하여 사람의 관계를 부드럽게 해준다. 부모님이 입에 침이 마르도록 칭찬을 하시니 반원장도 자연스럽게 호감을 가졌다. 다른 환자에 비해 신경이 쓰여서 온 정성을 다해 침을 놓았다. 진양은 말 한마디를 하더라도 싹싹하고 예쁘게 하여서 귀여움을 받았다. 귀한은 김제에서 이천까지 오가는 길이 멀고 숙식에 어려움이 있어 올 때마다 3~4일씩 치료를 받았다. 여자 혼자 객지에서 지내는 생활이 불편하고 애로사항이 많았다. 치료비는 무료로 해준다고 했지만 공짜로 할 수가 없어 매번 5천 원씩을 성금함에 넣었다.

진양은 치료를 받고나면 할 일이 없어 무료함을 달래기가 힘들었다. 가끔은 병실의 쓰레기를 치우며 청소를 했다.

"뉘 집 처자가 저리도 부지런할꼬? 병실 청소를 자기 집 안방 청소하듯 하는구먼."

"침 맞으러 올적마다 험한 일을 하네요. 매사 적극적인걸 보니 어딜 가나 귀여움을 받겠어요."

"젊은 여자가 붙임성도 있고 볼수록 심성이 착해요. 예쁜 짓을 골라서 하는 걸 보면 밥 굶을 일은 없겠어요."

17

믿음이 있으면 마음이 열린다.

어느새 6개월의 시간이 지나갔다. 세월은 멈추는 법이 없으니 지금 있는 시간을 소중히 써야 한다. 처음 이천으로 향할 때 두렵고 긴장했던 발길이 가벼운 마음으로 다닐 수 있게 되었다. 침을 맞을수록 얼굴모습이 조금씩 돌아왔다. 말을 할 때 침을 흘리고, 식사를 할 때 음식물이 새어나오던 부끄러운 모습이 줄어들었다. 어긋났던 입술이 똑바로 보이고 뒤틀렸던 얼굴근육이 제 모습을 찾아갔다. 눈꺼풀이 잘 감기지도 않았는데 훨씬 부드러워졌다. 그녀는 놀라운 변화라고 생각하며 자신감을 찾았다.

반원장을 볼수록 호감이 갔다. 사실 환자와 한의사의 관계는 거북함이나 어색함 같은 것이 있어서 위축되는 게 사실이다. 그의 친절한 말씨와 부드러운 인상이 긴장감을 얼마쯤 해소시켜주었다. 먼 길을 힘들게 오가면서도 그를 만날 수 있다는 설렘이 위안을 주었고 침술치료를 받으며 생기는 짜증을 덜어주었다. 시간이 갈수록 친근함이 생기며 왠지 모를 어떤 기대를 갖게 하여서 피로를 잊게 해주었다.

반원장은 귀한을 치료할 때마다 동정심 이상의 관심이 생겼다. 지역적으로 거리가 먼데다 젊은 여자가 객지에서 고생하는 것이 맘에 걸렸다. 치료에 편의를 제공하며 알게 모르게 작은 도움을 주며 신경을 썼다. 두 사람은 자연스럽게 관심을 갖게 되면서 서먹한 간격을 좁혀주었다.

진양은 붙임성이 있어서 치료받으러 오는 환자들과도 친하게 지냈다. 부지런한 성격 탓인지 제일 먼저 침술원에 도착했다.

"귀한양, 아침식사는 하고 왔어요? 침 맞을 때는 잘 먹어야 병도 빨리 낫는 법인데 식사를 거르면 안 돼요."

"꼭 챙겨먹고 있어요. 어르신께서 친절하게 신경써주셔서 고맙습니다."

"여관에서 주는 음식이 오죽하겠어요? 저녁식사는 우리와 함께 먹어요. 찬은 없어도 숟가락 한 개 더 놓으면 되는데 어려울 것도 없지."

"사모님께 번번이 폐를 끼쳐서 죄송해요. 저도 식사준비를 도와드릴게요."

"이번에 가져온 오이와 상치 쌈이 어찌나 맛이 좋은지 반원장이 그것만 찾는다우. 내가 불고기를 해줄 테니까 그걸 먹고 힘을 내요."

"퇴비만 줘서 기른 쌈이라 맛이 괜찮을 거예요. 맛이 있다니 다음에 더 갖다드릴게요."

"진양을 볼 때마다 때로는 수녀 같은 정숙한 분위기가 느껴지면서도 명랑한걸 보면 성격 좋다는 말 많이 듣겠어?"

"모든 사람은 숨기고 싶은 단점이 있기 마련인데 사모님은 속상한 저를 볼 적마다 칭찬해주셔서 힘이 솟아요."

"그나저나 병이 빨리 나아야 할 텐데 젊은 처녀가 객지에서 고생이 많구먼. 오가는 길이 좀 멀어야지?"

세상에는 따뜻한 선물이 있다. 주는 사람과 받는 사람의 진정성이 담겨있고, 정성스런 마음이 느껴져 작은 기쁨으로 이어진다. 친밀감이 쌓이자 가끔은 저녁식사를 함께 했다. 사람 사는 인정은 비슷한 것인지 진양이 하는 모습을 보고는 콩 한 톨이라도 먹이고 싶어 하며 자식처럼 대하셨다. 인생을 살면서 오직 받기만 하거나 주기만 하는 일방적인 관계는 있을 수 없다. 사람들은 받은 것은 쉽게 잊으면서 자신이 준 것은 오래 기억하려 하는데 앞으로는 오히려 베푸는 삶에서 기쁨을 찾아야겠다.

귀한이 예의바르고 품행이 단정해서 환자들에게 착한 아가씨로 통했다. 반원장의 부모님은 기회가 있을 때마다 칭찬하셨다.

"김제에서 치료받으러 오는 진양이 보통 부지런하고 싹싹한 처녀가 아니더라. 보기드믄 미모를 지닌 참한 처자가 어쩌다가 얼굴이 상하게 됐을꼬?"

"처음 치료할 때보다 얼굴모습이 많이 돌아왔어요. 최선을 다해 치료하고 있으니까 곧 회복이 될 것 같아요."

"그래서 하는 말인데 네 곁에서 간호사처럼 치료를 돕도록 하면 어떻겠니? 진양이 숙식에 어려움이 있는 것 같은데 그건 우리가 도와주면 서로가 도움이 될 것 같구나."

"진양이 그렇게 할까요? 제가 한번 의견을 물어볼게요."

부모님의 칭찬은 그녀에게 더욱 관심을 갖게 하여서 돌부처 같은 반원장의 마음에 이성적인 감정을 일으키게 하였다. 인간관계에서 최고의 가치는 신뢰이다. 신뢰는 거울의 유리처럼 한번 깨지면 원래대로 돌아오기 힘 든다. 한 번의 거짓을 하여 신뢰를 잃으면 백 번의 진실을 말한다하여도 다시 신뢰를 얻기 어렵다.

남자에게 도도하기로 소문났던 귀한의 마음에 변화가 일어났다. 그리고 여자보기를 목석처럼 대하던 반원장의 가슴속에도 봄날에 쌓인 눈이 녹듯이 굳게 닫쳐있던 마음의 문이 열리기 시작했다. 서로에게 신뢰가 쌓이자 반원장은 아주 놀라운 제의를 하였다.

"침술원에 환자수가 많아져서 일손이 달리는군요. 자원봉사를 해보면 어떻겠습니까?"

"제가 침술에 대하여 아는 것이 없는데 자원봉사라면 어떤 일을 하여야 할까요?"

"김제에서 오가는 길에 어려움이 많을 터이니 침술원에서 생활하며 환자를 안내하고 병실의 청결에 신경을 써주세요."

"원장님이 이렇게까지 배려해 주시고 호의를 주시는데 감사한 마음을 표할 길이 없네요. 세상물정에 어둡고 시골출신이라 서툰 때가 있을 거예요. 일을 잘못하면 어떡하죠?"

"토마토를 기르는 정성으로 환자들을 대하고, 그들이 나의 부모님이나 형제들이라 생각하며 안내한다면 문제될 게 없어요. 앞을 볼 수 없는 나도 하는 일인데 똑똑한 귀한씨가 돕는 일을 못할 리가 있겠어요?"

"어떻게 원장님이 하시는 일과 제가 하는 일을 비교할 수 있겠어요? 저의 부모님께서는 평소 남의 도움을 받았으면 갚을 줄도 알아야한다고 가르쳐주셨어요. 더구나 병을 치료하면서 어떻게 공짜로 숙식을 할 수가 있겠어요? 제가 먹는 식비는 부담하게 해주세요."

"그런 부담은 갖지 않아도 될게요. 그렇다고 자원봉사의 일이 만만하거나 그리 간단치만은 않아요."

"그럼 원장님의 믿음에 어긋나지 않도록 모르는 건 배워가면서 열심히 도울게요. 부족한 점을 깨우쳐주세요."

"봉급은 줄 수 없으니까 서운하게 생각지마세요. 그리고 농사일이 바쁠 때에는 언제든지 집에 다녀와도 좋아요."

귀한의 숙식문제가 해결되자 누구보다도 반기신 건 부모님이었다. 기대 반 걱정 반으로 기뻐하셨다.

"원 이렇게 고마울 데가 있느냐? 이천에 갈 때마다 물가에 내놓은 어린아이처럼 조마조마했는데 이제 한걱정을 놔도 되겠구나."

"너를 믿고 도와주려는 뜻이야. 마음이 따뜻한 분들이니 행여 어른들 눈 밖에 나지 않도록 행동을 조신하게 해야 해."

"어른들이 경우가 밝은 양심적인 사람들이라 하던데 행여 여자의 행동이 가벼워서 흉잡힐 일을 해서는 안 돼."

"제가 뭐 어린아이인가요?"

"귀한이 침술원에서 숙식을 하게 되면 밥값이라도 드려야할 텐데 고마움을 어떻게 전해야할지 모르겠네요?"

"추수가 끝나면 귀한이 먹는 양식이라도 보내주어야지요. 염치없이 폐만 끼칠 수는 없어요."

부모님은 젊은 딸을 낯선 땅에 보낼 때마다 걱정이 태산 같았다. 세상이 험악한지라 딸에게 무슨 변고라도 있을까 집에 돌아올 때까지 안절부절 못하셨다. 경우가 밝은 부모님은 고마움을 어떻게 보답할지를 몰라서 걱정하셨다.

귀한이 자원봉사를 하면서 침술원의 분위기가 달라졌다. 한 가지 일을 알려주면 두 가지 이상의 일을 하여 자기 몫을 충실하게 다하였다. 몸이 아픈 환자들을 따뜻하게 위로하고 질서를 유지하는 건 물론, 침을 놓고 뽑는 일을 도와 반원장의 부담이 많이 줄었다. 손길이 얼마나 야무진지 끓는 물에 침구의 소독까지 맡아서 위생에도 소홀함이 없었다. 침술원 주위와 진료실의 청결에 힘써서 쾌적한 환경으로 바뀌었다.

그리고 반원장의 인간성과 착한 심성을 가까이서 지켜볼 수 있는 기회가 되었다. 환자들을 진료하는 성실한 모습을 볼 때마다 참으로 비범한 사람이란 생각이 들었다. 반원장의 속마음까지 속속들이 알 수는 없어도 함께 일하는 분위기가 마음에 들었다. 관심을 갖고 있는 남자와 함께 일을 하면서 수시로 대화를 나누는 것은 정신적으로 큰 위안이 되었다. 마음이 안정되어서 생활의 활력으로 이어졌다. 귀한을 비롯한 자원봉사자들의 참여가 늘어나자 진료의 질이 비약적으로 향상되었다. 침술원의 약점으로 손꼽히는 대기시간이 줄어서 편하게 치료를 받을 수 있게 되었다. 밀려드는 환자들로 침술원은 시장처럼 북새통을 이뤘다.

귀한이 하는 일중 그녀의 마음을 안타깝게 하는 것이 있었다. 진료가 끝나고 성금함을 정리하다 보면 수입이 보잘 것 없이 작았다. 어떤 때는 침술원에서 일하는 자원봉사자들의 식비를 해결하기가 어려웠다. 환자들의 공짜 심리가 강해서 의례 치료비를 내지 않는 걸 당연시 했다.

"어르신, 오늘도 성금함이 텅 비었어요. 이런 추세라면 침술원 운영에 비상이 걸리겠어요."

"침술원은 돈을 벌려고 시작한 일이 아니야. 처음 겪는 일이라 이상하게 생각하는 것 같은데 원래 수입이 넉넉지가 않았어."

"환자수는 많이 늘었는데 성금은 그만큼 늘지를 않아서 속상해요."

"환자가 늘었다고 성금도 함께 늘어나는 건 아니야."

"원장님은 코피까지 쏟으며 진료하고 계신데 너무 인색한 것 같아요. 자신의 병을 고치면서 어떻게 매번 공짜로 침을 맞으려할까요?"

"침술원에서 치료받는 환자들은 가난한 사람이 많아서 그럴게야. 점차 사정이 나아질 테니 걱정하지 말아요."

"아픈 몸을 치료 받으면서도 말로만 감사를 표시하는 환자들이 많아요."

"진양이 마음이 약해서 한 가지 걱정이 또 늘었구먼. 돈을 벌자고 하는 일이 아니니까 마음 상하지 말아요."

"소문이 무성하면 돈이 되는 경우가 많다는데 찾아오는 환자들이 늘어나도 왜 적자가 날까요?"

"소문이 인기가 되고 돈이 되는 거야 예술품이나 골동품이 그렇지 오히려 침술원은 할 일이 많아질 거야. 내가 운영하는 약재상 수입으로 도울 수 있어서 침술원 운영에 지장은 없을 게야."

"치료비를 강요하자는 것이 아니라 사람의 도리를 말하는 거예요. 매번 공짜로 치료받는 건 아니라고 생각해요."

"반원장은 어릴 적 꿈을 이뤄서 세상에 우뚝 선 사람이야. 심지가 곧아서 침술원 간판을 걸었을 때 가졌던 초심을 그대로 갖고 있는 거야. 성금이 부족하다고 환자들을 탓할 수가 없어."

"원장님이 때로는 생색도 내면서 조금은 뻔뻔스럽게 살았으면 좋겠어요. 그럼 인기나 명성이 훨씬 올라가지 않을까요?"

"세상의 인기가 좋은가? 반원장은 돈을 벌려고 하는 일이 아니라 아픈 사람을 도와주자는 일이야. 이건 일반 사람들이 생각하는 차원과는 달라요."

"인기는 세상 사람들이 갖기를 원하잖아요? 돈이 안 되면 명성이라도 가질 수 있는 데 뭘 망설여요?"

"말이 났으니 하는 말인데 인기 같은 건 필요 없어요. 그런 건 높은 하늘에 떠 있는 뜬구름 같은 것이야. 반원장에겐 어떤 충격에도 흔들리지 않는 한결같은 평상심이 필요해."

"인기가 올라가면 성금도 늘어나지 않을까요? 원장님 마음이 여린 것 같은데 어르신께서 설득해주세요."

"어쩌면 반원장이 가진 건 인기뿐이어서 더 유명해진다면 자원봉사자들 모두가 쓰러지고 말거야. 아들에게 필요한 건 돈이 중요한 게 아니라 건강과 초심일 거야."

"사람들 마음이 간사해서 드리는 말이에요. 처음 치료받을 때는 살고 있는 집까지 팔아서 성금을 낼 것처럼 하다가도 치료가 끝나면 매정하게 싹 돌아서 가버리더라고요."

"착한 사람은 사랑을 받으면 다른 사람에게 사랑으로 갚을 거야. 성금함 수입이 일정치 않아서 그렇지 계속 적자가 나지는 않을 게야. 우리 사회가 따뜻하게 변해가는 과정이라고 생각하면 돼."

귀한은 침술원의 사정을 알게 되자 속이 상할 때가 많았다. 환자들의 공짜 심리가 강하여 계산적이라고 생각했다. 무료 침술원이라 하여 공짜로 치료받으면 언젠가 문을 닫을 수밖에 없다. 작은 성의라도 보답을 하면 더 많은 환자들에게 혜택을 줄 수 있고, 그들의 건강을 지키는 밑거름이 된다. 성금에 인색한 환자들이 많아서 그녀를 우울하게 할 때가 많았다. 반원장을 경제적으로 도울 수 있는 방법이 무엇일까 고민했다.

18 꿈같이 찾아온 그리움

귀한이 자원봉사 하는 모습을 가까이서 지켜본 반원장 부모님은 보기 드물게 속이 꽉 찬 처녀라고 생각했다. 험한 일 가리지 않고 요령피우는 일없이 성실하고 부지런했다. 얼마 지나지 않아 마음에 쏙 드셨는지 칭찬을 아끼지 않으셨다.

"명불허전이라더니 옛말이 그릇된 게 없구려. 부잣집 처녀로 자랐으면서도 있는 척 티를 내는 법도 없고 행실이 진중하고 꾸밈이 없어요."

"공주처럼 귀엽게 자랐을 것 같은데 어쩌면 저리도 열심히 할까요? 성격이 명랑하고 싹싹하여 무겁던 병실분위기가 싹 달라졌어요."

"환자들 대하는 태도가 꼭 자기 부모님 모시듯 살갑게 하고 있어요. 맘에서 우러나지 않고서야 저렇게 할 수는 없을 거야."

"진즉에 자원봉사의 일을 맡겼으면 아들이 코피 쏟는 일은 줄어들었을 거예요. 성격이 착하니 며느리 삼았으면 좋겠어요."

"벌써 거기까지 생각했단 말이오? 떡줄 사람은 생각도 않는데 김칫국부터 마시지는 말구려. 전라도 땅에서 행세하는 집안인데 사돈을 맺으려고 하겠소?"

"우리 애도 최고의 명의로 인정받고 있거늘 부족할 게 없어요. 내 노라 하는 집안에서 사위삼자고 탐을 내고 있는데 못할 것도 없지요."

어른들께 귀여움을 받는 건 자기할 탓이다. 친밀감이 쌓이자 가족처럼 흉허물 없이 지내며 마치 며느리 대하듯 귀여움을 주셨다. 하루는 반사경씨가 은근히 아들의 마음을 떠보셨다.

"네 나이가 40줄에 들어섰는데 성실한 아가씨 만나 결혼을 하고 안정된 가정을 가져보는 게 어떠냐?"

"제가 하는 일이 어렵고 더군다나 눈까지 멀었는데 저를 좋아할 여자가 있겠어요?"

"결혼할 생각만 있다면 참한 규수감이 왜 없겠느냐? 너를 돕고 있는 귀한 아가씨는 어떠냐?"

"명문가의 외동딸로 태어나 부러울 것이 없는 우아한 처녀로 소문이 났다면서요? 제가 어찌 그런 아가씨를 바라겠어요?"

"이미 겪어봐서 알겠지만 심성도 바르고 너를 위하는 마음 부족함이 없더라."

여자에게 별 관심이 없던 반원장도 부모님이 칭찬을 자주 하시니까 이성적인 감정을 갖고 있었다. 그 동안 나눈 대화로 봐서는 진실하고 착한 여자란 생각이 들었다. 두 사람은 한가한 시간이면 인생에 대한 대화를 나눴다.

"침술원을 개원하여 몸이 아픈 환자들에게 무료진료를 하고 계신데 어떻게 그런 생각을 하셨어요?"

"여러 사람이 그런 질문을 하더군요. 적당히 얼버무리고 말았는데 사실은 빚을 지고 있어요."

"빚이라뇨? 원장님이 누구한테 무슨 빚을 지고 있다는 거예요?"

귀한은 빚을 지고 있다는 말에 깜짝 놀라서 반문했다.

"사고를 당하여 세상의 빛을 잃었을 때 제 꿈도 잃었어요. 어릴 적 꿈이 세계 제일의 용접공이었는데 이룰 수 없다는 걸 알게 되자 실망이 크더라고요.”

“꿈을 잃었으니 좌절감이 엄청 컸겠어요?”

“갑자기 앞을 볼 수 없게 되자 불편해서 못살겠더라고요. 그런데 시간이 지날수록 환경에 적응하면서 괴로워할 수만은 없었어요. 제 앞에는 험난한 현실이 기다리고 있다는 걸 알았으니까요.”

“원장님이 그런 어려움을 극복하고 재기한 걸보면 의지가 강한 훌륭한 사람이세요.”

“폭발사고 후 살아났다는 게 감사하면서도 걱정이 생기더라고요. 내가 할 수 있는 일이 있을까? 세상을 어떻게 살아야할까? 착잡한 생각에 고민을 많이 했어요.”

“그런 불행한 처지가 된다면 심정이 얼마나 복잡했을지 짐작이가요. 그런데도 어려움을 슬기롭게 극복하셨군요?”

“마음의 안정을 찾아갈 무렵 가슴 아픈 사실을 알게 됐어요.”

“무슨 이야기를 들으셨게요?”

“지금도 귀에 생생하게 남아있는 말이 있어요. 그때 어머니께서는 ‘불쌍한 내 아들 어떡해? 불쌍해서 어떡해.’ 란 말을 입에 달고 사셨어요. 슬픔에 빠진 아들의 괴로워하는 모습을 보면서 큰 충격을 받으셨나 봐요.”

“그 말을 들으니 괜히 눈물이 나네요. 사모님이 애태우시며 동분서주하는 모습이 보이는 것 같아요.”

“불쌍한 아들을 애통한 심정으로 간호하시면서 심신이 상하셨나 봐요. 시력이 점점 나빠지더니 한쪽 눈을 실명하셨다는 거예요.”

“어쩜 그런 일이 일어날 수 있을까요?”

“제가 앞을 볼 수 없는 것도 억울한데 어머니까지 시력을 잃은 걸 알고 충격을 받았어요. 한동안 죄책감으로 몹시 시달려야했어요.”

“그럼 그때 사모님이 시력을 잃으신 거로군요?”

"결국 어머니가 시력을 상실하시면서 보살펴준 정성으로 제가 편히 살게 된 거예요."

"뒤돌아보면 기가 막힌 일들이 많았군요? 그래도 자신의 불행한 처지를 한탄하고 눈물을 흘리며 방황한 시간이 길진 않았네요?"

"그때부터 부모님께 평생 짐이 될 수는 없다. 어머니를 위하여 무슨 일이든 해야 한다고 생각했어요."

"생각이 깊고 일찍 조숙했나 봐요? 세상을 볼 수 없다면 부모님이 아니고는 돌봐줄 사람이 없을 거예요."

"어머니가 실명하신 죄책감에 아무 것도 할 수가 없었어요. 하루는 시무룩하게 앉아있는데 아들아, 오늘은 우리 음악 감상을 해볼까? 하시면서 음악을 들려주시더라고요."

"음악을 통하여 마음의 안정을 찾아주려고 하셨나보죠?"

"처음에는 곡명도 모른 체 무심코 들었어요. 그런데 반복해서 들을수록 아름다운 선율에 끌리며 음악이 주는 힘을 느끼겠더라고요. 음악을 가까이 하면서 마음의 안정을 찾게 되었어요."

"음악에도 소질이 있나 봐요? 음악을 이해한다는 건 자신의 정신적인 삶을 풍요롭게 해주는 것 같아요."

어머니는 힘들어 하는 아들에게 여러 음악을 들려주셨다. 베토벤의 전원 교향곡과 황제 교향곡을 자주 들었고, 모차르트의 피아노와 바이올린 협주곡을 감상하면서 음악적인 소양을 키웠다. 유명한 아리아 가곡도 많이 들었는데 그중에서 모차르트의 오페라 '피가로의 결혼'에 나오는 '저녁 산들 바람은 부드럽게'는 곡이 너무 아름다워서 애청곡이 되었다. 어머니의 현명하신 지혜의 말씀이 감동을 주었다.

"음악은 눈으로 볼 수는 없어도 귀로 들을 수 있고 마음으로 느낄 수가 있지 않느냐? 음악을 통하여 거친 네 마음에 부드러움과 따뜻함으로 채우고, 아름다움을 소유하고 느끼도록 하여라. 풍부한 음악적 소양을 지녀서 여리고 착한 감성을 지닌 인간이 되기를 바란다고 하시더라고요"

"원장님의 침착성과 섬세한 심성은 음악과 관련이 깊은가 봐요. 침과 음악이 그렇게 조화를 이뤘군요. 원장님이 지닌 예민한 감성은 사모님의 부드러운 손길과 음악을 통하여 이룬 것이었나 봐요."

점차 음악 감상이 생활의 일부가 되어서 힘들고 혼란스러울 때면 음악을 들으며 안정을 찾곤 했다. 그때부터 음악이 주는 감동의 깊이를 느끼며 생활의 외로움을 달래주는 친구가 되었다. 어머니의 정성으로 절망에 빠진 아들이 안정을 찾아 한 인간으로 성장할 수 있도록 따뜻하게 이끌어주셨다.

그렇지만 장래에 대한 불안과 초조함을 극복하기란 쉽지 않았다.

"아름다운 세상을 볼 수 없는 고통이 무엇인지 상상할 수 있겠어요? 할 수 있는 일이 없다는 생각이 들 때마다 혼란스러웠어요."

"실명의 고통이 그렇게 컸군요? 아픈 사람은 일찍 성숙한다더니 웬만한 사람 같아서는 불행의 그림자를 극복하기가 어려웠을 거예요."

"그러다가 할아버지께서 행하신 이야기를 듣고는 나도 병든 사람의 건강을 찾아주는 일을 할 수 있을까? 나 때문에 시력을 잃고 상심하시는 어머니께 기쁨을 안겨드려야 한다는 생각을 하게 됐어요."

"어릴 때부터 생각이 깊고 포부가 남달랐네요. 시련을 극복하고 뛰어넘어서 부모님께 효도하고 사회에 기여하며 살겠다는 생각을 하셨군요. 책임감도 강하지만 참으로 옹골차고도 다부진 소년이었네요."

"사는 게 힘들어서 포기하고 싶을 때마다 '죽을 용기가 있으면 살아서 힘든 사람을 도우라'는 아버지의 말씀을 떠올리며 용기를 얻었어요. 앞날에 대한 작은 깨달음이 나를 이끌어준 동기가 되었어요."

"그건 작은 깨달음이 아니라 인생에 대한 깊은 성찰이겠지요? 어려서부터 냉철한 판단력과 분별력도 빠지지 않았군요?"

"불편을 겪어보니 다른 사람의 고통을 알겠더라고요. 남의 아픔도 내 아픔같이 느껴졌어요. 어느 날 문득 환자들의 병을 치료해주고 건강을 찾아주는 일을 해보자, 도움만 받을게 아니라 도움을 주는 삶을 살아보자는 생각을 했어요."

"어려운 환경 속에서 그런 생각을 하였다니 놀라워요. 앞을 볼 수 없는 자신의 처지를 한탄하며 다른 사람을 원망하지 않았군요?"

"그땐 별의별 상상을 다하면서 살았어요. 나이어린 시절이었지만 인생에서 가장 힘든 시간을 보냈어요. 어쩌면 엉뚱한 생각을 한지도 모르고요."

"불편한 몸으로 미래를 준비하고 착한 일을 할 생각을 했다면 남들은 할 수 없는 현명한 판단을 하신 거죠."

잠시 감정에 북받쳐나 보다. 반원장은 잠시 말을 멈추고 길게 숨을 쉬었다. 그는 천성이 착한 사람이라 악한 일은 하지 못할 것 같았다. 그의 말이 마음에 닿으며 생각이 건전하고 반듯하다는 걸 알았다. 그건 뜨겁고 따뜻한 관심 이상의 진심이었다. 자신도 모르게 믿음이 가면서 그에게 끌려가는 걸 막을 수가 없었다.

"인생을 어떻게 살아갈까 고민하고 있을 때 아버지께서 평생 잊을 수 없는 말씀을 해주셨어요."

"인생의 진로를 결정지을 귀중한 말씀을 주셨군요?"

"넌 다른 애들이 갖진 못한 엄청난 잠재력을 지녔어. 어떤 길을 가면서 능력을 발휘할 것인지 그건 네가 결정해야 한다고 하시더라고요."

"어르신의 영향을 많이 받으셨나 봐요?"

"그때 아버지께서 '기회가 너를 찾아오길 기다리지 마라. 네가 준비하고 노력해서 기회를 만들어보아라. 그럼 너에게 기회가 폭포수처럼 쏟아져 내릴 거야.' 이 말씀이 지금도 귀에 생생하게 남아있어요. 그 순간 기회를 만들어서 내 것으로 만들자고 결심했어요. 아픈 사람에게 건강을 찾아주는 한의사가 되기로 결심했어요."

"한편의 영화보다도 더 드라마틱하고 감동적인 스토리에요. 앞을 볼 수 없는 사람이 한의사가 되겠다니 정말 큰 꿈을 꾸셨군요? 그런 마음이 자라서 환자들의 건강을 찾아주는 희망으로 바뀌었군요."

"그런데 지금 제가 꿈을 이뤘다고 생각하세요? 전 아직 할 일이 많이 남아있는 걸요."

"정말 큰 꿈을 이루셨죠. 매일 원장님을 기다리는 수많은 환자들이 줄을 서서 기다리고 있어요. 기회가 폭포수처럼 쏟아져 내릴 거란 아버지의 말씀을 기어코 이루셨잖아요?"

"눈먼 자식을 돌보는 일이 어디 쉽겠어요? 부모님은 사시사철 손을 잡고 다니면서 뒷바라지를 해주셨어요. 지금껏 부모님의 사랑을 먹고 살아왔어요. 부모님의 희생이 없었다면 나라는 존재는 없었을 거예요."

"오늘 원장님께 감동 먹었어요. 큰 꿈을 이루고도 아직 할 일이 있다고 하시는데 남아있는 꿈도 엄청 크겠죠? 원장님의 꺾일 줄 모르는 불굴의 용기가 부러워요."

"어쩌면 무료 침술원은 이제 시작한 일인지도 몰라요. 제 생각을 천천히 말씀드릴 기회가 있을 거예요."

아직도 할 일이 남아있다는 말이 놀라웠다. 인간의 마음이란 태산보다도 큰 사람이 있다지만 그의 마음의 크기를 짐작할 수가 없었다. 포부가 커서 남들은 생각하지 못하는 큰일을 할 사람이란 믿음을 가졌다.

그는 실명하여 고통에 빠졌을 때 세상을 원망하지 않았다. 부모님의 은혜를 알았고, 무엇을 하며 살 것인가를 자각했다. 자신의 능력을 찾아서 개발해야 한다는 야망을 키우며 준비했다. 성공한 사람은 남들은 갖지 못한 특별한 장점을 소유하고 있다. 생각하고 행동하는 것은 물론 보통사람들은 이해하지 못하는 걸 보고 느끼고 판단한다. 그들은 해보지 않고서 포기한다거나, 미리부터 안 될 거란 부정적인 패배의식을 갖지 않는다. 그들이 성공하는 건 남들이 싫어하는 일도 강한 추진력으로 실천하기 때문이다. 그의 인생 이야기가 예사롭지 않았다. 마음 씀이 크고 의지가 강한 훌륭한 사람이란 확신을 가졌다.

"할 수 있다는 생각을 늘 가슴속에 지니고 살았어요. 일어설 수 있도록 힘과 용기를 준 것은 부모님의 사랑과 오히려 어려운 환경이었어요."

"원장님은 인간승리를 이뤘어요. 이젠 인생을 함께하며 성심을 다해 도와줄 천생배필을 만나셔야죠."

"전 인생을 떳떳하게 살고 싶은데 마음같이 되지가 않아요."

"원장님의 이상에 맞는 여자가 기다리고 있겠죠. 원장님께 한 가지 부탁이 있는데 들어보실래요?"

"진지하게 말씀을 하시니까 긴장이 되는데요? 어려운 부탁은 하지 마세요."

"웃으면 편해요. 웃어야 될 일에는 호탕하게 웃으세요. 웃지도 못하는 벙어리가 되어서는 안 되겠죠? 원장님이 하시는 일이 무겁긴 하지만 짧은 미소가 병실을 환하게 밝혀서 환자들을 편하게 할 거예요"

"어느새 제 약점을 모두 알아챘군요? 웃음이 부족하고 무뚝뚝하다는 걸 인정해요. 저에게 봄바람처럼 부드러운 상냥함을 가르쳐주세요."

귀한은 대화를 나누면서 소리 없이 다가오는 그에 대한 경외심을 떨쳐버릴 수가 없었다. 그의 특별한 인생과 큰 생각에 머리가 숙여지며 자꾸만 왜소해지는 걸 느꼈다. 불편한 몸으로 고통 받는 환자들을 위해 살고 있는 그에게 잔잔한 감동이 일면서 존경심으로 변해갔다. 그는 모든 여성들이 반할만한 잘생긴 외모를 지닌 데다 겸손함 외에도 성실성과 믿음으로 꽉 찬 남자란 걸 알았다.

겉모습으로 사람을 판단하면 실패할 확률이 높다. 순수한 마음으로 내면을 볼 수 있는 눈이 있어야 사람의 진가를 알 수 있다. 값진 보석은 진흙탕 속에 묻혀 있어도 가치를 잃지 않는다. 진흙탕 속의 보석을 건져내려면 더러운 물속에 들어가 손으로 찾을 수 있는 용기가 필요하다. 반원장이 바로 숨겨져 있는 원석처럼 보였다. 불현 듯 손 때 묻지 않은 원석 같은 저 남자를 갈고 다듬어 빛나는 보석으로 만들어서 내 사람으로 소유하고 싶은 욕망이 불꽃처럼 솟아났다.

잠시의 침묵이 흐르자 반원장이 정색을 하며 진지하게 물었다.

"그럼 귀한씨께서는 인물도 남다르고 부유한 가정의 부러울 것 없는 일등 신붓감이라 들었는데 왜 결혼을 하지 않았어요?"

"전 부귀영화를 탐하며 잘 먹고 잘 사는 자신만의 삶보다 한 차원 높은 남다른 것을 추구하는 사람을 원했던 것 같아요."

"조금 구체적으로 이야기한다면 어떤 사람을 말하는 건가요?"

"남자들의 관심은 저의 미모와 우리 집 재산인 것 같았어요. 전 그게 싫었어요."

"부잣집에 예쁜 아가씨라, 이보다 더 좋은 조건이 있겠어요? 사실 빈털터리 가난뱅이를 좋아하는 사람은 없잖아요?"

"젊은이라면 건전한 꿈을 갖고 살아야지요. 사람의 내면은 보지 않고 외모만 보고 평가해선 안 된다고 생각해요."

"진실한 사랑이라면 돈을 보고 결혼해서는 안 되겠죠. 그런데 세상은 돈이 곧 행복이고 능력인 것처럼 여기고 있잖아요?"

"저를 만나면 우선 묻는 말이 있어요. 농토는 몇 만평이냐, 수확은 몇 백석이냐, 일 년 수입은 얼마나 되느냐? 나의 능력보다는 온통 우리 집이 얼마나 부잔지 돈에만 신경을 쓰더라고요."

그 말을 들은 반원장이 빙그레 웃었다.

"돈 냄새를 기가 막히게 잘 맡는 여자들이 있더군요. 어떤 여자는 침술원에서 떼돈을 버는 줄 알았는지 성금규모를 알려주면 말없이 돌아가더라고요. 사람의 건강과 생명을 다루는 일인데 돈을 얼마나 버는지 그것에만 관심을 갖고 있더라고요."

"저의 아버지께서는 인간이 쓸 수 있고 행복에 필요한 돈은 한정되어 있다고 하셨어요. 나머지는 과시용에 불과하니까 자꾸만 가지려는 욕심은 부리지 말라고 하셨어요."

"부자인데도 돈에 과욕을 부리지 말라는 가르침을 주셨군요. 남다른 생활철학을 소유하고 계시나 봐요?"

귀한은 자신의 생각을 솔직하게 이야기했다.

"이상적인 배우자의 조건으로 보통 남자는 돈이 많고, 여자는 예쁘고 뭐 이런 것들을 따지잖아요? 전 그런 외형적인 결혼관에 대해서 반감을 가졌던 것 같아요."

"귀한씨가 부자니까 돈에 대한 관심이 적은 걸까요? 그럼 배우자의 조건으로 무엇을 중요시 해야 할까요?"

"성격을 포함한 인간의 품성이 아닐까요? 사람들이 좋아하는 것들을 꼬치꼬치 따지면서 계산적으로 하는 결혼은 싫었어요. 나중에 성격차이로 이혼하는 부부가 얼마나 많아요?"

"사람과 결혼해야 하는데 돈이나 사회적 지위 같은 조건과 결혼을 하니까 원만한 가정을 이루지 못하는 사람이 많은 것 같아요."

"능력이 있으면 가난은 큰문제가 아니라고 생각해요. 자신밖에 모르는 이기적인 인간이라면 무엇에 쓰겠어요? 전 성실한 사람을 만나고 싶어요."

인간은 많지만 쓸 만한 배우자 상대는 적다고 했다. 그들은 대화를 나눌수록 서로 생각하는 것에 공통점이 많았다.

"그럼 원장님은 왜 결혼을 하지 않으셨어요?"

"저도 귀한씨 생각과 비슷해요. 전 사람들과 쉽게 어울리지 못하는 수줍음 같은 게 있어요. 사교적이지 못해서 무뚝뚝하다는 소릴 자주 들었어요."

"그야 대부분의 사람들이 처음 보게 될 때는 서먹한 점이 있어요. 친밀감은 누구나 쉽게 생기는 게 아니에요."

"사교성이 부족한 건 물론 신체적인 결함이 결혼을 주저하게 한 원인이었어요. 전 봉사와 베푸는 삶에 관심이 많아요. 그런데 그런 걸 좋아하는 여자가 있겠어요?"

"그럼 원장님은 여자의 외모를 따지는 건 아니란 말이군요?"

"저는 앞을 볼 수 없는 데 설사 얼굴이 못생겼으면 어떻고, 천하제일 양귀비같이 예쁜들 무슨 소용이 있겠어요? 사람 귀한 줄 알고 배려할 줄 아는 마음씨가 고우면 바랄게 없겠지요."

반원장의 그 말이 순진하다고 생각했다. 귀한의 입가에 흐뭇한 미소가 활짝 번졌다.

"전 사랑을 눈으로 하진 않을 거예요. 인생에서 잘생긴 용모가 얼마나 가겠어요?"

"예쁘고 아름답다는 것 세월 앞에선 잠깐이지요. 혹시 귀한씨가 얼굴을 상했기 때문에 그런 생각을 하셨나요?"

"사람의 미모를 따지면서 사회가 온통 돈이 많고 적음이 가장 중요한 가치기준이 된 것 같아요. 전 사랑을 한다면 뜨거운 가슴으로 할 거예요." 결국 두 사람은 신체적으로 불리한 여건도 있었지만 자신의 이상에 맞는 상대를 만나지 못한 것이 결혼하지 않은 큰 원인이었다. 그들은 배우자를 선택하는 기준에 남다른 생각을 갖고 있었다.

어느새 귀한의 가슴속에 그리움이 샘물처럼 솟아올랐다. 그리움은 무엇일까? 보고 싶고 함께 있고 싶은 마음이다. 인간은 누군가를 그리워하는 사람이 생길 때 행복해진다. 하는 일이 즐겁고 여유로워진다. 그리움은 고난을 이겨낼 수 있는 힘을 주면서 마음이 즐거워지고 기쁨으로 넘치게 한다. 멀리 있어도 가까이에 있는 것처럼 느껴지고, 마음을 안타깝게 하면서도 포근하게 감싸준다. 그리움은 그 사람이 아니면 채울 수 없고 해소할 수가 없다.

반원장이 괜찮은 남자로 보이며 이성적인 감정이 생겼다. 그녀의 마음에 사랑의 감정이 싹트기 시작했다. 반원장을 대할수록 그의 인간성에 매료되어 사모하는 마음으로 변해갔다. 그의 존재가 무겁게 다가오면서 사랑은 신성한 것이란 생각을 했다. 그의 남다른 삶과 인생이 예사롭지가 않아서 어느 때부터인가 마음 속에 자리 잡고 그녀를 지배하기 시작했다. 잠 못 이루는 밤이면 그리움이 밀물처럼 밀려와 그녀를 흔들어 깨웠다. 머릿속은 온통 그의 생각으로 가득 찼다.

그들에겐 인간을 사랑하는 따뜻한 마음이 있다. 그건 쉽게 가질 수 없는 고귀한 사랑의 정신이다. 그들은 친밀감이 쌓이자 사귀고 싶은 이성적인 감정을 느끼면서 그리움의 대상으로 변해갔다. 시간이 갈수록 점점 가까이 다가가 보고 싶고 함께 있고 싶은 사람이 되었다. 서로 표현은 하지 않아도 이성에 대한 관심이 커져가며 소리 없이 사랑이 싹트고 있었다.

19

용기 있는 고백

반원장을 생각하는 시간이 많아졌다. 혼자 있는 시간이면 어느새 그의 생각에 몰두해 있는 자신을 발견하고는 깜짝깜짝 놀라곤 했다. 삶의 의욕을 잃고 자포자기 심정으로 살았던 지난날을 후회하며 자신을 지켜야한다는 마음을 갖고 열심히 침술치료를 받았다.

"그 동안 얼굴이 상하여 힘들게 살아왔는데 완치의 가능성이 높아졌어요. 앞으로는 편안한 마음으로 사세요."

"모든 게 원장님이 힘써주신 덕분이에요. 세상에 원장님처럼 훌륭한 사람이 있어서 제게 행운을 주었어요."

"저는 귀한씨가 생각하고 있는 것처럼 그런 사람은 못되는데 실망을 드릴까봐 걱정이 되네요."

"그렇게 겸손해하지 마세요. 그런데 전 얼굴이 망가져서 평생 추녀로 살아야 할 것 같아 걱정이에요."

"그런 큰일을 당하고도 아무렇지도 않은 일처럼 살 수는 없겠죠. 마음이 바르고 행실이 옳으면 부끄러울 게 없어요. 자신감을 갖고 먼저 자신을 용서하세요."

"그 말이 거친 세상을 살아가는데 힘을 줄 거예요. 한 때는 모든 걸 잃었다는 허탈감에 하늘이 무너져 내리는 것 같았어요. 여자의 생명과 같은 얼굴에 씻을 수 없는 상처가 남아있는데 어떻게 태연할 수가 있겠어요?"

"얼굴모습이 많이 돌아왔어요. 살다보면 힘든 날과 슬픈 날이 있지만 인생은 살만한 가치가 있어요. 얼마든지 행복하게 살 수 있으니까 불행한 일은 빨리 잊도록 해요."

"그때 일을 잊으려고 애를 써도 잊을 수가 없어요. 어떤 때는 악몽을 꾸다가 깜짝 놀라 잠이 깨어서 두려움에 잠을 이루지 못하고 있는걸요."

"불길 속에 뛰어든 용기가 어머니를 살렸어요. 얼굴이 상한 건 안타깝지만 자랑스럽게 생각하세요."

"원장님은 언제나 따뜻한 말을 하시는 분이에요. 저에게 용기를 주고 마음 써주셔서 고마워요."

"무슨 말로 귀한씨의 아픈 마음을 위로해줄 수 있을까요? 그런데 세상 사람들은 남들이 모르는 자신만의 불행을 갖고 있어요."

"그럼 원장님도 걱정하는 게 있어요? 저도 원장님께 용기를 드리고 싶어요."

"세상에 괴로움 없는 사람이 얼마나 되겠어요? 마음의 평화라는 건 어쩌면 이룰 수 없는 이상일지 몰라요. 귀한씨의 마음을 괴롭히고 있는 깊은 상처를 보듬어줄 수 있는 방법이 있다면 무엇이건 도와주고 싶군요."

인생을 살다보면 누구에게나 문제가 생긴다. 삶에 행복만 지속되고, 즐거움과 편안함만 있다면 정말 행복할까? 불행이 없다면 행복이 무엇인지 느끼지 못할 것이다. 무력감에 빠져서 오히려 인생이 허무해질 수 있다. 그와 이야기를 할 때면 부드럽고 꽃향기 같은 인간적인 냄새가 넘쳐났다.

"언제나 저를 편안하게 위로해주셔서 고마워요. 대개 자신에 대한 말은 아끼면서 이야기를 잘하지 않는 사람은 외롭다고 하던데요? 원장님이 친절한 남자란건 알겠는데 아는 게 별로 없어요."

"그건 사람의 성격 탓도 있지 않을까요? 답답한 제 인생은 차라리 모르는게 나을 거예요."

"자랑스러운 일을 하고 계시면서 자신을 낮추지 마세요. 실명한 걸 자책하는 거예요?"

"솔직히 치명적인 결점이지요. 그리고 나이 많고 흠 있는 사람에 대해서 알면 뭐 하겠어요?"

"흠이 있다는 말은 듣기에 거북하고 동의할 수 없어요. 원장님은 환자들에게 삶의 희망을 주는 사람이에요. 다정다감하면서도 지적인 남자가 혼자서 산다는 게 이상해요?"

"제가 어떤 사람인가를 알게 되면 실망하여 허탈할 거예요. 앞을 볼 수 없는 장애를 가진 데다 나이도 많잖아요. 우리 사회는 나 같은 사람에게 보이지 않는 편견이 심해요."

"요즘 제가 생각해도 좀 이상해진 것 같아요. 원장님에 대해서 알고 싶은 게 많아졌거든요. 혹시 하시는 일에 피로감을 느끼고 계세요?"

"환자들 치료하는 일 외에 다른 것에 신경 쓸 틈이 없어요. 제가 하는 일에 보람과 자부심을 갖고 즐거운 마음으로 하고 있어요."

귀한은 한동안 말없이 그를 뚫어져라 바라보았다. 그의 선한 얼굴에서 인간적인 고뇌가 느껴졌다. 그건 어릴 적부터 평생을 지니고 살았을 폭발사고의 후유증이 준 외로움이라고 생각했다. 반원장을 폄하하는 것은 속은 텅 빈 자들이 괜히 으스대는 치졸한 편견이라 생각했다.

그를 돕고 싶은 마음이 불같이 일어났다. 저 사람의 얼굴에 드리워져있는 인생의 고독하고 외로운 그늘을 말끔히 씻어서 기쁨과 행복을 주고 싶었다. 그에게 다가가고 있는 자신의 마음을 막을 수가 없었다. 그녀는 행복한 미래를 꿈꾸며 홀로 미소를 지었다.

"제 얼굴이 나아지고 있다는건 기적이라 생각해요. 얼굴의 흉터 때문에 모든 걸 포기하고 살았는데 원장님이 제게 행운을 주었어요."

"그건 귀한씨가 고생하며 노력한 결과예요. 저도 귀한씨를 만난 걸 영광으로 생각해요."

"우리가 만난 건 소중한 인연일까요? 원장님이 가는 곳의 행선지나 목적지를 물어보지 않고 제가 옆자리에 앉는다면 어쩌겠어요?"

"젊고 발랄한 아가씨와 동행한다면 더없이 즐겁고 편안한 여행이 되겠지요. 조금은 가슴이 설레어서 뛸 것 같아요."

"누군가를 생각하면 가슴이 두근거리고 어떤 기대를 갖게 된다면 그것만으로도 마음이 행복해질 거예요."

"귀한씨에게 실망을 드리면 안 되는데 제가 부족한 게 많아서 어쩌지요?"

"처음에는 두렵고 어려웠지만 돕고 싶어졌어요. 혼자서 할 수 있는 일은 많지 않을 거예요. 함께 힘을 모은다면 더 큰 일을 할 수 있겠지요?"

"귀한씨는 무한한 가능성과 잠재력을 지녔어요. 우리나라 농업을 이끌어갈 역군이 되어서 큰일을 하세요. 제가 앞길을 가로막는 장애물이 되고 싶지 않아요."

"사는 게 힘들어서 건강만 좋아지면 바랄 게 없을 줄 알았어요. 그런데 원장님을 만나고부터는 그리움을 알게 됐어요. 언제 부턴가 원장님을 생각할 때면 마음이 설레고 떨려서 진정시키는 게 힘들어요."

"칭찬하는 것으로 들을게요. 얼굴의 상처는 반드시 치료될 수 있으니까 자신감을 가지세요. 저는 귀한씨를 좋아할 자격이 없어요."

"삶의 의욕을 되찾은건 원장님 덕분이에요. 이대로 헤어진다면 평생 후회하며 살 것 같아요. 원장님께 삶의 활력과 인생의 기쁨을 드리고 싶어요."

"인간은 부족한 게 많아서 생각이 틀릴 때가 있어요. 귀한씨가 착해서 그런 생각을 한 것 같은데 나중에 실망하게 될 거예요."

"왜 자꾸 겸손한 말을 하세요? 세상에 뭐 별사람이 있나요?"

"한 나무에 달린 과일도 크기나 생김새가 다르듯 사람이 가진 생각과 인격의 깊이도 보기와는 달리 차이가 있어요."

"정말 사람은 인격의 차이가 큰 걸까요? 그럼 인격을 쌓는 방법도 있겠지요?"

"제가 좋아하는 성현의 말씀이 있어요. '인도 자강불식人道自强不息'이란 말인데 사람의 도리는 중요하기 때문에 강해지기 위해서 쉬지 않고 갈고 닦아야 한다는 뜻이에요."

"원장님만한 인격을 가진 사람이 어디 흔하겠어요? 원장님은 제가 좋으면서도 선뜻 표현하지 못하는 건 체면 때문에 그런 거죠?"

"그것보다는 저의 신체적 결함도 있지만 불행한 처지를 감출 수가 없잖아요? 저는 아는 게 침술밖에 없어요."

"한의학 서적은 물론 읽어보지 않은 책이 없을 정도로 온갖 서적을 섭렵하여 교양과 지성을 쌓아 세상의 이치를 꿰뚫고 있는 분이 그런 겸손의 말씀을 하세요?"

어디서 그런 용기가 솟아나오는 것일까? 저런 과묵하고 성실한 남자를 잡지 못하고 이대로 보낸다면 평생을 후회하며 살 것만 같았다. 그녀는 용기를 내어서 처음으로 마음 속에 담고 있던 감정을 스스럼없이 고백했다. 사랑을 얻으려면 용기가 필요하다고 했다. 귀한이 더 적극적인 자세로 나왔다.

그와 대화를 나눌수록 참으로 겸손하고 비범한 사람이라 생각됐다. 남들은 쉽게 이룰 수 없는 큰 성취를 이루고도 뽐내거나 과시하는 법이 없으니 인격적으로도 부족함이 없는 사람 같았다. 다른 사람은 잘난 척하며 자신을 치켜세우고 자랑하려 하는데, 이 사람은 자신의 선행을 낮추고 오히려 숨기고 있다. 꾸밀 줄을 모르고 거짓과 위선을 찾을 수가 없었다.

사람의 성품 중 고치기 어렵고 나쁜 것이 교만이라 했다. 교만과 위선은 부족한 것을 잠시 가릴 수 있지만, 겸손은 부족함을 채워주고 감싸주어서 자신을 바르고 지혜로운 사람으로 만들어 준다. 다른 이의 감춰진 장점을 배우고 존중해주면 자신의 발전으로 이어진다. 매사 진지하면서도 언행에 빈틈이 보이지 않았다. 대화를 나눌수록 그의 겸손함에 자꾸만 끌려들어갔다.

"원장님처럼 올바른 정신을 갖춘 분이 왜 그렇게 겸손하세요? 그럼 삶의 희망과 용기를 준 사람을 모른 척 하며 살란 말이에요? 원장님이 용기 없는 남자가 아니길 바랄게요."

"도움을 준 것과 연정을 갖는 건 다른 문제에요. 제 처지에서 언감생심 어떻게 그런 생각을 할 수가 있겠어요?"

"제가 튀는 행동을 하는 유별난 여자로 보지는 마세요. 연정을 갖는 게 왜 나쁜 건가요? 건강한 젊은이라면 맘에 드는 이성을 볼 때 당연히 연정을 가져야 한다고 생각해요."

"우린 한의사와 환자의 관계에요. 그런 기회가 올지 두렵기도 하고요."

"환자나 의사는 사랑할 자격이 없는 건가요? 그런 이유로 몸을 사리다보면 기회를 놓치게 되고 후회가 따르지 않을까요? 사랑하는데 병이 장해가 된다면 모를까 피해야 할 이유는 아니라고 생각해요."

"저는 잊고 싶은 기억이 많은 사람이에요. 귀한씨 같이 멋진 여성과 사랑할 수 있을까요? 전 이룰 수 없는 꿈이라고 생각해요."

"원장님을 만나기 전까지는 혼자서 살려고 했어요. 그런데 좋아하는 감정을 무슨 수로 막을 수가 있을까요? 진실로 좋아하는 마음이 있다면 두려울 게 뭐가 있겠어요? 그런 감정도 마음대로 조절할 수 있는 재주가 있나보죠?"

"전 부족하고 자격미달이라 쳐다볼 수 없다는 걸 잘 알고 있어요. 가는 길이 어렵고 험하기 때문에 저를 좋아하면 고난이 따를 거예요. 왜 그걸 자청하려고 하세요?"

"저도 장점보다는 단점이 많은 여자에요. 살아갈 용기와 삶의 의미를 찾아준 사람을 모른 척하며 살수가 없어요."

"환자를 돕는 건 단연히 할 일이에요. 귀한씨는 강인한 노력으로 건강을 회복하고 있는 거예요. 제가 치료해주는 걸 부담 갖지 마세요."

"좋은 인연은 정기열차와 달라서 한번 떠나면 쉽게 오지 않아요. 행운은 용감한자의 편이고 그 기회를 잡는 것이 행복한 인생이에요. 저도 원장님을 놓치게 된다면 행운이 달아날 것 같아서 두려워요."

"꿈 많은 귀한씨 앞에는 장밋빛 인생이 기다리고 있어요. 저에 대한 막연한 환상이 깨질 때 얼마나 실망하려고 그러세요?"

"괜히 저 혼자 외롭게 애간장을 태우고 있는 걸까요? 원장님이 보수적이라 그게 매력이긴 한데 구식이란 평을 들을까 걱정이 드네요. 쉽게 속내를 드러냈다고 가벼운 여자로 보면 안 돼요?"

"예쁜 아가씨의 마음을 선뜻 받아드릴 수 없는 제게 문제가 있겠지요. 제 행동의 폭이 좁고 그릇이 작은 게 원망스럽군요."

"그 말은 빨리 정신 차리라고 은근히 절 깨우쳐주려는 암시인가요?"

"제 말을 곡해하지 마세요. 저를 겉과 속이 다르고 말과 행동에 차이가 나는 이중적인 인간으로 보시면 안 됩니다."

"봄날에 비추는 따뜻한 햇볕을 손으로 잡을 수 있나요? 그냥 몸으로 느끼며 즐길 뿐이죠. 좋아하는 감정을 어떻게 보여줄 수 있을까요? 그건 마음 속에서 솟아나야 하겠죠. 제 말이 수다스럽고 센티멘털한 노처녀의 푸념이라 생각하시면 실망스러울 거예요."

"신뢰할 수 있는 사이라면 말이 길어도 상관없어요. 저는 구세대의 낡은 유물 같아서 느리고 답답해요. 자신의 한계를 알고 있어서 그럴 거예요."

"매일 환자와 씨름하다보면 짜증이 나겠지요? 원장님도 인간적인 외로움을 느낄 때가 있겠죠? 그 피로를 제가 씻어주고 싶어요."

"귀한씨 앞에는 화려한 인생을 펼칠 수 있는 기회가 많아요. 그 길을 가로막을까 자꾸만 걱정이 앞서는 군요."

"저도 한때 잘나간 적도 있어요. 좋아하고 사랑하는 감정이 있다면 부끄러움이 그렇게 중요한 것일까요? 여자로서 먼저 말하기 어려운 것을 자꾸 고백하게 하는군요."

"제가 무례한 사람은 아닌데 이성문제는 서툴러요. 주변머리가 없어서 낯선 사람과 쉽게 어울리지 못해요. 여자의 자존심을 상하게 했다면 사과할게요."

"자신을 과시하려고 허풍 떨 필요는 없겠지만 자신감을 가지세요. 그렇다고 원장님이 재지는 마세요. 나 좋다는 남자애들 많으니까요. 그렇지만 원장님께 다가가는 제 마음을 숨길 수가 없어요."

귀한의 도발적인 고백에 한동안 당황했다. 반원장은 그녀가 마음이 약해져 자신의 처지를 비관하고 있다고 짐작했다. 언행을 조심하고 자신감을 갖도록 위로해줘야겠다고 생각했다.

"어릴 적 어른들 하시는 말씀이 제 눈매가 깊어서 사연도 많고 박복할 거라 했는데 그 말이 맞는 것 같더라고요."

"앞으로는 복을 받게 될 거예요. 마음 착한 사람이 복을 받지 않으면 불공평하지 않겠어요? 그건 신이 용납하지 않을 거예요."

"한때는 김제 땅에서 최고의 미인이란 말을 들었어요. 웬만한 남자는 쳐다보지도 않았어요. 혹시 예쁜 여자를 싫어한다면 모를까 저를 자꾸만 곤혹스럽게 하진 마세요."

"귀한씨의 화려한 경력은 들어서 알고 있어요. 정말 보이지 않는 차가운 벽을 넘을 수 있을까요? 그래서 전 자격이 없다고 생각한 거예요."

"입은 비틀어졌어도 말은 바로 하랬다고 원장님은 용기가 부족하고 체면을 중요시하는 것 같아요. 도전해보지도 않고서 포기하는 건 나중에 후회하지 않을까요?"

"저는 체면보다도 분수를 알고 있어요. 저도 남자인데 귀한씨 같이 발랄하고 멋진 아가씨를 왜 좋아하지 않겠어요?"

반원장이 정말 용기가 없는 남자일까? 침을 놓은 일은 극도의 정신집중을 요하는 작업이다. 침의 원리는 작은 혈 자리에 정확하게 침을 꽂아 환자의 신경을 자극하여 기의 운행을 활발하게 촉진시켜 주는 일이다. 정성스런 마음과 주의력이 필요하며 항상 긴장상태를 유지해야 한다. 서로의 교감이 통해야 하는데 그 일은 거친 행동이나 적당하게 하여서는 할 수가 없다. 한 치의 오차라도 있다면 시침의 효과가 떨어질 수밖에 없다.

반원장이 명의가 된 것은 남들은 할 수 없는 시침의 정확성과 섬세함 때문이었다. 그의 행동이 때로는 소극적이고 약해보이는 것은 용기가 없거나 남자다움이 부족한 것이 아니다. 환자를 돌보는 일이 예민함과 섬세한 손길을 요구함으로 오랜 기간 체득한 직업적인 특성과 습관에서 오는 행동이란 걸 알았다. 과묵함이 때로는 선의의 오해를 사기도 했지만 그의 또 다른 장점이라 생각했다.

"제가 감정을 억제하지 못하는 약점이 있어요. 그런데 원장님은 인생에서 중요한 사랑의 문제에도 자신감이 없는 것 같아요. 체면 때문에 진심을 말해주지 않으면 실망할 거예요. 그렇지만 제가 잘못하고 있다면 신께 용서를 빌겠어요."

"제가 꿈을 꾸고 있는 건 아니겠죠? 갑작스런 변화에 정신을 차리지 못하겠네요. 드디어 날 깜짝 놀라게 할 아가씨가 나타났군요?"

"평생 감정을 숨기고 본능을 억제하며 살지 마세요. 좋으면 좋아한다고, 그리고 사랑하고 싶다고 솔직히 말하세요. 앞으로는 원장님과 좀 더 솔직한 사이가 됐으면 좋겠어요."

"우리의 소중한 관계를 지켜나갈게요. 그렇지만 사랑은 진실한 마음도 중요하지만 조건도 중요해서 쉽게 이룰 수 있는 건 아니에요."

"사랑하는 마음이 제일 중요한데 왜 조건을 따지는지 모르겠어요? 거기다가 염치와 체면 그리고 분수까지 더해서 순수한 사랑을 자꾸만 복잡하게 만들까요?"

사랑을 복잡하게 만드는 것이 인간의 재주인가보다. 그건 진실한 사랑을 찾아가기 위한 과정일 것이다.

"솔직히 귀한씨의 이상에 맞는 남자가 될 수 있을지 두려운 생각이 들어요."

"사랑은 마음이 중요해요. 어려움이 있다하여 변심하는 건 사랑이 아니에요. 어떤 일이 있어도 영원히 변지 않는 사랑이 진실한 사랑이에요."

"결정을 빨리 하는 사람은 후회도 쉽게 한다고 했어요. 귀한씨는 모든 면에서 나와는 어울리지 않는 뛰어난 여자에요. 솔직히 귀한씨를 행복하게 해줄 자신이 없어요."

그 말에 귀한은 얼굴을 찡그리며 안색이 붉게 물들었다. 그녀는 충격을 받은 듯 심각한 표정으로 변했다.

자신의 감정을 솔직하게 고백하던 귀한의 모습이 쓸쓸하게 보였다.

"어쩌면 제 마음을 속상하게 하는 말씀만 골라서 하실까요? 제가 처음으로 사랑하는 남자는 성정이 착하고 고귀하여 남을 위한 희생심과 배려심이 강한 줄로 알았어요. 약자를 돕고 예의를 알며 인간의 도리를 지킬 줄 아는 멋진 남자로 생각했어요. 그런데 여자의 자존심은 가볍게 여겨도 되는 건가요? 왜 한 여자를 울리려고 하시나요?"

"그건 절대 아닙니다. 제가 모자라고 부족한 것이 많아서 감당하기에 무겁고 버거워서 그러지요. 전 지금 제 자신도 주체할 수가 없는 걸요."

"좀체 속내를 모르겠어요. 여자의 마음을 달궈진 프라이팬처럼 뜨겁게 해놓고서 나 몰라라 하는 건 무슨 뱃장이에요? 혹시 애간장을 태워서 사랑을 단번에 깊어지게 하려는 의도일까요?"

"그렇게 사랑의 심리를 잘 아는 남자라면 여자 친구 한명이 없고, 지금껏 결혼을 하지 못할 리가 있겠어요? 그리고 예쁜 여자와 행복할 수 있는 기회를 마다할 사람이 있겠어요? 저도 지금 굉장히 노력하고 있어요."

"그렇다면 솜씨는 없어도 볼품없는 달걀 프라이든 맛없는 부침개라도 부쳐서 입천장이 데일 정도로 화끈하게 해주시면 안돼요? 아니면 짜증나는 변비증을 시원하게 뻥 뚫어줄 달콤한 말이라도 해주시던가요? 저절로 식도록 방치하겠다는 건 무책임한 게 아닐까요? 혹시 여자를 싫어하는 약점이라도 갖고 계세요? 아니면 자격이 모자라니까 교묘하게 피하려는 방법인가요?"

"귀한씨를 불쾌하게 하였다면 사과드릴게요. 제가 특히 개인적인 일을 말할 때 분위기 파악이 느리고 감정표현에 서툴러요. 후회가 없도록 신중하자는 것이지 귀한씨를 싫어하는 건 아니에요."

"돌다리를 두세 번씩 두드려보고도 건너지 않고, 망설이면서 계속 서서 바라보고만 있어야한다면 언제쯤 건너야할까요? 곧 어두운 밤이 다가올 터인데 지는 해를 어찌하면 쫓아갈 수가 있을까요?"

"저의 소심함이 답답하다고 비난받아도 할 말이 없어요. 그래도 귀한씨는 돌다리를 쉽게 건너지 마세요. 진실한 사랑은 더구나 여자의 입장에선 여러 번 두드려보고도 한 번 더 두드려 봐야 해요."

"진실한 사랑은 그렇게 신중해야 하는 것일까요? 전 이해를 하지 못하겠어요. 그러다가 어둠이 내려 앞을 가로막으면 우린 어떡하죠?"

"진실하고 아름다운 사랑을 쉽게 얻으려고 하지 마세요. 그런 사랑은 단숨에 이룰 수 있는 게 아니랍니다."

"불꽃같이 타오르는 정열적인 사랑은 어떤 사랑일까요? 그것은 먼 나라에서만 이뤄지는 동화속의 이야기일까요?"

"어쩌면 우리가 좀 더 일찍 만났거나 젊음의 혈기가 넘치는 꽃띠 인생이었다면 가능했을지 모르죠. 우리는 조금 늦게 만난 것 같아요."

"사랑에 늦고 빠름이 어디에 있겠어요? 사랑은 늦었다고 생각하는 지금이 최고의 순간이라 생각해요."

"전 나이도 많지만 이젠 마음까지 늙었나 봐요. 귀한씨가 곁에 있으면 마음이 따뜻해져서 편안함을 느껴요. 그런데 얼마나 안락한 삶을 줄 수 있을지 자신이 없어요. 감정에 사로잡힐 때가 아니라고 생각해요."

"제가 언제 안락한 삶을 탐했나요? 하는 말마다 매력이 뚝뚝 떨어지게 하네요. 혹시 절 피하려고 일부로 모자란 척 하는 걸까요? 어떻게 하면 그 마음을 알 수 있을까요?"

"제가 엄청 후지거나 형편없는 사람은 아닌데 여자문제는 유난히 약해요. 변명은 하지 않겠지만 답답함을 꾸짖어도 할 말이 없어요."

"제 마음을 모두 고백했거늘 신체조건을 핑계로 주저한다면 우리의 사랑은 이룰 수 없는 꿈일까요? 때로는 솔직한 것도 실망을 주는 군요."

"이렇게 미련하고 주변머리 한 점 없는 남자를 좋아하다니 귀한씨가 선택을 잘못한 것 같아요."

"맘에 드는 이성과 사랑에 빠질 수 있다는건 축복이며 행복이에요. 왜 그걸 놓치려고 하세요?"

사랑하는 사람에게 어떤 것을 해줄 수 없다는 걸 미리 걱정할 필요는 없다. 진실한 마음을 줄 수 있다면 때로는 그냥 곁에 있어주는 것만으로도 위로가 되고 소중한 일이다.

"고등학교에 다닐 때 부모님과 여행을 떠난 적이 있었어요. 여행의 피로 때문에 빠른 속도로 달리는 차속에서 깜박 잠이 들었는데 험한 절벽 아래로 떨어지는 불쾌한 꿈을 꿨어요. 그런데 떨어지는 시간이 아주 길게 느껴지더라고요. 지금 제 심정이 삽시간에 여행의 즐거움을 빼앗아간 그때의 나쁜 꿈을 꾸고 난 기분이에요."

"제가 그렇게 몰상식한 사람도 아니고, 더구나 남의 불행을 즐기는 사람은 아닌데 귀한씨의 기분을 상하게 하였다면 죄송해요."

"여자의 사랑을 받아드릴 줄 모르는 정말 매력 없는 남자였나요? 매사 합리적이고 현명한 분이 여성관은 엄청 후지고 뒤떨어졌나 봐요? 그렇다면 더 이상 치료를 받는다거나 세상을 살아갈 의미가 없을 것 같군요. 그게 원장님 마음을 편하게 하는 것이라면 조용히 원장님 곁을 떠날게요."

"귀한씨가 치료를 받다가 어디로 떠난단 말이에요? 치료를 중지하는 건 절대로 안 될 말이에요."

"여자의 마음을 슬프게 하면서도 치료에는 관심이 있나요? 제가 치료를 포기하고 사라진다 해도 자책하지마세요. 저도 원장님이 매정하다고 원망하지 않을 거예요."

귀한의 안색이 슬프게 변했다. 긴 한숨이 안쓰럽게 보였다. 그녀는 괴로운 심정을 속사포처럼 쏟아내면서 곧 울 것 같은 표정으로 변해갔다.

20 장애를 뛰어 넘은 사랑

반원장은 당황했는지 말을 더듬거렸다. 그의 안타까운 심정이 묻어나올 것 같았다.

"잘못되면 치료가 불가능해져요. 제발 그런 극단적인 생각을 하지마세요."

"왜 치료에 신경 쓰세요? 여자 마음도 몰라주면서도 비뚤어진 얼굴은 불쌍하게 보이나보죠?"

"억지를 부려도 괜찮아요. 그래도 치료를 중지하는 건 안 돼요. 나이가 많아서 아저씨 같은 남자라고 흉을 보면 어쩌려고 그러세요?"

"사랑에는 바보같이 소극적이에요? 멋진 여자를 놓치고 나서 평생을 후회하며 살려고 그러세요?"

"제가 하찮은 존재란 걸 더 설명 해야겠어요? 그때 가서 후회하며 생각을 바꾸려고 하세요?"

"나이 많고 몸이 성치 못하면 부족하고 모자란 건가요? 그런 생각이야 말로 잘못된 편견이 아닐까요?"

“사실은 그게 아닌데 표현할 방법을 모르겠어요. 열등한 배경을 감출 수가 없어요. 저의 곤혹스런 심정을 전할 길이 없어요.”

“몸과 마음이 망가져서 평생을 불구자로 사는 가엾은 인간들이 수두룩한데 나보고 존재하지도 않는 이상형의 남자를 기다리란 말이에요”

“솔직히 처음으로 가슴을 설레게 하는 여성을 만났어요. 그런데 저의 장애를 극복할 수가 없어서 쉽게 마음을 열지 못하는 괴로움이 있어요.”

“혹시 타조증후군이 뭔지 아세요? 타조가 갑자기 맹수를 만나면 살려고 도망치기보다 얼른 머리를 모래 속에 처박는대요. 맹수가 안보이니까 안심하면서 그 순간을 모면하려는 어리석음을 말하는 거예요.”

“사랑에 열정적이진 못해도 감정을 다스릴 줄은 알아요. 자존심과 명예까지 가벼운 사람은 아니에요. 정열적인 사랑을 바라지는 마세요.”

“사랑을 두려워하고 피하려는 게 아닌가요? 변화를 두려워하는 건 사실이잖아요? 사랑을 얻기 위해 도전하겠다는 용기를 가져보세요.”

“우린 타고난 환경이나 주어진 여건이 달라요. 용기로 되는 일이라면 도전해 보겠지만 우리 사랑은 그렇지가 않아요.”

“그럼 큰맘 먹고 특별한 도전을 해 볼까요? 그리고 한번 과감하게 금기를 깨볼까요?”

“갑자기 모험을 하고 금기를 깨다니 그게 무슨 말이에요?”

“판도라는 절대로 열어보지 말라는 제우스신의 엄명을 어기고 호기심의 상징이었던 상자를 열었어요. 왜 열었을까요? 그 안에 무엇이 있는지 궁금증을 해소하고 싶었던 거죠. 까짓것 우리도 한번 열어서 사랑의 진실을 확인해 봐요. 사랑이 두려워서 망설이게 하는 애물단지인지, 가슴을 설레게 하며 행복을 주는 보물단지인지 그것이 무엇인지 알아보자고요.”

“사랑에 둔재라 놀려도 변명하지 않을게요. 그렇다고 저의 단점이 덮어지진 않을 거예요.”

"원장님만한 사람이 어디 있다고 그러세요? 퇴짜 맞을 게 두려워 물러서 버리면 후회하지 않을까요? 용감한 사람이 미인을 얻는다고 했어요."

"사랑은 침술을 배우는 것보다 훨씬 어렵군요. 신체장애가 없었다면 제가 먼저 도전했을 거예요."

"사랑을 두려워하지 마세요. 새로운 삶을 만들어보세요. 영원히 마음만 변치 않으면 된다니까요."

"왜 멋진 남자들을 놔두고 고지식한 사람을 좋아해서 맘고생을 하시는 거예요? 저의 후진 성격이 싫지가 않아요?"

"진정한 사랑은 자기희생이라고 했어요. 나눔과 베풂은 사람을 행복하게 하는 놀라운 희생정신이고요. 그런 일을 하는 원장님을 도와주고 싶어요."

"평생을 답답하게 살아야하는데 그래도 사랑할 수 있어요?"

"너무 비관적으로 낙담하지 마세요. 의술은 계속 발전하고 있으니까 다시 빛을 찾을 수 있는 기적 같은 일이 일어날지 모르잖아요?"

"그건 아닐 것 같아요. 어떻게 그런 일이 가능하겠어요?"

"빛을 찾을 수 있다는 희망을 버리지 마세요. 이제부터 원장님을 도울 수 있는 현명한 눈이 될게요."

"왜 자신을 희생하려고 하세요? 그런 힘든 부담을 드릴 수가 없어요."

"속으론 좋으면서 안 그런 척 하는 거죠? 원장님 얼굴에 저에 대한 관심이 붙어있걸랑요. 원장님은 거룩한 손길로 환자들을 치료하세요. 저는 원장님을 행복하게 만들어 드릴게요."

"제가 가는 길은 가시밭길 같이 어렵고 힘든 길이에요. 귀한씨는 향기로운 꽃길을 선택하여 갈 수 있는데 왜 구태여 험한 길을 가려고 하세요?"

"제 눈에 최고의 남자로 보여서요. 전 원장님의 눈을 좋아하는 게 아니라 인격을 좋아하거든요. 원장님의 결점은 제가 보완해줄게요."

"귀한씨를 위한 변명을 할게요. 귀한씨를 불행에 빠지게 할 수는 없으니까요.

전 그렇게 되는 걸 받아 드릴 수가 없어요."

"장애가 있어도 사랑의 열정만은 부족하지 않다는 걸 보여주세요. 원장님은 절 위해 희생할 수 있는 사람이란 믿음을 가졌어요. 자꾸 이상한 핑계 되려고 하지 마세요."

"혹시 저를 천하 명의라는 호기심이나 재능 때문에 좋아하는 건 아니겠죠? 그런 가벼운 환상이 깨어지면 실망하지 않을까요?"

"지나간 과거가 원장님을 괴롭히지 못하게 할 거예요. 진실한 사랑이 무엇인지 원장님을 내 몸의 일부처럼 사랑할 수 있다는 걸 보여드릴게요."

"감정에 치우쳐서 결정하면 후회할지도 몰라요. 사랑이 모든 걸 해결해 주는 건 아니에요. 좀 더 시간을 갖고 심사숙고 해보세요."

"그런 바보 같은 말을 해서 화나게 할 거예요? 진실한 사랑이란 모든 걸 극복할 수 있어야 한다니까요? 과거의 상처가 나를 잃는 것보다 더 중요해요?"

"저도 어떻게 해야 할지 모르겠어요? 이럴 땐 나약한 내 자신이 싫어요."

"조금은 두렵고 자신이 없어도 믿어주세요. 더 이상 숙고하지 말고 그냥 툭 터놓고 사랑한다고 말해주세요. 이제 자신감을 갖고 용기를 내세요."

"자신감이나 주장은 뜨거운 열정이나 어떤 확신에서 나와야하는데 괜한 고집으로 오해받을까 두려워요. 저의 자격지심인 것 같아요."

"인간은 잘될 거란 희망과 기대를 안고 살잖아요? 맘에 드는 여성과 사랑하며 살고 싶은 밝은 미래를 꿈꿔본 적은 있어요?"

"제가 예의범절에 억매여서 의례적인 말만한다고 생각하지 마세요. 솔직히 귀한씨가 절 좋아하리라고는 상상도 하지 못했어요."

"원장님의 감각은 저보다 훨씬 뛰어나요. 사랑은 선택이에요. 불타는 용기를 더한다면 원하는 사랑을 얼마든지 얻을 수가 있다고요. 이젠 제가 원하는 남자가 되어주세요."

"저의 무능과 답답함에 싫증이 나지 않았어요?"

"원장님과 결혼하지 못한다면 평생 혼자서 살 거예요. 한 남자의 마음도 얻지 못한다면 얼굴의 상처 같은 건 치료하지 않을 거예요. 그 동안 치료받으면서 줄곧 그런 생각을 했으니까요."

"용기 없고 주변머리 한 점 없는 부족한 나를 대단한 인물로 생각하지 말아주세요."

"어떻게 맨 날 환자들 치료하는 일만 하려고 하실까요? 가끔은 인생을 즐겨보세요. 사랑의 기쁨과 행복을 피하려고 하지 말고 꽉 붙잡아서 내 것으로 만들어 보시라고요."

"그렇다면 우리 사랑은 죽음도 갈아놓을 수 없는 영원한 사랑을 해요. 그런 진실한 사랑을 해요."

진실한 사랑은 쉽게 이룰 수 있는 게 아닌가보다. 급하게 이룬 사랑이 급하게 깨지는 경우가 많다. 반원장은 사랑에도 빈틈이 보이지 않았다. 자신감이 없어 보여도 그의 겸손함이 지나치다는 생각을 떨쳐내기가 힘들었다.

지나친 겸손과 자신 없는 태도가 답답함을 주었지만 그의 장점이라 믿었다. 자신을 스스로 낮춘다는 것, 그것은 아무나 쉽게 할 수 있는 일이 아니다. 겸손은 인격이 성숙되고 양심이 바른 사람이 마음에서 우러나 행하는 거룩한 모습이다. 겸손은 미덕이며 인간이 지녀야할 최고의 덕목이 될 수 있다. 사람의 믿음을 속이고 마음까지 훔쳐서 절망과 배신을 안겨주는 인간들이 수두룩하다. 반원장이 지닌 겸손함은 자신감과 완숙함에서 오는 그의 능력이라 믿었다. 불과 40대의 나이에 인격적인 성숙을 이뤄서 실천하고 있는 것은 보통사람은 할 수 없는 일이라 생각했다.

어찌 보면 융통성이 없어보여도 꾸밀 줄 모르고 가식 없는 진솔한 언행에 믿음이 갔다. 반원장이 결코 가볍거나 신의가 없는 남자가 아니란 확신을 가졌다. 그는 영혼이 한없이 맑고 자유로운 사람이었다. 그가 받은 신체적인 장애의 충격이 엄청 컸었다는 사실을 이해하게 되었다. 그의 인간됨이 눈에 보였다.

"제 기억을 지울 수 있다면 그날의 아픔을 말끔히 씻어버리고 싶었어요. 그런데 세월이 가도 그것만은 지워지지 않고 또렷이 남아있어요."

"오랜 세월 동안 그렇게 아파왔군요? 그 아픔을 제가 씻어드릴게요. 앞으로는 외롭지 않고 쓸쓸하지 않게 살도록 도와드릴게요."

"그런 꿈같은 일이 일어날까요? 그런데 그거 아세요? 이런 말 하기는 좀 그렇지만 중요한 것이라 말씀드릴게요. 우린 동등한 관계가 아니에요. 인정할 건 인정해야 합니다."

"그건 저도 알아요. 원장님은 신기의 침술을 지닌 명의로서 국민적 존경을 받고 있는 영웅이세요. 그렇지만 제가 자격은 부족할지 몰라도 사랑하는 마음에는 차이가 없다고 생각해요."

"아니 그런 말이 아니에요. 귀한씨는 인생의 여행길에 지친 몸을 잠시 쉬기 위해 제가 쳐다볼 수 없는 늘 푸른 소나무 위에 앉아있는 고고한 학처럼 고귀한 존재라는 뜻이에요. 제가 부족하고 열등해서 곤란하다는 뜻이에요."

"아휴 난 몰라요, 제가 뭐 쇠락한 왕가에서 태어난 공주로 알고계세요? 아니면 하늘나라에서 얼굴에 상처입고 쫓겨 난 천사로 착각하고 계신 거예요? 그냥 한 남자의 사랑을 받고 싶어서 안달하는 조금 매력 잃은 노처녀에 불과하다고요."

"귀한씨는 고결한 여자예요. 김제 평야에서 소문난 만석꾼의 후손이요, 진씨 집안의 귀한 외동따님이라고요. 나하고는 비교할 수 없는 여성이에요. 이런 사실을 숨기거나 변경할 수는 없어요."

"그건 할아버지와 아버지께서 일궈 논 부예요. 앞으로 제가 노력해서 부자가 되고 싶어요."

"귀한씨는 무엇을 하고 싶은데요?"

"계속 농사를 지어야죠. 하지만 원장님과 결혼을 하게 되면 돈은 그만 벌고 쓰면서 살 거예요. 원장님을 철저하게 닮아서 환자들을 위해 봉사하고 베푸는 삶을 살고 싶어요. 원장님이 돈 버는 재주는 없지만요."

그 말에 반원장이 살짝 웃었다. 참으로 순진한 사람이라 생각했다.

"아버지가 부자니까 어쩌면 그런 삶이 가능할까요?"

"이제 만석꾼은 옛날이야기가 되었어요. 지금은 오백석도 안 될걸요? 원장님은 침술은 천하제일이면서 사랑은 멍청이로군요?"

"예쁜 여자 앞에서는 가슴이 설레어서 할 말도 못하는 바보지요. 한없이 작아지고 위축되는 모자란 남자라고요."

"그건 모자란 게 아니에요. 그리고 돈이 좀 많다고 자격이 높아지는 건가요? 그렇다면 야망이라도 가져보세요. 때로는 선의의 거짓말도 해보고요."

"어떻게 그런 심한 말을 하세요? 저는 평생 거짓말을 할 필요를 느끼지 못하며 살아왔는걸요. 그렇지만 귀한씨의 따뜻한 마음이 고루한 습관에서 벗어나도록 이끌어줄 것 같네요."

"거짓을 말하는 건 하지 말아야 할 일이지만 착한 거짓을 용인해야 할 때도 있어요. 차가운 진실보다 때로는 따뜻하고 부드러운 거짓이 인간관계를 훈훈하게 만들 수 있거든요. 가끔 여자를 취하게 할 달콤하고 예쁜 거짓말을 하세요. 그건 삶의 윤활유 같은 거예요. 남을 속여서 못되게 하라는 게 아니라 상대를 편안하게 해주는 건 나쁜 일이 아니에요."

"앞으로는 저도 그런 걸 배워볼게요. 그런 거짓말을 맘껏 가르쳐주세요."

사랑은 피한다고 피할 수 있는 게 아니란 걸 알았다. 부족한 자신을 좋아하고 있는 그녀에게 끌려가는 것을 막을 수가 없었다.

"원장님이 하는 일을 지켜보면서 나태하게 살아온 제 삶을 반성하곤 했어요. 환자를 위하여 베풀고 봉사하는 사랑의 원천은 어디서 오는 걸까요?"

"폭발사고로 세상의 빛을 잃고 꿈이 꺾였을 때 처음에는 분노가 일더군요. 혼자 울면서 세상을 많이 원망했어요. 그땐 온통 어둠과 미움뿐이었으니까요."

"절망적인 순간에 처절하였을 심정이 얼마나 컸을까요? 조금은 이해할 수 있어요."

“전 분노와 미움을 일찍 알았어요. 제 자신이 미워서 세상을 원망 할수록 고통이 심해지더라고요. 아무 것도 할 수 없다는 자포자기 심정이 한없는 괴로움을 주더군요.”

“나만 홀로 버림받았다는 소외감은 끝임 없는 괴로움으로 이어지겠죠? 처절했을 심정이 얼마나 컸을까요?”

“괴로움을 잊으려고 많은 시간 몸부림쳤어요. 사정없이 밀려드는 외로움 때문에 죽을 것 같았어요.”

“그런 가혹한 세월을 겪으셨군요? 전 그렇게 혹독한 외로움은 경험해보지 못했어요.”

“그런데 괴로움과 고독을 잊게 해준 것이 있었어요. 그것은 모든 희망을 포기하고 단념하는 거였어요.”

“포기한다는 것은 마음을 비운다는 뜻인데 어린 나이에 무슨 큰 욕심이 있을 리도 없고 무엇을 단념하고 포기한다는 거예요? 어떻게 그게 가능했을까요?”

“어릴 적부터 꿈꿔왔던 것들, 어떤 사람이 되겠다거나 하고 싶은 일에 대한 미련을 버린 거죠. 철부지 시절 큰 절망을 겪어보니 오히려 절망이 나를 이끌어주었고 재기할 수 있도록 작은 깨달음을 준 것 같아요.”

“인생에 대한 깊은 고뇌를 성숙함으로 발전시켜서 몸이 아픈 환자들을 내 몸처럼 치료하고 계시는 거로군요?”

“귀한씨는 어디 예사로운 여성인가요? 가질 만큼 가진 사람이 편함과 사치를 멀리하고 농촌에 정착하여 농업발전에 전념한다는건 아무나 할 수 있는 일이 아니에요. 농업에 대한 소신과 철학 없이는 불가능한 일이겠지요.”

반원장과 대화를 나눌수록 그의 진지함에 매료되었다. 그가 말하는 대화 한마디 한마디가 그녀를 감동시키며 가슴속으로 파고 들어왔다.

“아무리 생각해도 원장님은 일찍 성숙하셨어요.”

"처절한 외로움이 날 성장시켜줬어요. 내게서 없어진 걸 비관하고 슬퍼할 것이 아니라, 내가 갖고 있는 것에 감사하고 기쁘게 받아드려야 한다고 생각을 바꿨어요."

"원장님의 겸손과 성숙함은 타고난 성정일까요? 아니면 인간의 괴로움을 통하여 얻은 삶의 지혜일까요?"

"세상에 태어난 것 자체가 소중한 일이잖아요? 세상에는 돕는 일에서 만족을 얻고 행복을 찾는 사람들이 있어요. 저도 사회를 위하여 또 다른 사람을 위하여 유익한 일을 하고 싶었어요. 그것이 나를 일으켜 세워준 부모님과 스승님 그리고 사회에 대한 책무라 여겼어요."

"일찍 철이 들어서 애늙은이처럼 속이 꽉 찼었군요. 도움을 받아야할 사람이 남을 도우면서 살고 있다니, 작은 몸뚱이에서 어쩌면 사고의 폭이 그렇게 넓고 깊을 수가 있었을까요?"

"포기하고 나니까 채울 것이 있더군요. 앞은 볼 수 없어도 인생을 살아가는데 필요한 것들은 내 것으로 만들 수가 있었어요. 혼자 있는 법을 배웠고, 점자공부를 하고 글을 읽게 되면서 많은 책을 보았어요. 그러는 사이 고독과 괴로움에도 익숙해질 수 있었어요."

"그렇게 폭넓은 독서로 지성을 쌓으셨군요. 그것이 존경받는 인격의 완성을 이루셨네요."

"그땐 책만이 상처 난 몸과 병든 마음을 채워주는 양식이며 희망이었어요. 결국 세상을 보는 눈을 뜨게 해줬어요. 차츰 정신세계가 넓어지면서 생각이 깊어지더군요."

"원장님이 소유하고 있는 엄청난 능력과 잠재력은 독서와 사색으로 얻은 거로군요? 독서가 자신을 성장시키는 원동력이 되어서 미래를 개척하고 남들은 상상할 수 없는 일을 하도록 이끌어줬군요?"

"전 인생 공부를 일찍부터 한 셈이에요. 그러면서 침묵과 명상하는 법을 배웠어요. 그때서야 마음이 점차 편해지더군요."

"타고난 성정이 착한데다 생각하는 것과 하는 일이 크고 자랑스러웠군요. 저도 비슷한 시련을 겪은 탓인지 원장님이 존경스러워요."

"그때 부모님께서 삶의 용기를 주셔서 절망에서 빠져나올 수 있었던 거예요. 오히려 절망이 날 구원해준 스승이 된 셈이지요."

"전 공주도 아니고 천사도 아니에요. 마음 편하게 사랑할 수 있는 평범한 여자예요. 사랑은 맘에 담아두기만 하면 안 되고 전해야 이뤄진대요."

"이제 귀한씨는 제 마음 속에 깊이 들어와 있는 예쁜 천사가 되었어요. 어떤 난관이 닥치더라도 절대로 포기하지 않을 거예요."

"오랜 세월 분노와 좌절을 봉사정신으로 승화시켜서 몸이 아픈 환자들을 사랑으로 구하고 있는 거로군요. 특별히 꼭 구해야겠다고 애착을 갖는 생명이 있나요?"

"사람의 생명은 모두 귀하다고 생각되지만 특히 마음이 여리고 착한 사람이 있더군요. 아무래도 그런 사람에겐 관심이 많이 가더라고요."

"그렇다면 좋아하는 여자의 마음을 구하는 게 원장님의 인생에서 가장 중요한 일이 아닐까요?"

"제가 용기가 부족하다는 걸 솔직히 인정할게요."

"아직도 원장님에 대한 사랑의 표현이 부족하다면 귀에 쏙 들어오도록 직설적으로 고백할 수 있어요. 저는 평생 열렬히 사랑해줄 남자가 필요해요."

"사모하는 마음을 가슴 속 에만 담아놓고 사는 찌질한 남자가 되긴 싫어요. 사랑의 고백만은 제가 먼저 하고 싶어요."

"원장님의 마음 속에는 겸손함으로 가득 차있는 것 같아요. 그게 바로 제 마음을 꼼짝 못하게 사로잡았어요. 우리의 만남이 인연이었다면 원장님을 사랑한 것은 저의 선택이었어요. 이젠 저의 운명이 되었고요."

"귀한씨의 사랑을 신의 축복으로 받아드릴게요. 이젠 사랑을 회피하거나 거부하지 않을 거예요."

반듯한 원장, 그도 약점 있는 한 인간이다. 그를 세상에 우뚝 서게 한 것은 뛰어난 실력과 성실성 그리고 겸손함이었다는 사실을 알게 되었다. 겸손은 힘이고 능력이다. 아무나 가질 수 없지만 다른 사람의 믿음을 얻을 수 있는 최고의 장점이다.

인간은 무슨 일을 하든지 그가 하는 행동이 중요하다. 아는 게 있고 돈이 많다고 가치 있는 사람이 되는 건 아니다. 언행이 바르고 선해야 하며 곧음과 믿음이 있어야 가치 있는 사람이다.

"깨닫기 전엔 오래 걸렸지만 이젠 알았어요. 앞으로는 귀한씨께 편안함을 드릴게요."

"제가 대담해진건 원장님을 사랑하고 있기 때문이에요. 오늘 원장님한테 말하지 않으면 폭발할 것 같았거든요."

"귀한씨의 꺾일 줄 모르는 용기가 날 사로잡았어요. 그대 사랑하는 마음 결코 변하지 않으리다. 내 생명이 존재하는 한 귀한씨를 지켜줄게요."

"앞으로는 저를 홀로 험한 세상의 무서운 어둠 속 으로 떼밀지 마세요. 원장님과 함께 행복하고 아름다운 사랑을 영원히 갖고 싶어요."

"저의 온 마음을 바쳐서 귀한씨만을 사랑할게요."

"원장님은 제게 삶의 활력을 주고 마음을 풍요롭게 해줄 수 있는 유일한 분이에요. 전 그것을 평생 독점하고 싶어요."

"귀한씨와 굉장히 결혼하고 싶어졌어요. 평생 제 곁을 지켜 줄 단 한사람의 여성을 원해요. 그런 엄청난 영광과 기쁨을 주시겠습니까?"

"원장님처럼 자상한 남자의 부인이 되는 여자는 참 행복할거예요. 저도 원장님만을 사랑할게요."

"지금 제가 꿈을 꾸고 있다면 영원히 깨어나지 말고, 현실이라면 꽉 붙잡아서 절대로 놓치지 않을 거예요."

비로소 귀한의 얼굴이 붉게 달아오르며 예쁜 미소가 번졌다.

“꿈과 희망을 가꾸어서 원장님을 행복 속에 풍덩 빠트려버릴 거예요

“그대의 진실한 사랑에 빠져볼게요.”

사랑받고 싶다면 먼저 사랑을 주라고 했다. 사랑을 어렵게 찾으려 하지 말고 사랑스럽게 행동하면 된다.

“사실은 부모님께서 오래전부터 귀한씨 부모님을 뵙고 싶어 하셨어요. 한번 기회를 주셨으면 해요.”

“그렇잖아도 숙식을 제공해주셔서 고마운 마음을 갖고 계세요. 바쁜 농사일이 끝나면 모시고 올게요.”

그들은 우연한 만남을 인연으로 만들었다. 대화를 나눌수록 생각하는 것들이 비슷하고 공통점이 많았다. 기회는 어느 날 우연히 찾아오는 행운이 아니다. 찾아온 행운을 자신의 힘으로 용기 있게 잡아야 한다. 선택의 순간을 놓치면 찾아온 행운은 달아나버리고 다시는 찾아오지 않을지 모른다. 큰일을 하려면 기회를 기다리지 말고, 먼저 눈앞에 찾아온 기회를 볼 줄 알고, 붙잡아서 내 것으로 만들어야 한다.

그들에겐 처음부터 믿음이 존재했다. 믿음은 마음을 열개하더니 사랑으로 이끌었다. 두 사람은 서로를 옭아매고 있던 장벽을 헐어버리고 친밀감이 쌓이면서 급속하게 가까워졌다. 그들은 불꽃처럼 맹렬히 타오르며 냄비속의 물처럼 쉽게 팔팔 끓어오르다 속절없이 사그라지는 물거품 같은 가벼운 사랑은 하지 않았다. 그들은 마르지 않고 사시 사철 밤낮없이 솟아나는 샘물처럼 은근하고 진실한 사랑을 하였다. 맑은 시냇물이 뭇 생명을 품어서 생명수 역할을 하는 것처럼, 그들의 사랑은 조용히 잔잔하게 그리고 변하지 않고 쉼 없이 흐르듯 영원히 지속되었다. 그 사랑은 남들은 상상하기 어려운 진실한 사랑이어서 세월이 갈수록 깊이 쌓여갔다.

21

하늘이 맺어준 인연

귀한은 두 사람이 사랑하고 있음을 확인하고는 결혼을 결심했다. 이미 결혼 적령기를 지나서 만혼에 들어섰기 때문이다.

"엄마 아빠, 제가 결혼을 해도 될까요?"

"그걸 말이라고 하니? 갑자기 남자친구라도 생긴 거야?"

순여사의 얼굴이 순식간에 보름달처럼 밝아졌다. 딸의 혼사 문제로 노심 초사하고 있었는데 갑자기 결혼하겠다는 말을 꺼내자 이게 웬 떡이냐 싶은지 흥분하여 설쳤다.

"듣던 중 반가운 말인데 신랑감이 있어야 결혼을 하지?"

"글쎄 엄마 한번 끌리기 시작하니까 걷잡을 수없이 결혼하고 싶어지는 거 있죠? 사랑이 이렇게 오묘한 것인 줄 몰랐어요."

"뜬금없이 그게 무슨 말이냐? 도도한 네 마음을 사로잡은 남자가 나타났단 말이냐?"

"제가 언제 남자한테 까탈을 부렸나요? 눈을 크게 뜨고 찾아보니까 한 눈에 쏙 들어오는 남자가 있더라고요."

"그럼 정말 좋아하는 남자가 생긴 거야? 결혼하지 않겠다고 우겨서 우리 애간장을 태우더니 도대체 상대가 누구인지 궁금하네?"

"제 생각과 이상이 같은 성실한 남자를 만났어요. 잠시도 떨어져있고 싶지 않은 남자예요."

"하여튼 사람 놀라게 하는 재주는 여전하구나? 사귄지 얼마나 됐다고 그새 남자한테 푹 빠졌나봐? 그럼 연애를 한거야?"

"시간이 없어 연애를 한 건 아니고요, 저절로 좋아졌어요. 엄마 아빠도 잘 아는 성실한 남자예요."

"그럼 좋아하는 남자가 있다고 귀띔이라도 해줄 것이지 어쩜 그 동안 내숭을 떨었니? 요 앙큼한것, 그렇게 뜸들이지 말고 누군지 속 시원하게 말해보렴."

"자신보다 몸이 아픈 환자들을 아껴주고 보살펴 주는 사람이 있어요. 그 사람은 틀림없이 저를 더 사랑 해줄 거예요."

"지금 엄마 쓰러지는 모습 보고 싶어서 사설을 늘어놓는 게야? 글쎄 그게 누구냐니까?"

순여사는 집히는 게 있는지 궁금해서 숨이 넘어갈 듯 재촉했다. 귀한이 자꾸만 딴소릴 하자 언성을 높였다.

"제게 웃음을 찾아주고 인간답게 살 수 있도록 삶의 의욕을 갖게 해준 남자예요. 엄마 마음에도 꼭 드실 거예요."

"하여튼 사람 애간장 태우는 데는 선수라니까."

"원장님이에요. 원장님하고 결혼하고 싶어요."

"뭐야? 침술원의 원장님 말이냐?"

"제가 남자보는 눈은 있죠? 전 어릴 적부터 봉사와 베풂의 삶을 동경했잖아요? 원장님과 그 길을 함께 가기로 결심했어요."

"내말이 나쁜 말이라고 생각하지는 말아라. 왜 하필 그 사람이냐? 세상에 남자가 없어서 앞 못 보는 사람과 결혼하겠다는 거냐?"

"그럼 상처 자국 있는 비뚤어진 제 얼굴은 정상인가요? 저도 볼품 없는 여자예요."

"원 비교할 걸 비교해라. 이제는 치료받아서 온전한 얼굴이 되었는데 너 하고는 다르지. 네가 걸 똑똑이가 아니길 바란다."

"원장님이 아니었으면 아직도 흉한 모습을 하고 있었을 거예요. 더구나 엄마 병까지 치료해준 사람인데 그렇게 심한 말을 하세요?"

"그 사람 뱃장 하나만은 두둑한 것 같은데 감히 어떻게 그런 몸으로 금지옥엽 같은 내 딸을 넘본단 말이야?"

"앞은 볼 수 없어도 침술은 최고예요. 우리나라에선 그를 따라갈 사람이 없어요. 그의 겸손한 마음은 얼어붙은 땅도 녹여 버릴 거예요. 그런데 뭐가 부족하다고 그러세요? 제가 먼저 좋아했는걸요."

"순진한 아가씨 마음을 약삭빠르게 홀린 걸보면 재주가 여러 가지로 뛰어나기는 한가보네? 그런데 남자가 분수를 모르고 보기 보다 염치가 없는 것 같구나."

"혹시 저의 첫사랑의 기억을 원망으로 남기길 바라세요? 모처럼 맘에 드는 남자를 만났는데 앞 못 본다고 퇴자를 놓으면 사랑을 시도 조차 하지 말란 말씀이세요? 그렇다면 엄마가 잘못 생각하신 거예요."

"제 하는 말 좀 봐. 똑똑한 내 딸이 어쩌다가 저렇게 멍청하게 변했을까? 눈빛을 보니까 꼭 뭣에 홀린 것 같은데 혹시 자원봉사 하느라 진이 빠져서 녹초가 된 틈에 그의 능숙한 꾐에 빠진 건 아니겠지?"

"제가 몇 살인데 그런 식으로 사람을 오해하며 심한 말을 하세요? 저도 이렇게 빨리 사랑에 빠질 거라곤 상상도 못했어요. 그렇지만 사랑은 신비롭고 좋은 거잖아요? 진실한 인간성에 반했단 말이에요."

뜻밖에도 순여사가 펄쩍 뛰며 반대하고 나섰다. 일이 난감해진 귀한은 아버지를 향하여 도움을 요청했다.

"제가 어릴 적 터무니없는 실수나 잘못을 할 때면 아빠가 하신 말씀이 있었어요. 어리석음은 병과 같은 것이어서 멍청한 죄를 짓는 것과 같다고 하시며 손바닥으로 가볍게 볼기를 때린 적이 있었어요. 아빠, 제가 이번에 바보 같은 멍청한 짓을 하여서 그때처럼 볼기를 맞을 일을 했을까요?"

"볼기야 잘못했을 때 맞는 것이지 반원장 같이 훌륭한 신랑감을 사귄다면 오히려 큰상을 내려야 하지 않겠니?"

"제가 이렇게 대담하게 변한 건 원장님이 괜찮은 남자란 걸 알았기 때문이에요. 아빠는 축복 해주시겠죠?"

"인연이 가까운 곳에 있었는데 내가 공연히 멀리서 찾으려고 애를 썼구나. 그래 언제부터 좋아한 거냐?"

"처음에는 원장님의 삶을 지켜보며 앞을 볼 수 없는 사람이 참 대단한 일을 한다는 생각에 경외심이 들더라고요. 자원봉사를 하면서 점차 믿음이 쌓이고 환자들을 위한 희생적인 삶이 존경심으로 변했어요. 저도 모르는 사이에 사랑하게 됐어요."

"남자에 대해 무관심하던 네가 반원장이 좋아졌단 말이지? 그럼 가끔 만난다던 허군은 어떡하고?"

그 말에 귀한의 표정이 쓸쓸하게 변해갔다.

"졸업 후에 가끔 만나긴 했는데 지금은 아니에요. 언젠가 얼굴이 상한걸 보고는 '널 좋아한 건 사실이지만 그건 너의 예쁜 얼굴이었어. 얼굴이 망가진 건 네 책임이니까 날 원망하지는 말아줘.' 그러면서 매정하게 연락을 끊어 버리더라고요. 믿지 못할 건 남자의 마음이었어요."

"한때는 막무가내로 쫓아다녀 널 좋아하는 줄 알았더니 그런 일이 있었더냐? 얼굴의 흉터 때문에 마음이 변한다면 앞으로 얼마나 더 변할지 모르겠구나. 평생을 함께 할 사랑이 그래서야 되겠니?"

"애당초 사랑이 있었던 건 아니에요."

"마음고생이야 했겠지만 너하고 맺어질 인연이 아니었나 보다. 내가 따로 점찍어둔 사윗감이 있는데 한번 만나볼 생각이 있느냐?"

"사랑 없이 결혼할 수는 없잖아요? 원장님은 제가 처음으로 마음에 둔 남자에요. 그 사람이 아니면 안 되겠어요."

"벌써 사랑이 그렇게 깊어졌느냐? 반원장이 그렇게 좋은 거야?"

"사람의 인간됨에 반해서 인생을 함께 하여도 괜찮겠다는 믿음을 가졌어요. 아빠 뜻을 받들 수 없어 죄송하지만 원장님과 결혼을 승낙해주세요."

"이제 철이 들었나 보네. 네가 그렇게 좋아하는 사람이라면 말릴 수 없겠지? 서로 존경하면서 인생을 함께 하고 싶다면 뜻대로 해라. 원장님이라면 아빠는 찬성이야. 아마 엄마도 곧 네 결혼을 승낙하실 거야."

아버지는 반원장이 마음에 들었는지 흔쾌히 찬성을 하면서 혼사에 쐐기를 박으려하셨다.

"귀한이 애를 태워서 그렇지 까막눈은 아닌 것 같소. 당신 마음에 미흡할지는 몰라도 그만한 사람 찾기도 힘들게요. 이번에는 당신이 양보하시구려."

"죽 쒀서 뭣 준다더니 이게 무슨 날벼락이람. 무남독녀 외동딸 키워서 이게 무슨 낭패야?"

"반원장은 마음의 눈을 뜬 사람이오. 당신 가슴 속에 차있는 자비심을 열어서 생각을 돌려보시구려."

"귀한이 좋다는 명문가의 총각들이 한둘이 아닌데 꼭 앞 못 보는 남자와 결혼을 해야겠어요?"

"반원장의 눈에서 빛나는 광채는 우리가 세상을 보는 눈보다 더 밝아요. 그깟 보잘 것 없는 눈이 대수겠소?"

"제가 정말 시집못간 노처녀로 살기를 원하셨어요? 저는 같은 일을 하면서 함께 늙어갈 남자를 원해요."

"내가 친구들 보기에 창피해서 이일을 어쩌면 좋담? 내 놓으라 하는 집안의 멀쩡한 총각도 많은데 하필 앞 못 보는 사람과 결혼을 하겠다니 정신이 잘못된 게 아니야?"

"외모 따지지 말고 사람을 보시구려. 부처님의 자비심을 갖지 않고서야 어찌 병든 환자들을 내 몸같이 치료해 줄 수가 있겠소? 존경받는 우리나라 최고의 명의인데 그게 왜 창피한 일이란 말이오? 걱정하지 말고 맘껏 자랑하며 다녀요."

"외모가 썩 내키지 않는 혼사라도 절 위해 허락해주시면 안 될까요? 앞으로 잘 살아갈게요."

"오늘은 부녀가 죽이 척척 맞는구려. 앞으로는 너의 앞날에 엄마를 우울하게 하는 일은 없기를 바란다. 그런데 반원장 성격이 무뚝뚝하지 않니?"

"반원장은 말을 교양 있고 기분 좋게 할 줄 알아요. 살살 아양 떨며 듣기 좋은 말만 골라 하면서, 실바람에 휘날리는 버들가지처럼 살랑되진 않지만 정 많고 겸손함으로 가득 찬 남자예요. 가벼운 사람이 아니라 단점 이라고는 하나도 찾을 수가 없어요."

"세상에 네 짝으로 맞는 남자가 없을 줄 알았는데 단숨에 마음을 사로잡은 걸 보니 여자 꼬이는 기술도 대단한가 보구나? 세상일 참 모르겠네."

"엄마를 실망 시키지 않겠다고 약속할게요. 그 사람을 만난 건 제 인생에서 최고의 행운이에요. 세상에서 가장 행복하게 사는 모습 보여드릴게요."

"그런데 살짝 궁금한 게 생기는 데 어떻게 도도한 네가 무뚝뚝한 반원장하고 단번에 사랑에 빠질 수가 있단 말이냐?"

"그게 바로 사랑의 힘이 아닐까요? 원장님은 무뚝뚝한 게 아니라 신중하고 과묵한 거예요. 원장님께 반해버린 이유이기도 하고요."

"어릴 적 너를 본 주지스님의 말씀이 '참으로 청미한 소녀로구나. 눈과 입이 예뻐서 귀인이 될 상이며, 코가 우뚝 섰으니 세상에 둘도 없는 복 코라 재운이 넘쳐 부귀영화가 따를 거라' 고 침이 마르도록 칭찬하셨어. '필시 제일 잘생긴 총각과 혼인하여 하는 일에 존경을 받을 거라 하셨지.' 너를 참 무던히도 귀여워해

주셨는데 도를 통한 큰 스님의 말씀이 빈 말이었나 보구나. 고생길이 훤하게 생겼으니 이일을 어쩌면 좋을까?"

엄마는 옛일이 생각나는지 아니면 사윗감이 마음에 들지 않아서 그런지 표정이 어둡게 변했다.

"반원장의 상을 보면 꼭 부처님같이 인자하고 거룩한 모습이 아니오? 이른 나이에 천하의 명의로 우뚝 서 세상의 존경을 받고 있거늘 이보다 더한 명성이 어디에 있겠소? 큰 스님이 관상은 제대로 보셨구먼."

"부녀가 합세해서 좋다고 나오니 어쩔 수가 없네. 저러다 결혼하지 않겠다고 마음변하면 당할 수가 없을 거야. 외동딸 혼사길 막는 괴팍한 엄마가 될 수야 없겠지? 좋은 짝은 아니지만 나도 찬성하마."

"엄마가 잠시 맘이 상하여 저러시는 것이지 어깃장을 놓는 건 아니니 걱정하지 말거라. 당신 얼굴에 기쁨이 넘칠 날이 다가올 것이니 두고 봐요. 큰 짐을 덜었으니 근심걱정은 떼어놓으시구려."

"제가 자랑스러운 딸이 되려면 세월이 좀 더 가야 할까 봐요. 엄마 마음에 꼭 드는 사위가 될 거예요."

"결혼을 하게 되면 너희 두 사람의 삶이 봄날에 불어오는 부드러운 미풍처럼 순탄하게 흘러가길 바란다."

순여사는 결혼을 승낙하면서 딸에 대한 속내를 감추지 않았다.

"아빠, 그분이 명성은 얻었지만 돈과는 거리가 멀어요. 무료 침술원은 겨우 적자를 면하고 있어요. 침술원은 그의 생명과 같이 소중한 곳이에요."

"무료 침술원에서 어떻게 돈을 벌 수 있겠니? 너희들 하는 일이 어디 사사로이 개인의 욕심을 채우는 일이더냐? 내가 기꺼이 돕도록 하마."

"아빠, 고마워요. 꼭 자랑스럽게 사는 모습 보여드릴게요."

"그런데 자원봉사의 일은 언제까지 할 생각이냐?"

"원장님께 도움이 되고 환자들에게 보탬이 된다면 계속 해야죠."

"귀한아, 너희 두 사람이 늦게 결혼하여 행복하게 산다고 누가 시비하며 항의할 사람은 없을 거야. 맘껏 사랑하며 행복하게 살아야 해."

"제가 결혼하는 게 그렇게 기쁘세요? 꼭 보람된 일을 하면서 행복하게 살겠다고 약속드릴게요."

"그렇다고 행복을 쉽게 얻으려고 하지는 마라. 행복은 인내와 고통 없이 뜻대로 쉽게 가질 수 있는 게 아니란다."

"세상 어디에도 네 짝으로 어울리는 남자는 없을 줄 알았는데 가까이에 두고서 공연히 애를 태웠네. 결혼하는 날 우리 딸 모습은 내가 본 신부 중에서 제일 아름다울 거야."

순여사도 기쁨을 감추지 않았다. 부모님은 딸이 갑자기 결혼하겠다고 나서자 어리둥절하면서도 흔쾌히 승낙하셨다.

반원장은 부모님의 칠순잔치가 돌아오자 귀한의 부모님을 초청했다. 진실한 씨는 고마움을 잊지 않고 있던 터라 쌀 다섯 섬과 소 한 마리를 도축하여 선물로 드렸다. 반사경씨는 손 큰 선물을 받고는 잔치 상에 올릴 음식을 준비하여 동네사람들을 초청하여 푸짐하게 대접했다. 침술원에서 한바탕 큰잔치가 벌어졌다.

"아드님을 천하명의로 길러내시고 고희연을 맞았으니 무병장수할 일만 남았군요. 축하드립니다."

"과분한 선물을 보내주시어 잔치음식이 풍성해졌어요. 바쁜 영농 철에 먼 길을 오셔서 축하를 해주셔서 감사합니다."

"부족한 자식을 거두어주시고 어려운 병까지 치료 해주시어 거듭 감사를 드립니다."

"따님이 자원봉사를 하고부터 침술원의 분위기가 달라졌어요. 우리 내외도 뒤늦게 호강하며 사람 사는 재미가 늘었는걸요."

맛있는 음식을 나누고 덕담을 주고받으며 시종 화기애애한 분위기가 이어졌다. 경우가 바르고 마음이 따뜻한 그들은 평소 간직하고 있던 고마움을 전했다. 술을 몇 잔씩 주고받은 후에 반사경씨는 마음 속에 담고 있던 이야기를 꺼냈다.

"제 자식이 올해 마흔 한 살이 되었으나 아직껏 결혼을 못했어요. 여자에게 목석같던 아들이 유독 따님에게 마음이 있는 눈치여서 반갑기도 하고 기대가 되는군요. 이참에 따님을 며느리로 삼고 싶은데 부디 청을 거둬 주시기 바랍니다."

"제 딸아이도 서른 살이 넘었으나 늙은 부모님 봉양하느라 결혼을 미뤄 속을 태워왔지요. 철없는 아이를 며느리로 삼겠다 하시니 기쁨보다 걱정이 앞서는군요."

"명문집안의 외동딸을 며느리로 맞을 수 있다면 가문의 영광으로 생각하겠습니다. 우리가 자식들의 바람을 받아드려 함께 한다면 큰 기쁨이 될 것 같군요."

"두 사람의 혼인에 기쁨이 큰 것은 사실이나 아드님은 이미 세상에 존경받는 명의로 이름을 떨치고 있어요. 부족한 딸아이가 어찌 내조할 수 있을지 두렵습니다."

"자원 봉사를 하면서 환자들을 돌보며 호흡을 맞춰왔어요. 사리분별이 분명한 나이가 되었으니 인생을 설계하도록 믿어주는 게 좋겠어요."

"훌륭한 사위를 볼 수 있다면 인생사는 재미가 더할 것 같네요."

두 사람은 환자와 한의사의 관계로 만났다. 어렵게 시작한 만남은 소중한 인연이 되어서 인생을 함께 만들어갈 아름다운 사랑으로 탄생했다. 늦은 나이에 결혼을 했지만 하늘이 맺어준 인연이라 믿었다. 화려하거나 요란하지는 않아도 어느 누구보다도 잘 어울리는 부부였다. 오래참고 기다려온 그들의 사랑은 꽃밭을 노니는 꽃과 나비가 되어서 황홀한 사랑으로 수놓은 꿈 속 같이 아름다운 현실을 만들었다. 그들은 존경과 신뢰가 쌓여있던 터라 남들은 상상할 수 없는 부부애를 나누면서 인생을 설계했다. 세상에 부러울 것이 없었다. 그것은 침술원 전체에 활력을 불어 넣어주며 환자들에게 질 높은 치료와 봉사로 이어졌다. 심성이 착한 그들은 서로 부족함을 대신 해주고 분신처럼 아껴주면서 행복의 탑을 높이 쌓아갔다.

현명한 사람은 집념이 성공의 지름길이 된다는 걸 알고 있다. 특히 병을 치료하기 위한 과정은 꼭 낫는다는 보장을 할 수 없는 일이라 의사의 실력과 환자의 신뢰가 조화를 이뤄야 한다. 귀한에게 환상적인 치료결과가 나타나 완쾌의 기쁨을 안겨준 것은 치료를 시작하고 1년쯤 지난 뒤였다.

"역시 원장님은 약속을 잘 지키시네요?"

"우리가 결혼을 한 부부인데 언제까지 원장님이라고 부를 거예요? 당신이란 말을 하기가 그렇게 어려워요?"

"원장님이란 말이 입에 배어서 그래요. 쑥스럽지만 노력해볼게요."

"순진하시기는, 그런데 무슨 약속을 말하는 거예요?"

"처음 침을 맞던 날 치료기간이 1년쯤 걸릴 거라고 하셨어요. 피부가 예전처럼 부드러워지고 똑바로 돌아왔어요."

"예전의 얼굴 모습을 찾았다니 기쁘고 고맙구려. 그건 당신의 열정과 끈기가 이뤄낸 집념의 노력 덕분이에요."

"치료는 원장님이 하시고서 공은 왜 저한테 돌리려고 하세요?"

"당신이 건강을 찾아서 한없이 기뻐요. 예뻐진 얼굴모습을 보고 싶군요."

"얼굴이 예뻐진 게 아니라 뒤틀렸던 모습이 제 모습을 찾았어요. 제 얼굴을 볼 수 있는 날이 꼭 올 거예요."

"정말 당신의 얼굴을 볼 수 있을까요? 난 복이 많아 당신과 같이 예쁜 여자와 결혼을 했어요. 더구나 내가 하는 일을 도와주는 당신이 자랑스럽기만 하구려."

"내 몸의 상처와 뒤틀린 얼굴 모습은 원장님의 정성으로 말끔하게 치료가 된 거예요. 그런데 한 가지 아쉬움이 남아있긴해요."

"아직 부족한 게 있다니 그것이 무엇이오?"

"아직도 제 가슴속에는 얼굴의 상처보다 깊은 마음의 상처가 남아있어요. 그 때의 악몽과 같은 상처도 치료해주셔야죠."

"당신이 받은 정신적 충격(트라우마)이 그렇게 컸단 말이오? 마음의 상처가 아물어서 편안한 마음으로 살 수 있도록 노력할게요. 그러나 그것만은 치료를 장담할 수가 없어요."

"천하의 명의도 치료할 수 없는 병이 있어요? 당신이 겸손해서 그렇게 말씀하는 건가요?"

"천하명의라 하여도 인간의 마음에 새겨진 상처를 치료하는 건 힘이 들어요. 그건 당신 스스로 치유해야 하는 상처랍니다."

"제가 행복에 겨워 투정을 해본 거예요. 당신 마음에 담아두지 마세요."

"우리 사랑의 힘으로 그것도 치료해볼게요. 당신을 더욱 사랑할게요."

"당신이 저를 치료해준 건 의술보다 사랑이었어요. 당신의 정성스런 마음이 치료해주신 거라고요."

아내의 마음 속에 남아있는 상처가 아물기를 바랐다. 그는 그 방법을 알고 있다. 그것은 지극한 부부간의 사랑이다. 아내가 행복하게 살 수 있도록 혼신의 노력으로 사랑하리라 다짐했다.

22

아버지의 큰마음

법구경을 보면 '열 명의 자식을 양육하는 아버지는 있지만, 한분의 아버지를 모시지 않는 열 명의 자식도 있다.'고 탄식하는 구절이 있는데 불효하는 인간의 모습을 잘 묘사하고 있다. 어리석은 자식은 부모님의 머리칼이 온통 하얗게 세어서 백발이 되어도 평생 바라기만 한다. 철이든 자식이라면 부모님이 언제까지 무언가 해주기를 바랄게 아니라 늙은 부모님을 모시고 효도를 드릴 생각을 해야 한다. 부모님께 효도하는 방법은 하나뿐이다. 오직 살아계실 때 효도해야 한다. 효도는 기회를 놓치면 할 수가 없다. 부모님이 돌아가신 후에는 땅을 치며 후회하여도 소용없다.

자신이 한 인간으로 떳떳하게 살아갈 수 있도록 낳아서 길러주신 부모님의 은혜를 외면한다면 올바른 인간이라 할 수 없다. 그런 자식이 사회적인 지위를 얻고 출세한들 어찌 바른 인간이라 할 수 있으며, 존경받는 인간으로 행세할 수 있겠는가? 인생을 진실 되게 살고 싶은 사람이라면 부모님의 은공을 저버리는 행동은 하지 말아야 한다. 불효하는 자식도 누군가의 부모가 되고 그 역시 늙어가고 있기 때문이다.

세상 부모님의 자식 사랑하는 마음보다 큰 것은 없다. 자신이 가진 게 적어서 줄 수 없을 뿐이지 무엇이든지 주려고만 한다. 심지어 자신의 생명까지도 기꺼이 자식들에게 준다. 단지 그런 거룩한 부모님의 큰마음을 알지 못하는 어리석고 모자란 자식들이 있을 뿐이다. 양심적인 스승님이 훌륭한 인재를 키우는데 결정적인 역할을 하지만, 천하제일의 스승이라도 자신의 부모님보다 높게 평가할 수는 없다. 부모님은 그렇게 소중한 존재다.

진실한씨는 이제 한시름을 놓았다. 귀한이 성실한 남편을 만나 모범적인 가정을 이루고, 환자들의 병을 치료하며 열심히 사는 모습을 보게 되었기 때문이다. 딸에 대한 밝은 소식을 들을 때마다 흐뭇한 표정을 감추지 못했다. 딸은 남들이 갖지 못한 좋은 품성을 많이 지녔다. 다행이 사위가 하는 일이 장하여 아들처럼 여기며 아쉬움을 달랬다. 나이 들어 기력이 쇠하게 되자 직접 하던 농사일을 대부분 일꾼들에게 맡겼다. 한 평생이 금방 지나간 것 같아 소회가 많았다.

"고등학교를 졸업하고는 농사를 열심히 짓더니 결혼하고는 병든 사람을 돕는 일을 하고 있어요. 그 애가 남자였으면 큰일을 했을 거예요."

"여자의 성격이 강하긴 하지만 주관이 뚜렷하고 소신이 있어요. 불의를 보면 참지 못하고 어려운 사람 도울 줄 아는 흠잡을 데 하나 없는 착한 딸이에요."

"어릴 적부터 엉뚱한 생각을 자주하여 주위 사람들을 놀라게 했지요. 그 애가 총명하여 자신이 할 일을 빠트림 없이 잘해주고 있어 얼마나 다행한 일인지 모르겠어요."

"당신이 중풍으로 쓰러져 오랜 세월 고생을 했는데 사위의 치료 덕을 보아서 건강을 되찾았어요. 일상의 생활에 불편함이 없으니 집안의 걱정거리가 모두 해소됐구려."

"한때 사위가 못마땅하여 결혼을 반대했었는데 세상에 그만한 사람은 없는 것 같아요. 눈 먼 사람이 참 대단한 일을 하고 있어요. 모든 게 조상님이 보살펴주신 음덕일거예요. 당신이 저 때문에 고생이 많으셨어요."

"사위가 하는 일은 나라에서도 못하는 일이에요. 고생이야 몸이 아픈 당신이 했어요. 이제 노후를 즐기며 여생을 마무리합시다. 그런데 우리가 갖고 있는 재산을 어떻게 처리하면 좋겠소?"

"저야 당신의 뜻에 따를게요. 당신의 판단에 어디 빈틈이 있으셨나요?"

진실한씨는 심성이 더없이 착한 사람이다. 그는 많은 재산을 물려줄 아들이 없는지라 나이가 들수록 아쉬움이 남았다. 진씨는 말은 안 해도 젊어서는 아들 낳기를 바래왔으나 인력으로 되는 일이 아니어서 부인의 심기를 건드리는 언행을 일체 삼가왔다.

"딸과 사위가 운영하는 침술원에 환자수가 많아져서 문전성시를 이루고 있다 하던데 애들 건강에 무리는 없었으면 좋겠구려."

"빛 좋은 개살구라잖아요? 일만 고되지 실속이 없어 운영이 어려운가 봐요. 성격이 외골수라서 한 눈 팔 줄도 모르고 환자들 건강만 돌보며 살고 있어요. 몸이나 잘 챙겨야할 텐데 너무 부지런하여 그게 걱정이에요."

"그게 어디 돈을 벌자고 하는 일이겠어요? 귀한이도 돈 버는 데는 관심이 없으니 우리가 도와주는 수밖에 없겠지요."

"남들은 떼돈을 버는 줄 알고 있는데 속빈강정이라서 드리는 말이에요. 애들 부부가 좋아서 하는 일이라 탓할 수가 없네요."

"침술원은 국민들로부터 존경을 받는 사회의 공기가 되었어요. 사위의 거룩한 뜻을 귀한이 적극 도와주고 있는 거예요. 어릴 적부터 남 도와주는 걸 좋아했잖아요?"

"돈 없는 병든 환자를 돌봐주는 일이 어디 쉬운 일이겠어요? 고생하고 있는 게 보기에 딱해서 그러지요. 어느 누구도 하지 못하는 봉사와 베풂의 삶에 전념하고 있어 자랑스럽긴 해요."

"세상 사람들의 존경을 받고 있으니 이보다 더한 보람과 영광은 찾을 수가 없을 거예요. 말이 나온 김에 우리가 소유하고 있는 전 재산을 딸과 사위에게 상속해줘도 괜찮겠어요?"

"그럼 당신이 어떤 복안을 갖고 계신 거예요?"

"아무래도 땅의 관리는 우리가 힘닿는 데까지 도와 줘야겠지요. 자금이 필요할 때 처분하여 쓸 수 있도록 명의를 이전해주면 되겠지요."

"재산의 일부라도 친척들에게도 나눠주는 게 좋겠어요. 은근히 기대를 갖고 있는 사람도 있어요."

"당신이 따로 생각해둔 거라도 있어요?"

"귀한이 이모 말이에요. 내외가 모두 건강이 나빠 병치레를 자주 하는데 가진 재산이 없으니 살기가 힘든 가 봐요. 이참에 도움을 줬으면 해요."

"귀한이 어릴 때부터 유독 이모님이 귀여워 해주셨지요. 돌이켜보면 침술원을 귀띔해준 덕분에 병도 치료하였고 사위를 만나 결혼도 하게 됐어요. 당신이 식량지원을 해오긴 했어도 생활이 곤궁하다면 도와줍시다."

"그리고 귀한이 4촌들도 살기가 힘든가 봐요. 지금은 옛일을 반성하고 열심히 땀을 흘리며 살려고 노력하고 있어요."

"내가 그토록 타일러도 들은 척도 하지 않았던 싸가지 없는 애들 이야기라면 아예 꺼내지도 말아요. 무슨 낯짝으로 손을 내민단 말이오?"

형님들 자식 이야기가 나오자 진씨는 정색을 하며 화를 냈다. 조카들은 젊어서 물려받은 가산을 탕진하며 인생을 대책 없이 살아왔다.

"뭐 도와 달라는 말을 한 건 아니니 노여움을 거두세요. 그래도 당신이 작은아버지인데 어떡하겠어요? 지금은 남의 땅을 빌려 비닐하우스를 짓고서 채소를 재배하여 팔고 있다내요."

"형님이 물려주신 젖과 꿀이 흐르던 전답이 수만 평이 넘었어요. 젊은 시절도박에 빠져 허송세월하며 황금 같은 들녘의 가산을 탕진했거늘 이제 와서 채소농사를 짓고 있단 말이오? 밑 빠진 독에 물 붇기가 아니겠소?"

"저도 안타깝고 야속한 마음이야 똑같은 심정이지만 피를 나눈 혈육인지라 모른척하기가 어렵네요."

"그 엄청난 재산을 모두 잃고 난 후 다가올 허무하고 참담한 심정이 얼마나 끔찍한 일인지 짐작이나 했다면, 그런 어리석은 행동은 하지 않았을 터인데 아쉬움이 크군요."

"어쩌거나 딸린 자식들도 있는데 쳐다보고만 있자니 안타까워서 그래요. 미운 자식 떡 하나 더 준다고 시숙 조카들만이라도 도와주시면 힘이 될 거예요."

"세월이 유수 같다는 말뜻을 왜 모를꼬? 하여튼 당신의 후덕하고 자비로운 심성은 나이 들어도 변함이 없구려."

"부처님처럼 마음 씀이 넓은 건 당신이에요. 그 덕에 우리가 복을 누리며 살고 있잖아요?"

"지금이라도 정신을 차렸다니 다행이지만 철이 늦게 든 것 같구려."

한때는 김제 평야에서 진씨네 땅을 밟지 않고는 나다닐 수가 없다는 이야기를 들었다. 할아버지 대만 하더라도 한해 수확하는 곡식이 만석이 넘어서 지나는 길손들에게 숙식을 제공하며 덕을 베풀었다. 형님들이 더 많은 땅을 물려받았지만 자식들은 그걸 지키지 못했다. 부자가 망해도 3대는 간다고 했는데 불과 한세대가 가기도 전에 허망하게 망해버렸다. 게으름과 어리석은 과욕이 빚은 참극이었지만 조상님 뵐 면목이 없게 되었다. 그런 부유한 집안의 후손들이 빈털터리가 되었으니 인간의 길흉화복은 도대체 무엇에 기인하는 것일까?

3형제 중 유독 진실한씨만 살림을 일구어서 땅을 늘렸다. 진씨는 인생을 근면하고 성실하게 살면서 복 받을 일을 많이 하고 있다. 인간이 자신의 생각을 바꾸는 건 쉽지 않다. 때로는 살면서 자신의 생각을 좋은 쪽으로 바꿀 줄 알아야 한다. 그것이 변화이고 용기다. 자신의 생각을 적극적이고 능동적으로 바꾸는 사람이 앞서 발전한다.

진실한씨는 아내의 요청을 받아드려 통 큰 결단을 내렸다. 귀한이 이모에게는 논 2000평을 주어 식량을 해결할 수 있게 해주고, 조카 두 명에게도 논과 밭을 각각 2000평씩 주어서 살길을 열어주며 작은 아버지의 도리를 외면하지 않았다. 그 정도의 땅이라면 조카들의 노력여하에 따라 재기할 수 있는 발판이 될 수 있다.

그리고 진실한씨 집에서 오랜 세월 일을 하며 가사를 돕고 있는 다섯 일꾼들에게는 특별히 논을 600평씩 주어서 노고를 잊지 않았다. 그들은 뜻밖의 선물을 받고는 감읍하여 큰절을 올렸다.

"사장님께서 우리들에게 일자리를 주시고 넉넉한 사경을 주셔서 편히 살아왔어요. 자식새끼들 키우며 살기에 어려움이 없는데 땅까지 주시니 은혜를 갚을 길이 없네요."

"우리는 평생을 한 가족처럼 지내왔어요. 지금까지 열심히 일을 하여 나를 도와준 것처럼 앞으로도 열심히 일을 해달라는 뜻으로 보너스를 드리는 겁니다. 여러분들도 행복하셔야지요."

그리고는 남은 전 재산은 딸에게 상속하여 사위의 일을 돕기로 결정했다. 그 땅이 무려 이백 마지기(40,000평)가 넘었다.

"평생 아버지 뜻을 거역하며 살아왔는데 그런 딸이 밉지도 않으세요?"

"그건 너의 장점이자 개성이라 생각했어. 너의 부부가 남들은 하지 못하는 좋은 일을 하는데 보람되게 써다오."

"모든 재산을 우리한테 물려주시면 어떡해요?"

"임경굴정臨耕掘井이란 말이 있다. '논을 갈 때가 되어서야 논에 댈 물이 없음을 알고 허둥지둥 우물을 판다'는 뜻으로 미리 준비하지 못한 게으름을 경계한 말이야. 목이 말라야 우물을 파고, 농사철이 되어서 물을 준비하려면 늦지 않겠느냐? 큰일을 하면서 서두르며 낭패를 당하기 십상이다. 앞으로 너희들에게 많은 자금이 필요할 거야. 돈이 있어야 큰일을 할 수 있고 또 일을 그르치지 않게 되는 법이란다."

"무료 침술원의 운영에 도움을 주시려는 아버지의 뜻은 알겠지만 그래도 전 재산을 주시는 건 아니라고 생각해요."

"큰일을 하려면 우물을 파는 심정으로 미리부터 준비하고 철저하게 대비해야 될 거야. 너희들의 꿈을 이루는데 요긴하게 쓰도록 하여라."

"그 동안 고생만 하시며 살아오셨잖아요? 전 재산을 다른 사람을 위해 쓰시지 말고 아버지와 엄마도 하고 싶은 일을 하세요."

"너희들 하는 일 지켜보며 돕는 일 외에 우리가 할 일은 없는 것 같구나. 큰일을 하려면 모름지기 많은 재원이 필요할 거야? 너희들이 보람된 일을 하는데 나도 동참하고 싶구나."

"우리가 하려는 일은 좀 늦더라도 저희들이 준비할게요. 아버지께서 신경 쓰시지 않도록 해볼게요."

"침술원에서 어떻게 큰돈을 마련할 수 있겠어? 일을 하자면 무엇보다도 자금이 있어야 하고 당초 예상하지 못했던 경비가 추가로 들어갈 거야. 임경굴정이란 위험에 미리 대비하자는 뜻이니 다른 말은 하지 말고 좋은 일하는데 사용토록 해라."

"아버지는 언제나 제 편이 되어주시는 군요? 전 언제쯤 아버지를 기쁘게 해드리는 딸이 될 수 있을까요?"

"넌 이미 우리에게 많은 기쁨을 주고 있단다. 네 행동이 때로는 엉뚱한 데가 있었지만 생각이 깊어서 항상 앞서나갔어. 반원장을 도와 사회에 유익한 일을 많이 하여라."

"그럼 침술원 운영과 재산처리 문제는 아버지의 뜻을 받들어서 할게요."

남편의 꿈을 펼치려면 소요 자금이 만만치가 않을 것이다. 아버지의 뜻을 받들어서 그들의 숙원사업을 추진하기로 결심했다.

반원장은 오래전부터 타지에서 치료받으러 오는 환자수가 많아지자 그들이 부담 없이 치료받을 수 있도록 편의를 제공하고 싶어 했다. 귀한이 처음 이천으로 치료받으러 다닐 때의 어려움을 상기하여 환자들에게 숙식을 제공하는 쉼터를 운영하는게 그의 꿈이었다. 이제는 그것이 그들이 함께 이루고 싶은 꿈이 되었다. 참으로 반원장은 하늘이 내려준 소명을 실천하려는 사람 같았다.

"장인어른께서 전 재산을 물려주시겠다고 하시는데 어떻게 염치없이 받을 수가 있겠어요?"

"당신을 사랑하고 우리를 도우려는 아버지의 큰 마음 이에요. 당신의 오랜 꿈이었던 쉼터를 지어서 몸이 아픈 사람들을 도와주는 일을 해요."

"환자들을 진료하는 치료실과 자원봉사자들의 숙소가 부족해요. 그럼 필요한 시설을 짓기 위한 공사부터 시작하세요."

여건이 마련되자 쉼터의 건축에 대한 구체적인 계획을 수립했다. 무료 침술원의 장기적인 운영 마스터플랜을 세웠다. 언젠가는 부모님이 물려주신 재산을 정리하여 침술원과 쉼터를 운영하기 위한 의료법인을 설립하여 필요한 기금으로 사용할 계획이다.

"쉼터는 당신이 맡아서 환자들이 편리하게 이용할 수 있도록 설계하고 준비를 해보세요. 후진 양성을 위한 교육시설이 필요할거예요."

반원장의 신비한 침술을 배우려는 사람들이 많았다. 그들에게 체계적인 교육을 시켜서 병의 치료 비법을 후학들에게 전수할 계획이다.

"앞으로 건물이 준공되면 부모님과 기증자의 이름을 명명하여 그들의 뜻을 기리며 명예를 존중하도록 할 계획이에요."

"참으로 훌륭한 생각이로군요. 이제야 무료 침술원이 제 모습을 찾아가는 것 같구려."

그들은 부자가 될 수 있는 길을 아예 선택하지 않았다. 오직 몸에 병이 들어 힘들게 살고 있는 환자들을 치료 하기 위한 사회 복지 시설의 기능을 수행하는 데 목적을 두었다. 그들은 무료 침술원이 힘들고 병든 사람들을 돌봐주는 진정한 쉼터가 되기를 소망한다. 지금 반원장 부부는 그 기초를 쌓고 있다. 환자들에게 더 많은 베풂을 실천 하기위한 원대한 계획을 차근차근 실행해나갔다.

23

기적을 이룬 사람들

기적은 사람이 생각할 수 없는 아주 신기한 일이다. 세상에는 기적 같은 일을 체험한 사람들의 이야기가 전해진다. 절체절명의 위기에서 벗어나 귀중한 생명을 건졌거나, 인간의 힘으로는 도저히 이룰 수 없을 것 같은 큰일을 하거나, 극심한 고통을 초인적인 의지로 극복하고 병마를 물리쳐서 다시 건강을 찾은 사람들의 기적 같은 이야기는 언제 들어도 잔잔한 감동을 준다. 그들 앞에는 인간의 한계도 무색할 때가 많다.

한 인간의 생과 사의 운명을 가르던 날, 청명한 하늘에는 흰 구름이 떠있고 대지는 봄기운으로 가득 찬 아름다운 날이었다. 계절은 온갖 만물이 겨울잠에서 깨어나 다시 소생하여 기지개를 활짝 펴고, 아름다운 꽃들을 피워서 짙은 향기를 퍼트리며 벌과 나비를 불러 모았다. 어디선가 이따금씩 뻐꾸기 소리가 한가하게 들려오는 평화롭고 화창한 봄날이다. 겨우내 움츠렸던 몸을 일으켜 활동하기에 더없이 상쾌한 날씨였다.

만개한 봄의 향연을 즐기며 심신단련을 위한 행사가 준비됐다. 강인한씨는 모처럼 직장동료들과 봄맞이 산행을 앞두고 가벼운 흥분이 일었다. 평소 산행을 즐겨하고 있어 자신감이 생겼다. 많은 인원이 산행을 하는 일은 드물었기 때문에 은근히 산행실력을 뽐내고 싶었는지도 모른다. 산은 높든 낮든 오를 때 방심은 금물인데 긴장감이 이완되었던 것 같았다. 정상으로 오를수록 산새가 험했다.

"저기 발갛게 핀 진달래꽃 좀 보셔요. 참 예쁘게 피었네요."

"어느새 꽃이 저렇게 피었을까요? 한 송이 꺾어드릴까요?"

"꽃을 꺾는다면 금방 시들어 버리겠죠? 꽃을 꺾어서 나만 볼 게 아니라 핀 자리에 두고서 여러 사람이 함께 보아야겠죠."

"그럼 매년 꽃을 볼 수 있도록 한그루 집에 옮겨드릴까요?"

"손 안대고 코풀려고 하다니 공짜를 좋아하나 보죠? 선물을 하려면 남들이 탐을 내는 그럴듯한 명품으로 살짝 주어보세요."

"산에 온 김에 점수를 따려고 했더니 이러다간 망신을 당하겠어요?"

"간혹 맨입으로 일을 도모하려는 사람이 있더라고요. 멋쟁이 되기는 틀렸군요?"

"사귀고 싶은 마음이 잠시 맹해졌나 봐요. 산에 있는 진달래꽃으로는 어림도 없겠군요?"

"진달래 꽃 한 송이로 멋진 아가씨를 꼬이려고 했어요? 꿈이 야무지긴 한데 나를 그렇게 시시한 여자로 보면 안 되겠죠?"

선남선녀들의 웃음소리가 해맑다. 젊은 직원들의 의미 있는 농담이 오가며 까르르 웃고 떠드는 소리가 유쾌하다.

강인한씨는 가쁜 숨을 헐떡이며 일행의 선두그룹을 이뤄서 산을 올랐다. 거의 산 정상에 올랐을 무렵 길게 경사진 바위가 나타났다. 큰 바위는 아래까지 급경사로 이어져서 위험을 피하도록 옆에는 미끄럼방지 굵은 동아줄이 매어있었다. 산행의 베테랑으로 소문난 날렵한씨가 맨 앞에서 길을 인도했다. 그는 산을 오르던 속도의 탄력을 이용하여 줄을 잡으려고 힘껏 발돋움하였다. 그런데 힘이 달렸는지 발이 미끄러지면서 줄을 잡지 못하고 넘어졌다.

“내 손 잡아.”

뒤를 따르던 강인한씨는 큰소리로 외치면서 본능적으로 날렵한씨의 소매를 잡았다. 두 사람은 힘이 부쳐서 넘어지고 말았다. 두 사람은 마치 어린이가 미끄럼틀을 타는 것처럼 급경사의 바위를 사정없이 쓸려 내려갔다. 정신을 차려서 무언가 잡으려 애를 썼지만 몸은 가속도가 붙으면서 걷잡을 수가 없었다. 경사진 바위 길이가 30여 미터는 넘을 것 같았다. 그리고는 십여 미터 나 되는 절벽 아래로 무참히 떨어졌다.

절체절명의 순간이다. 의식은 또렷 했지만 몸을 컨트롤 할 수가 없었다. 떨어지는 힘에 의해 몸은 크게 한 바퀴 나뒹굴며 요동을 쳤다. 이때 강인한씨의 몸이 땅에 닿는 순간 전신에 심각한 충격이 가해지면서 생사의 기로에 섰다. 떨어지는 속도에 자신의 체중이 실렸으니 어마어마한 충격이 가해진 것이다. 부하직원의 위기를 도우려던 강인한씨는 안타깝게도 온몸에 치명적인 충격을 받았다.

사생유명이라 했다. 인간의 비극적인 죽음을 가까이서 지켜본 사람은 생과 사의 간격이 그리 멀리 있는 게 아니라고 말한다. 운명적인 순간은 때로는 순간적인 찰나에 달려있어서 눈 깜박할 사이에 결정되는 경우가 많다. 이것이 자연 앞에서 오만하지 말고 겸손해야 하는 이유다.

“사람이 죽고 사는 것은 인간의 손에 달려있는 게 아니라 하늘의 섭리에 좌우되는 것이로구나. 이제 남은 삶은 덤으로 사는 것일 게야.”

끔찍한 사고를 겪은 후 강인한씨는 인간의 생사에 대한 큰 깨달음을 얻고서 인생관을 확립했다.

그때부터 직원들의 순발력이 발휘됐다.

“119 구급대죠? 추락사고가 발생했어요?”

“위치가 어디쯤 인가요?”

“도명산 8부 능선 바위산 아래에요.”

한참 후 구급요원들이 땀을 흘리며 출동하여 응급조치를 취했다. 구급요원들은 사태의 심각성을 파악했다. 큰 외상은 없어도 산새가 험하고 높은 곳에서 추락한 상태라 환자가 큰 충격을 받아 위험하다고 판단했다. 평소 추락사고가 자주 발생하는 곳이기 때문이다. 그들은 즉시 구조헬기의 출동을 요청했다. 잠시 후 굉음소리가 들리더니 세찬 바람을 일으키며 헬기가 도착했다.

강인한씨는 한 가닥 긴 외줄에 매달려서 공중으로 올라갈 때의 처절했던 심정을 결코 잊을 수가 없다. 지금도 눈을 감고 그때를 회상하면 처연한 모습이 떠오르며 가슴을 짓누를 것 같은 공포가 엄습한다. 공중에 대롱대롱 매달려있는 자신의 몸에 헬기에서 몰아치는 세찬 바람이 부딪치고 불쾌한 소음이 귀청을 때렸다. 작은 들것에 실려 삐걱거리며 올라가는 자신의 처지가 보는 사람의 마음을 위태롭게 한건 물론 한없이 애처롭게 느껴졌다. 결코 두 번 다시 경험하고 싶지 않은 괴로운 시간이었다. 그리고 심하게 요동치는 헬기 동체의 흔들림에 시달리면서 유쾌하지 않은 비행을 하였다.

"선생님, 졸리세요? 잠을 자면 안 됩니다."

"네,..."

"어지럽거나 속이 메스껍지 않으세요?"

"괜찮아요."

구급대원들은 강인한씨가 혹시 뇌출혈이나 의식을 잃을까봐 계속 말을 걸었다. 헬기의 삐걱거리는 소음이 불안하게 들렸다. 불과 이십여 분의 짧은 비행이었지만 길게 느껴지면서 다시는 타보고 싶지 않은 초조하고 지루한 비행이었다. 헬기는 심한 회오리바람을 일으키며 운동장에 착륙했다. 자욱한 흙먼지가 사방으로 퍼져나가 시야를 가렸다. 안도의 한숨을 쉴 새도 없이 대기하고 있던 앰뷸런스에 실려 병원응급실로 이송되었다.

24

운명의 힘이 내민 손길

그날 밤부터 소리 없이 통증이 찾아왔다. 무섭도록 아팠다. 그것은 지금껏 살면서 경험 해보지 못했던 상상할 수 없는 극심한 통증이었다. 감당하기 어려운 아픔은 시간이 갈수록 더 심했다. 사고는 짧은 순간에 일어났지만 그의 몸에는 엄청난 변화가 생긴 것이다. 허리가 끊어질 듯 아파서 참을 수가 없었다. 몸이 굳어지면서 뒤척이는 건 물론 움직일 수조차 없었다. 인내심이 강한 그였지만 신음소리가 저절로 나왔다. 시간이 갈수록 통증은 더해지면서 중증의 환자로 변했다.

마치 몸 전체가 통증 덩어리로 뭉쳐있는 괴물같이 끊임없이 찾아왔다. 극심한 통증 때문인지 세상이 무너져 내릴 것 같은 두려움이 엄습했다.

"아 너무 아프다. 이러다가 내가 죽는 게 아닐까?"

죽음의 공포심과 살아야 한다는 욕망이 교차하며 어떤 알 수 없는 초인적인 힘이 자신을 지배하는 것처럼 느껴졌다. 극심한 통증을 조금 면할 수 있는 방법은 하루 3번 진통제를 먹는 것뿐인데 큰 도움이 되지 못했다.

'병은 말을 타고 들어와서 거북이 등을 타고 나간다.'는 서양 속담이 있다. 안타깝게도 속담이 그를 두고 하는 말처럼 괴롭혔다. 강인한씨는 한 순간에 건강을 잃고 피를 말리고 뼈를 깎는 듯 극심한 고통을 참고 견디며 기나긴 투병생활이 시작됐다.

"우리 몸은 신비스럽게도 복원 치유력이 있어요. 물리치료 받으며 몸 관리 잘하면 다시 건강을 찾으실 겁니다. 틈나는 대로 사우나 자주 하면서 맛있는 것 많이 드세요."

뜨거운 탕 속에 들어가 목욕을 하고 물리치료를 받기 시작했다. 마치 어린애 소꿉장난하는 것처럼 느껴져 치료에 도움이 되지 못했다. 이런 식의 치료를 받아서는 백년이 지나도 건강이 회복될 가능성이 없어보였다.

병에 걸리면 대부분 사람들은 조급증이 일면서 불안에 빠진다. 그는 원래 느긋한 성격의 소유자인데 초조해진것 같았다. 몸에 큰 충격을 받아서 나타나는 극심한 통증을 빨리 낫고 싶은 조급증이 작용한 것이다. 효과가 없는 물리치료를 받느니 어떤 결단을 내려야한다고 생각했다. 평생을 진통제에 의지해서 살수는 없다고 생각했다. 그리고는 병원에서 주는 진통제 복용을 단호하게 중단했다. 진통제를 먹어도 아픔이 심했는데 약을 끊었으니 통증은 더했다.

'고통은 살아있는 사람의 특권이다.' 는 말은 죽는 것보다는 낫다는 말 같은데 지독한 통증을 당해보지 않은 사람의 한가한 이야기처럼 들렸다. 통증이 아무리 심하여 짐승처럼 비참하게 살아도 당연히 살아야 한다. 통증을 느낀다는 건 살아있다는 확실한 증거가 된다.

그는 고민에 빠졌다. 그리고는 한방치료를 받기로 결심했다. 올바른 치료법을 선택하는 것은 자신의 건강과 생명을 좌우하게 된다. 그건 선택의 문제가 아니라 자신의 통증을 멈추게 하고, 병이 나을 수 있는 최선의 방법이기 때문이다. 그때 옛 현자의 말이 떠오르며 용기를 주었다.

"믿음이 있으면 망설이지 말고 행동으로 옮겨라."

그것은 큰 결단이자 새로운 도전이었다. 주위는 온통 캄캄한 어둠속 같은 짙은 안개로 덮여있다. 길은 보이지 않아도 어떤 믿음이 그를 이끌어준 것 같았다.

"매일같이 지독한 통증에 시달려야 한다면 맨 정신으론 사는 재미가 없었겠죠? 차라리 진통제를 계속 먹거나 마약이라도 하시지 그랬어요?"

"마약을 한다는 건 의지 약한 사람이 잠시 통증을 면하려는 현실도피가 아닐까요? 그러면 백년이 지나도 낫지 않을 거예요. 그러다가 중독되면 인생 끝장나는 게 아니겠어요?"

"통증을 참으며 진통제 복용까지 중단했으니 마음고생이 엄청 컸겠어요? 얼굴은 순하게 보이는데 뚝심이 강한가 봐요."

"몸 안의 통증을 조금이라도 덜어낼 수 있다면 무슨 일이든 했을 거예요. 아픈 침을 맞으며 참고 견디는 게 옳다고 생각했어요. 나중에 알았지만 진통제를 복용하면 침을 맞아도 효과가 없다고 하더라고요. 그저 미련하도록 참고 견디며 한방치료에 전념했어요."

어떤 예지가 작용했던 것 같다. 한방치료를 받으면서 진통제를 중단한 것은 우연한 일치였지만 결과적으로는 올바른 선택을 한 것이다.

"어쩌면 약의 복용을 줄였기 때문에 약의 독한 내성을 덜 받아 통증을 이겨내고 건강을 찾으신 것 같아요."

"그때 마약을 먹어서 통증을 덜려 했다면 지금 나의 이성과 정신이 피폐해져서 온전하게 보존될 수는 없었겠죠."

"마약으로 고통을 잊으려한다면 어리석은 짓이에요. 통증을 불편으로만 받아드리지 않고 인내와 절제하는 마음으로 위기를 극복하셨군요."

진통제의 중단이 치료에 도움이 되었다는 걸 의학적으로 증명할 수는 없다. 다만 그의 의지와 과감한 실천이 건강을 찾는데 결정적인 요인이 되었다. 변화를 찾기 위한 노력은 결과적으로 치료에 도움을 주었다.

그런데 궁하면 통하고 절망 속에서도 희망의 싹은 자란다. 어느 날 한 남자가 택시를 타고 가면서 끙끙거리며 괴로워했다. 신음소리를 내며 고통스러워하는 모습이 딱했던지 택시기사가 조심스럽게 물었다.

"손님, 어디가 아파서 그러세요?"

"며칠 전 화분을 옮기다가 허리를 삐끗했는데 아파서 그래요. 택시가 흔들리니까 당체 꼼짝할 수가 없네요."

"제가 조심스럽게 운전을 할게요. 그럼 침을 잘 놓는다고 소문난 침술원을 알고 있는데 거기를 안내해드릴까요?"

"그런 곳이 있으면 연락처나 주소를 알려주세요."

"경기도 이천에 무료 침술원이 있어요. 그곳에 가셔서 침을 한번 맞아보세요. 효과를 본 사람이 많아요."

남자의 귀가 번쩍 뜨였다. 행운의 여신이 미소를 지으며 그를 찾아온 것이다. 그 남자는 택시기사가 알려준 무료 침술원에 찾아가서 침을 몇 차례 맞았다. 참으로 신기한 일이 일어났다. 거동조차 힘들었던 허리가 씻은 듯이 감쪽같이 나은 것이다. 신통하도록 뜻밖의 효과를 본 남자는 틈나는 대로 자신의 치료경험을 자랑하며 다녔다.

강인한씨가 절망적인 상태에서 발버둥 치며 아까운 세월을 축내고 있을 때 친지한테서 우연히 효과를 본 남자의 경험담을 전해 들었다. 드디어 반듯한원장을 만날 수 있는 인연의 고리가 연결된 것이다. 그런데 인연의 고리는 우연히 찾아오는 것 같지만 사실은 필연적인 사연이 있어야 만날 수가 있다. 반신반의하던 그는 모처럼 시간을 내어서 침술원을 찾아갔다.

"내 몸은 통증으로 뭉쳐진 괴물과 같습니다. 잠시라도 통증을 덜 수만 있다면 바랄 게 없겠군요."

"제가 놓는 침은 아픕니다. 시침의 아픔을 견딜 수 있다면 몸 안의 통증을 없애서 건강을 찾을 수 있다는 희망을 가지셔도 됩니다."

다른 한의사가 하는 말과는 달리 꾸밈이나 가식이 없었다. 그는 망설이지 않고서 침을 맞았다. 자신도 모를 신음소리가 절로 새어나왔다. 그런데 뜻밖에도 지금까지 맞아왔던 침의 느낌과는 완전히 달랐다. 드디어 침술이 주는 신비스런 경험이 시작됐다.

"어쩌면 이럴 수가! 과연 신비의 침술이로다."

첫 번째 시침을 받으면서 강인한씨는 이런 생각을 했다. 시침을 하고 있으면 몸속에 숨어있는 거대한 통증이 조금씩 밖으로 빠져 나가는 것 같았다. 지금까지 치료받았던 것과는 달리 변화가 생겨서 나을 수 있다는 믿음을 갖게 되었다. 그는 그걸 '운명의 힘'이라고 생각했다.

"세상에는 운명의 힘이 존재하고 있어요. 누구나 운명의 지배를 받으며 살고 있지요. 신기하게도 나에게 운명의 힘이 찾아왔다고 생각했어요." 그날부터 병이 나을 수 있다는 희망이 보이면서 단번에 침술의 신비에 빠져들었다. 어쩌면 희망의 여신이 미소를 지으며 통증을 씻어주고 건강을 찾아줄 것 같았다. 일단 치료가 시작되자 한 눈 팔지 않고 한길로 나갔다. 그는 운명의 힘에 이끌려서 찾아온 행운의 여신이 내민 손길을 덥석 잡았다. 이번에는 제대로 잡아서 반원장 같은 숨어있는 명의를 만났다고 생각했다.

"환자는 병이 나을 수 있다는 믿음을 가져야해요. 그 믿음을 주는 게 바로 의사의 실력이지요. 의사와 환자는 서로 신뢰할 수 있어야 해요."

이젠 통증이 멈춰서 건강을 회복할 수 있다는 믿음과 자신감이 생겼다. 작은 틈새로 보이는 실낱같은 가능성이었지만 모진 고통을 참고 견딜 수 있는 힘을 준 것이다.

그로부터 십년이 넘는 세월이 훌쩍 지나갔다. 지독한 통증을 치료하면서 십년의 세월을 보냈으니 그가 고생한 것은 필설로 표현하기가 힘들 것 같다. 세월은 빈틈없이 정확하다. 세상에 변하지 않는 것은 없으며 영원 할 것 같은 인간의 마음도 변한다. 고통을 안고 힘들게 살아가는 사람에게도 세월은 피해가지 않는다. 수많은 사연과 함께 슬픔과 기쁨도 쌓여갔다. 건강을 찾기 위한 집념은 초인적인 것이어서 결국 그런 의지가 그를 살려냈다. 돌아보면 안타깝고도 먼 시간이었지만 건강을 찾겠다는 희망을 잃지 않고 끈질기게 버틴 것이다. 그것은 참으로 모질고 거친 인고의 세월이었다.

"그래도 설령 다시 젊음을 찾을 수 있는 방법이 있다 하여도, 그 모진 고통을 또다시 안고 살아야 한다면 젊을 적 세월로 돌아가고 싶지는 않아요."

"그런 엄청난 고난을 극복한 걸보면 남들은 상상할 수 없는 위대한 삶을 살아오셨어요."

"인간은 저마다 굴곡진 인생을 살면서 자신이 겪은 고난이 제일 힘들었다는 생각을 하게 되지요. 돌이켜보면 제가 살아온 인생도 결코 만만한 삶은 아니었다는 생각이 듭니다."

지나간 세월은 아름답다고 하는데 고통과 싸워온 모진 세월을 회상하는 것이 두려운 사람이 있다. 강인한씨는 수많은 세월 침을 맞으며 엄청난 고통과 싸우며 힘겹게 보냈다. 지난 세월을 돌이켜보면 고생한 시간들이 무상하기만 한 것은 아니다. 한 때는 불치의 병이라 여겨서 치료를 단념하려고 했으나 소중한 건강을 다시 찾았기 때문이다. 그는 운명의 힘이 이끌어 준대로 긴 세월 치료를 받아 건강을 찾은 걸 감사한다.

세상에는 이성이나 과학으로 설명 할 수 없는 신비한 일들이 일어난다. 인간의 운이나 정성이 한몫을 하기도하지만 인내와 끈기가 필요하다. 병은 치료할 수 있다는 신념과 희망을 포기하지 않는다면 건강회복이라는 값진 선물로 보상받는다. 강인한씨는 죽음의 문턱에서 기적적으로 살아나 건강을 찾은 것은, 멈출 줄 모르는 인내심과 고래심줄 같은 끈기가 있었기 때문에 가능했다고 믿고 있다. 인간은 온갖 시련을 겪으면서 성숙해지고 삶의 자세가 반듯해진다.

지난 세월을 돌아보면 행운의 여신이 두 사람을 만나게 했다. 한 사람은 실력을 가진 명의였고, 또 한 사람은 품격을 지닌 인격자였다. 그건 우연한 만남이 아니라 필연적인 운명의 힘에 의한 만남이었다. 그들에겐 남들은 알지 못하는 깊이 있는 믿음이 존재했다. 인생을 살면서 믿음을 가질 수 있는 사람이 있다는 건 행운이며 소중한 재산이 된다. 그들은 맹자의 사단四端에서 출발한 인간의 본성 중 측은지심惻隱之心이 강했다. 타고난 인성이 착하여 사람을 가엾게 여기고 불쌍히 여기는 마음이 있어서 늘 배려와 따뜻함이 오갔다. 인생을 살면서 이런 만남은 흔치 않을 것이다.

25 명의와 인격의 만남이 준 향기

진귀한씨가 침술원에서 봉사한 세월이 10년이 넘었다. 경험만큼 중요한 교육은 없다더니 하루는 침을 뽑는데 이상한 느낌이 들었다. 그 동안 강인한씨 치료과정을 지켜보아온 터라 이상하게 느낀 점을 남편에게 전했다.

"강선생님 말이에요. 그렇게 오랫동안 힘들게 침을 맞으면서도 자세 한번 흐트러지는 법이 없어요."

"남들이 지니지 못한 고결한 인품에 식견을 지닌 본받을 점이 많은 분이에요. 그분의 의지가 남달라서 기적 같은 일을 만들어 냈어요."

"건강 상태가 많이 나빴었나요?"

"처음 치료를 시작했을 때는 전신을 다친 상태여서 거동하는 게 불편했어요. 통증이 심하여 팔 다리를 자유롭게 움직이는 것도 힘이 들었어요."

"몸이 얼마나 아팠으면 움직이는 것도 힘이 들었을까요? 전 그런 심각한 상태의 환자를 본적이 없어요."

"침술원에는 다양한 환자들이 찾아오는 곳이에요. 수많은 환자들을 치료한 경험이 있지만 기억에 뚜렷하게 남아있는 환자는 몇 명에 불과해요. 강선생님도 그중 한분일거예요."

"저도 치료받던 때를 생각하면 악몽과 같은 세월 이었는데 제게는 잊을 수 없는 시간이었어요. 당신을 만날 수 있는 소중한 기회 였으니까요."

"당신도 얼굴 근육이 마비되어 고생했는데 완치된게 벌써 여러 해가 지났군요. 인간은 건강을 잃은 후에야 중요성을 아는데 일상생활을 편하게 사는 것이 바로 행복이에요."

"제가 아픈 것은 작은 고통 이었다는 생각이 들어요. 인생은 감사하며 살아야 할 일이 참 많은 것 같아요."

"그분이 과묵해서 내색을 하지 않아 그렇지 매일 극심한 통증에 시달렸을 거예요. 나는 치료 하면서 많이 힘들 거라 짐작만 했을 뿐이지요."

"그래도 얼굴 찡그리지 않고 아픈 기색을 보이지 않으며 열심히 치료 받으시네요. 오랜 기간 아픈 침을 맞느라 얼마나 힘이 들었을까요?"

"통증치료에는 침술보다 더 좋은 치료법이 없어요. 아프지 않게 치료하는 방법은 앞으로 인류가 해결 해야할 숙제지요. 그런 치료법을 개발하는 데 나도 힘을 보탤게요."

"그분을 뵐 때마다 안타까운 생각이 들어요. 그분의 얼굴에 왠지 모를 인생의 그늘 같은 게 보여요."

"통증을 치료하며 겪었을 육체적인 고통과 심적인 부담이 얼마나 컸겠어요? 또 말하기 힘든 가정사의 근심거리 같은 게 있지 않을까요?"

"당신이 온 정성을 다하여 치료하는 걸 아시는지 늘 감사한 마음을 잊지 않고 계세요."

"현실을 받아드리는 긍정적인 자세가 건강을 찾게 해준 요인일거예요. 항상 감사하면서 짜증을 내거나 불평하는 법이 없잖아요?"

"최근 들어 강선생님 몸에서 피가 자주 흘러요. 다른 환자에 비하여 침을 뽑을 때 힘이 들어서 자연스럽지가 못해요."

"당신의 눈썰미가 예리하시군요? 나도 침을 놓기가 힘이 들고 강선생님이 몹시 아파하더군요."

"당신도 강선생님한테서 이상 증세를 느끼고 있었나보죠?"

"신체가 주는 건강의 이상신호로서 어떤 증상을 암시하고 있는 것 같군요. 며칠 더 관찰 하면서 원인이 무엇인지 찾아봐야겠네요."

피가 자주 나고 침을 놓고 뽑을 때 힘이 든다는 건 이상신호였다. 한의 서적을 찾아보며 여러 날 찬찬히 숙고를 거듭했다.

"강선생님, 혹시 최근에 침을 맞으면서 전에 비하여 어떤 이상 증세를 느낀 점은 없으셨나요?"

"최근에 침을 맞을 때 몹시 아팠어요. 침을 억지로 꽂는 것 같아서 침감을 느끼지 못할 때가 많았고요."

"그럼 몸에서 침을 거부하고 있었군요. 침을 맞느라 고생만 했지 효과도 없었을 거예요. 그 외에 다른 증상은 없었나요?"

"몸에 힘이 빠져서 전신이 나른하고 피곤해요. 면역력이 떨어졌는지 감기를 비롯한 잔병에 자주 걸렸어요. 나이 탓으로 여겼는데 이런 상태가 지속되면 힘이 달려 침 맞기가 힘들 것 같아요."

"벌써 침술치료를 받은 지 15년이 넘으셨지요? 장기간 치료과정에서 오는 침의 부작용 같군요. 선생님 몸 안의 기가 빠져나가 탈진한 것 같아요."

"그런 건 생각지도 못했는데 역시 명의의 판단은 예리하시네요."

"하마터면 큰 실수를 할 번했어요. 아직도 침술에 부족한 게 많은가 봐요."

"원장님 앞에는 고치지 못할 병이 없고, 치료하지 못하는 환자가 없거늘 무슨 겸손의 말씀을 그렇게 하세요? 최근 몸의 증상에 대해 이야기 하지 않은 나의 불찰이지요."

강인한씨 몸에 나타난 증상은 미처 경험해보지 못했던 일이라 당황했다. 반원장은 이것이 오랜 기간 침을 맞을 때 나타나는 침의 부작용이란 결론을 내렸다. 인간의 신체가 주는 이상 신호를 부인이 적기에 발견한 것이다.

"강선생님에 대한 치료는 여기까지 입니다. 신의 가호가 있었기에 건강을 찾는데 도움을 드릴 수가 있었어요."

"세상에 어찌 적구지병 같은 일만 존재 하길 바라겠어요? 통증으로 움직일 수조차 힘든 몸을 원장님의 치료덕분에 이만큼이나 건강을 찾았으니 감사할 일이지요."

"그리고 앞으로 침술치료는 받으시면 안 됩니다."

"그럼 몸에 통증이 생겼을 때 침이 아니면 어떻게 치료를 받아야 할까요?"

"침의 부작용은 몸에서 침을 거부하는 심각한 증상이에요. 한번 나타나면 맞지 않는 게 좋아요."

"만약에 침의 부작용을 무시하고 계속 침을 맞는다면 어떻게 될까요?"

"침을 맞기도 힘들겠지만 침의 효과도 없고, 몸의 저항력이 떨어져서 견디지 못하고 결국은 죽음을 재촉하게 되겠지요."

"침술이 생명을 살려내는 신비한 효험이 있는 반면, 부작용 또한 만만치가 않군요. 그런데 원장님 외에는 침의 부작용에 대하여 모르는 것 같아서 안타까운 생각이 드네요."

두 사람은 기적을 만든 동반자가 되었다. 반원장은 침술에 대한 새로운 지식을 깨우쳤다. 강인한씨의 사례를 참작해서 침의 부작용에 대한 이론을 정리하여 세계 한의학지에 발표했다. 지금까지 알려지지 않았던 새로운 정보에 세계 한의학계는 큰 반향을 일으켰다. 침의 부작용에 대한 산지식이 되어서 과도한 시술을 삼가야 한다는 교훈을 주었다. 그 후 침의 부작용에 대한 후속 연구가 활발히 진행되고 있다.

강인한씨가 건강을 찾은 결정적 요인은 인내심이었다. 질병치료는 무엇보다도 꺾일 줄 모르는 의지와 끈기가 있어야 한다.

"병은 먼저 빨리 낫고 싶다는 조급증을 버려야 해요. 치료법을 자주 바꾸는 건 치료에 도움이 되지 않아요."

통증치료는 단시간에 끝나지 않는다. 길고 긴 치료 과정은 괴로움과 외로움의 연속이다. 파도처럼 밀려오는 고독과 지루함을 견뎌내고 녹여줄 무슨 일이든 하면서 의미 있는 삶을 만들어야 한다.

"긴 세월 고통을 참고 견딜 수 있었던 것은 건강을 찾겠다는 일념과, 지긋지긋한 통증에서 벗어나 잠시라도 편히 살고 싶다는 소박한 욕망 때문이었어요. 병은 고통 없이 치료할 수가 없어요."

맑고 쾌청한 날이 지속되면 사막으로 변하는데, 눈비가 내리고 거친 풍설에 시달리게 되면 비옥한 땅이 되는 이치와 같다. 강인한씨는 치료를 받을 때마다 오천 원씩을 성금함에 넣었다. 명절 때는 물론 가끔은 정성어린 선물을 하면서 고마움을 표시해왔다. 그는 한의 치료를 중단하면서 가족들의 동의를 얻어 1억원의 성금을 조건 없이 쾌척했다.

"원장님은 통증으로 뭉쳐진 괴물 같았던 몸을 정상으로 치료해주셨어요. 지금 심정은 기적을 안겨준 원장님께 큰절이라도 드리고 싶군요."

"그건 선생님이 고통을 참고 피땀을 흘리며 치료하신 정성의 결과에요. 제공으로 돌리시는 건 당치 않아요."

"난 지독한 통증으로 비참한 삶을 살아야했어요. 천행으로 신기의 침술을 지닌 원장님을 만나 치료를 받고 건강을 찾았으니 감개무량하군요. 헌신적으로 치료해준 두 분께 작은 성의지만 보답해야겠어요."

"선생님께서는 치료의 대가를 충분히 지불하셨어요. 전 성금을 받을 수가 없습니다."

"원장님은 환자들에게 건강을 선사하여 그들이 인간답게 살 수 있는 희망을 주고 있어요. 의료시설을 확충하고 현대화시켜서 고통 받는 환자들에게 양질의 의료서비스를 제공하길 바랍니다."

"그것은 이제 제 소명이 되었어요. 저는 아내와 함께 이일을 기쁜 마음으로 하고 있어요. 선생님께서는 제가 힘들 때마다 용기를 주시고 물심양면으로 도와주셨어요. 이러실 필요가 없어요."

"나에게 기적을 안겨준 원장님의 숨은 노력을 돈으로 계산할 수는 없지만 고마움을 조금이나만 갚을 수 있도록 받아줘요."

"환자를 치료하는 건 마땅히 제가 할 일이에요. 과분한 성금을 주시면 부담이 되어서 불편할 것 같아요."

"빌린 돈을 모두 갚을 수 있어도 도움을 받은 은혜는 그대로 남아있어요. 인간은 자신이 받은 은혜를 깨닫지 못하고 잊어버리거나 고마움을 무시할 때가 많은데 그걸 갚을 줄도 알아야 해요."

양심은 누군가의 강요에 의해서가 아니라 스스로 지키는 것이다. 세상에는 양심을 지키기 위하여 목숨을 바치는 사람이 있는가하면, 헌신짝처럼 버리는 가벼운 인간도 있다. 환경이 양심을 버리고 살도록 유혹하는 경우도 있지만 그래도 진실한 사람이라면 결단코 양심을 지켜야 한다. 양심은 향기가 나고 아름답다. 인간이 양심을 지키며 사는 것은 도덕적 의무이다. 자신의 이익을 위하여 양심을 버리고 살 것이 아니라 그것을 지키며 떳떳하게 사는 바른 사람이 되어야겠다.

반원장 부부는 우리사회 양심의 사표가 되는 사람이다. 이때부터 침술원에서 행하는 봉사와 헌신에 감사하고, 나눔과 베풂의 선행에 감동하여 그들을 돕고자 하는 사회적인 운동이 시작됐다. 강인한씨를 비롯한 저명인사들이 주축이 되었다. 그중에는 반원장의 잃어버린 시력을 찾아주자는 모임이 있어 눈길을 끌었다. 경제적인 지원뿐만 아니라 그들의 숨은 공덕을 알리려고 노력했다.

"나눔과 베풂은 없어지지 않아요. 그것을 통하여 행복의 크기를 더 키울 수가 있지요. 앞으로는 우리사회가 자신이 받은 감사에 대해 갚을 줄 아는 사람이 많아지기를 바랍니다."

"그것은 내가 줄 수 있는 마음의 여유가 있어서 즐거움이요, 받는 사람을 기쁘게 했으니 행복이 따르겠지요?"

인간은 더 가지려고 애를 쓰며 사는 시간이 많다. 물질을 위하여 시간과 노력을 아낌없이 사용한다. 그걸 줄여서 자신의 양심과 인격을 쌓으며 살아간다면 물질로는 얻을 수 없는 정신적인 기쁨이 늘어날 것이다. 자신만을 위한 이기적인 삶보다 작은 것이라도 나눔이나 베풂을 실천하는 건 중요한 일이다. 착한 마음을 갖고 있다면 실천할 때 빛이 난다. 힘든 사람에게 따뜻한 말로 위로하고 친절히 대하면서 격려를 하는 것만으로도 가치가 있다. 나누지 못한다면 우리가 소유한 것들은 별로 쓸모가 없게 되어서 가치가 줄어든다. 강인한씨는 연령차를 뛰어넘어 반원장과 각별하게 인간적인 정과 의리를 나누며 형제애 같은 친교를 다지며 살고 있다.

26
찾아온 행운

행운은 열심히 일하고 바르게 사는 사람에게 찾아와서 그를 돕는다. 따라서 행운은 정직하고 착한일 하며 살라는 교훈을 준다. 앞을 볼 수 없는 사람이 환자들을 무료로 치료해주고, 특히 가난한 환자들의 건강을 돌보고 있다는 선행 사실이 널리 알려졌다. 반원장에 대한 관심이 집중되면서 국민적인 영웅으로 떠올랐다.

"우리 곁에 이런 영웅이 있다는건 우리 사회의 보배요, 홍복으로 큰 행운이에요. 눈뜬 우리도 못하는 일을 눈먼 사람이 하고 있는데 도와주고 격려해주어야 해요. 그에게 빛을 찾아줍시다. 그의 선행에 보답하는 뜻에서 눈의 이식수술이 가능한지 진찰이라도 받을 수 있도록 도와줍시다."

강인한씨와 의료계를 중심으로 뜻을 함께하는 인사들이 그에게 빛을 찾아주자는 운동을 펼쳤다. 많은 사람들이 호응하여 성금을 내며 힘을 모았다.

반원장에게 시력을 찾아주자는 일에 가장 적극적인 사람은 저명한 안과 의사인 선량한박사였다. 선박사는 시신경이 조금만 살아있어도 줄기세포로 재생시켜 시력을 찾을 수 있는 획기적인 기술로 세계적인 특허를 지닌 안과 권위자였다. 그는 양심적이고 의협심이 강했다. 돈 없는 환자들에게 무료로 개안수술을 해주면서 소리 없이 의술의 베풂을 실천하고 있었다. 반원장의 놀라운 이야기를 들을 때마다 그를 도와야겠다는 생각을 하면서 자신의 의무처럼 여겼다.

선박사는 반원장의 눈을 정밀 검사해보고 수술을 하고 싶다는 뜻을 전했다. 반원장은 잃었던 시력을 찾을 수 있다는 희망에 부풀어서 한동안 밤잠을 이룰 수가 없었다. 진찰을 받기로 약속한 날 병원을 찾아가 선박사를 만났다.

"원장님은 사진으로 볼 때보다 훨씬 젊으시군요? 환자들을 위하여 무료진료를 하시다니 참으로 뜻있는 일을 하시네요."

"몸이 아픈 사람들에게 병은 치료될 수 있다는 작은 희망을 줄뿐이지요. 무료진료를 한다고 소문이 난건 부끄럽네요."

"환자를 치료하는 일은 정상인도 하기 어려워요. 그런 베풂의 삶은 아무나 할 수가 없어요. 힘든 일을 실천하고 계시면서 겸손한 말씀을 하시는군요."

"내가 소유한 지식을 다른 사람에게 유용하게 쓸 수 있다면 기쁜 일이지요. 남을 돕는다는 건 자신의 마음먹기에 달려있다고 생각합니다."

"재능 기부는 아무나 할 수 있는 일이 아니에요. 저는 그런 큰마음을 도저히 따라갈 수가 없을 것 같군요. 원장님이 시력을 찾을 수 있도록 최선을 다해보겠습니다."

"꿈같은 이야기에 가슴이 설레는군요. 빛을 다시 찾는다는건 상상도 하지 못했었는데 그런 행운을 잡을 수 있을지 가슴이 떨리는군요. 선박사님의 호의에 감사드립니다."

"이번에 원장님 덕분에 함께 사는 것이 편하고 즐겁다는 것을 깨달았어요. 그런 생각을 깨우쳐 주셨으니 저도 감사를 드립니다."

기초검사에 이어 정밀검사를 받으며 검사가 진행될수록 긴장과 초조감이 더했다. 과연 다시 시력을 찾을 수 있을까? 그런 꿈같은 일에 반원장은 두려움이 앞섰다. 선박사는 검사가 끝나자 긴장하고 있는 반원장 부부에게 다소 흥분된 목소리로 말했다.

"저는 환자들을 치료하면서 어려움에 부딪칠 때면 신께 의지하고 싶어지는데 오늘은 먼저 신께 감사를 드리고 싶군요."

"그건 저도 마찬가지 심정이에요. 치료가 어려운 난치병 환자들이 기사회생으로 건강을 찾았을 때 이건 신의 도움이란 생각이 들더군요."

"천하의 명의께서 겸손한 말씀을 하시네요. 확실히 병의 치료는 인간의 힘만으로는 힘들 때가 있어요. 1차 검사결과가 낙관적으로 나왔어요."

"그건 희망이 있다는 뜻인가요? 정말 그런 엄청난 일이 일어날까요? 신에 대한 믿음도 인간의 믿음과 같은 것이겠지요?"

"신은 착한 사람을 좋아한다고 생각해요. 신께서는 모든 걸 알고 계시니까 좋은 일을 하는 사람은 외면하지 않는 것 같아요."

"빛을 찾을 수 있는 희망이 있다니 마음을 진정시키기가 어렵군요."

"일부 시신경이 살아있어서 수술을 받으면 시력을 되찾을 수가 있을 것 같아요. 이건 아무래도 신의 은총이라 믿고 싶군요."

"신께서 원하는 선함은 인간이 행하는 옳고 정직한 행동에 있다고 믿어요. 제가 그런 자격이 있을까 의문이 드는데 정말 세상의 빛을 다시 볼 수 있을지 가슴이 떨리는군요."

"2차 검사결과를 분석해 보아야겠지만 성공의 확률이 매우 높아요. 더 많은 환자들에게 건강을 찾아주라는 신의 뜻이라 생각됩니다."

"바쁜 신께서 인간의 이기적인 일까지 관여할 수는 없겠지요. 자꾸만 두려운 생각이 드는 건 웬일일까요?"

"원장님은 당연히 축복을 받을 자격이 있다고 생각해요. 다만 이식받을 건강한 안구확보에 어려움이 남아있어서 기다려주셔야겠어요."

빛을 잃고 어둠의 세계에서 살아온 세월이 벌써 40년이 넘었다. 오랜 시간이 지났는데도 다시 빛을 찾을 가능성이 있다는 말에 기적 같은 일이라고 생각했다. 반원장은 희망에 부풀어서 아내의 손을 잡고 함박웃음을 지으며 기쁨을 감추지 못했다.

이 무렵 무료 침술원에 뜻밖의 편지 한통이 배달되었다. 귀한은 편지를 몇 번씩 읽어보면서 잔뜩 긴장했다.

“여보, 당신 앞으로 이상한 편지가 왔어요.”

“이상한 편지라니 무슨 내용이기에 그래요?”

“처음에는 장난으로 보낸 편지인 줄 알았는데 굉장히 중요한 내용이에요. 제가 한번 읽어드릴 테니 잘 들어보세요.”

“‘오래전부터 반원장님의 선행소식을 들어서 알고 있어요. 나는 내일을 기약할 수 없는 불치병 환자라오. 다행이 밝은 눈을 갖고 있어요. 나의 생명이 다하기 전에 내 안구를 원장님께 이식하여 빛을 찾을 수 있도록 돕고 싶군요. 원장님이 내 눈을 이식받아서 질병으로 고생하고 있는 환자들의 건강을 찾아 주세요. 내 안구를 기증하고 싶으니 망설이지 말고 받아주세요.’”

편지의 내용은 간단했지만 의미심장했다. 귀한은 남편에게 소중한 안구를 기증하려는 사람이 있다는 사실이 놀라웠다. 어쩌면 시력을 찾을 수 있는 희망이 점점 가까이 다가오는 것 같았다.

“선박사님과 의료계에서 당신에게 빛을 찾아주자는 운동을 펼치고 있잖아요? 그런 취지에 동참하려는 사람이 보낸 편지 같아요. 편지의 내용이 장난으로 썼거나 거짓말로 놀리려는게 아닌 것 같아요.”

“나도 진정성이 느껴져서 감격하고 있어요. 어떤 분인지는 모르겠지만 살신성인의 정신을 가진 사람 같군요.”

“생전에 자신의 장기를 기증하겠다니 훌륭한 사람이에요. 당신이 시력을 찾을 수 있는 기회가 찾아왔어요. 제가 선박사님과 상의를 해볼까요?”

“잠시 기다려주세요. 선박사님께 알리지 마세요.”

보통 침술원에는 자신의 병을 치료해 달라는 편지가 많이 왔다. 죽기 전에 마지막으로 신기의 침술을 지닌 반원장의 치료를 한번 받아보는 게 소원인 사람들이 많았다. 그런데 이건 자신의 안구를 기증하겠다는 의사를 전달해 와서 반원장 부부를 놀라게 하였다.

반원장은 한동안 침묵하며 숙고했다. 귀한은 괜히 초조하여 안절부절 못하였다. 며칠이 지난 후 그는 전혀 뜻밖의 말을 하였다.

"아무리 생각해도 살아있는 사람의 안구를 기증받는 건 안 되겠어요. 더구나 불치병 환자라고 하잖아요?"

"불치병 환자니까 자신의 안구를 기증하겠다는 생각을 한게 아닐까요? 당신이 염려하지 않아도 될 일이에요."

"사리분별이 분명한 당신까지 나를 염치없는 사람으로 만드는 일에 동참시키려고 하지 마세요."

"당신이 왜 염치없는 사람이란 말이에요? 강제로 수술하자는 게 아니라 본인의 뜻을 존중해서 기증받는데 안 될게 뭐가 있겠어요?"

"인간의 양심과 윤리가 걸린 일이에요. 난 그런 이기적인 행동은 할 수가 없어요."

"그분께서 심사숙고 끝에 내린 결정일 거예요. 편지를 써서 보낸 환자의 뜻을 존중하여 이식수술을 받으셔야 해요."

"앞을 볼 수 없는 고통이 세상을 살아가는데 얼마나 답답할지 상상해보세요. 지금도 몸이 아파 불편하게 살고 있는데 그런 환자가 눈까지 잃는다면 얼마나 힘이 들겠어요?"

"당신 마음이 여려서 아픈 건 알겠지만 이번 만큼은 흔쾌히 받아드리세요. 빛을 찾아서 더 많은 환자들의 건강을 찾아주세요."

"환자는 나에게 눈을 주는 순간부터 아주 고통스러운 불편에 빠질 거예요. 내가 편하자고 그런 일을 할 수가 있겠어요? 나의 행동이 누군가에게 피해를 주거나, 나의 이기심을 충족시키기 위한 것이라면 그런 일은 할 수가 없어요."

"죽기 전에 좋은 일을 하겠다는 그분의 뜻을 받아드리세요. 당신의 고통과 불편을 치유하세요. 이번만큼은 제 의견을 따라주세요."

"병든 몸을 보는 것도 안타까운데 눈이 없어 힘들어하는 환자의 모습까지 보아야한다면 얼마나 괴롭겠어요?"

"당신이 잃었던 시력을 찾을 수 있는 기회를 포기하지 마세요. 제발 그분의 거룩한 뜻을 받아드리세요."

반원장의 뜻은 완강했다. 그는 누구보다도 앞을 볼 수 없는 불편과 고통을 잘 알고 있는 사람이다.

"나는 살아생전에 나의 장기를 다른 사람에게 떼어줄 수 있을까?"

반원장은 이런 양심적인 의문에 빠졌다. 살아생전에 자신의 눈을 줄 수 있는 사람은 없다고 생각했다.

"움직일 수 없는 환자에게 볼 수 없는 고통까지 준다면 여생을 더 힘들게 살아야 할 거야. 내가 받는 불편을 그분께 전가하려는 거야. 어떻게 죽어가는 사람에게 그런 가혹한 시련을 준단 말인가?"

참으로 놀라운 일이었다. 눈을 주려는 환자의 뜻도 놀랍지만 그걸 포기하려는 남편의 뜻도 놀라웠다. 귀한은 남편이 시력을 찾을 수 있는 절호의 기회라 믿고는 적극적으로 설득했지만 그의 뜻은 완고했다. 그리고는 눈물을 흘리면서 안타까운 심정으로 감사의 답장을 대필했다.

"선생님, 생전에 눈을 주시겠다고요? 지금도 몸이 아파서 불편하실텐데 힘들어서 어떻게 사시려고요? 그런 거룩한 마음을 지니시다니 송구하여 몸 둘 바를 모르겠어요. 제가 편하자고 다른 사람을 불편하게 할 수는 없어요. 생전에 눈을 주시겠다는 숭고한 뜻만은 받아드릴 수가 없어요. 절대로 삶을 포기하지 마시고 힘을 내세요. 꼭 건강을 다시 회복하시길 기원할게요."

선박사는 반원장을 도우려는 사람들과 함께 안구기증 운동을 펼쳤다. 어려운 일로만 여겨졌던 안구확보가 뜻밖에 순조롭게 진행되었다. 평소 반원장의 선행에 감동을 받아 흠모하고 있던 사람들이 자신의 안구로 반원장이 빛을 다시 찾을 수 있기를 원했다. 그런데 안구를 사후에 기증하는 조건이어서 언제 수술을 받게 될지 기약할 수가 없었다. 반원장은 시력을 찾을 수 있다는 꿈 같은 이야기가 현실로 다가 올수록 흥분을 감출 수가 없었다. 그는 대가없이 자신에게 도움을 주려는 사람들에게 감사한 마음을 가졌다.

27 기막힌 눈물

시력을 찾기 위한 눈의 이식수술은 건강한 안구를 확보하는 것이 관건이다. 선량한 박사는 안구기증 의사를 전해온 사람 중에서 적임자를 찾고 있던 중 뜻밖의 반가운 연락을 받았다.

"다행히 원장님께 안구를 기증하겠다는 사람이 있어요. 절차가 끝나는 대로 이식수술을 할 예정이니까 원장님도 준비를 서둘러주세요."

반원장은 소식을 전해 듣고는 얼마 전 자신이 받은 편지를 비로소 선박사에게 보여줬다.

"이런 귀중한 편지를 왜 지금에야 보여주십니까? 좋은 기회를 놓친 것 같아서 아쉬움이 크군요."

"말 못할 사정이 있었어요. 선박사님이 이해해 주세요."

반원장은 자신에게 눈을 기증하겠다고 자원한 사람을 수술 전에 만나서 감사의 인사를 드리고 싶었다. 그런 큰 결심을 자청한 사람을 모른척하는 건 예의가 아니라고 생각했다. 기증자를 수소문하여 찾아간 곳은 지방에 소재한 병원이었다. 환자가 입원해있는 병실을 찾아가서 그를 만났다. 선박사는 연세가 지긋한 분이라고 귀띔해 줬다.

반원장은 환자의 손을 꼭 잡고서 감사의 인사를 드렸다.

"어르신의 소중한 눈을 주시겠다는 연락을 받고 감사의 인사를 드리고 싶었어요. 제가 이식수술을 받을 수 있도록 기회를 주셔서 감사합니다."

"평소 존경하는 원장님을 뵙게 되다니 꿈만 같군요. 일을 번거롭게 하고 싶지는 않았는데 일부러 먼 길을 찾아주셔서 고맙구려."

야윈 손이 차가웠다. 순간 반원장의 가슴이 철렁 내려앉았다. 그가 어떤 사람인가? 맥을 짚는 것만으로도, 그리고 피부의 감촉을 느끼는 것만으로도, 병의 유무는 물론 병증의 깊이와 병의 상태를 단번에 알아내는 명의로 소문난 사람이다. 온기가 느껴지지 않는 환자의 손을 잡고서 건강이 나쁘다는 걸 직감적으로 알아챘다.

그는 병상에 누워서 시한부 인생을 살고 있는 악성 척추암 환자였다. 이미 몸의 기능이 떨어져서 건강을 회복할 가능성이 거의 없다고 했다. 암환자의 말기에 나타나는 심한 통증에 시달리며 몸을 제대로 움직일 수도 없다고 했다. 그야말로 죽음을 기다리고 있는 불치병 환자가 자신의 안구를 기증하겠다는 거룩한 결심을 한 것이다.

반원장은 담당 의사로부터 환자에 대한 설명을 들으며 눈시울이 뜨거워졌다. 자신이 생각했던 것보다 훨씬 힘들고 불편하게 살고 있다는 걸 알았다. 환자의 상태가 비참하여 앞을 볼 수 없는 자신의 장애는 아무 것도 아닌 하찮은 것으로 여겨졌다. 환자의 몸은 깡마르고 얼굴은 창백했으나 주름진 얼굴에는 엷은 미소가 감도는듯 보였다. 의외로 표정이 밝아 보이고 눈빛이 초롱초롱 빛이 났다. 그는 불편한 반원장의 심기를 위로하기라도 하듯 차분하게 말했다.

"간밤에 오색무지개가 나를 감싸주는 꿈을 꿨는데 그게 바로 오늘 귀인을 만날 징조였구려."

환자의 목소리는 부드럽고 또렷했다. 온화한 말씨에 정감이 넘쳐서 중병을 앓고 있는 환자 같지 않게 태도가 의연했다.

"내 이제야 편히 눈을 감을 수가 있을 것 같군요. 세상에 태어나서 죽기 전에 꼭 한번 좋은 일을 하고 싶었거든요."

"어르신의 건강이 나쁜데 제게 눈을 주시겠다니 이해할 수가 없어요. 왜 그런 엄청난 일을 하려고 하세요?"

"나의 작은 희생으로 원장님께 도움이 되고 행복할 수 있다면 기꺼이 드리고 싶었어요. 원장님은 우리사회가 존경할 수 있는 분이니까요."

그의 말을 듣고 있자니 왠지 모르게 답답한 체증 같은 것이 느껴졌다. 반원장은 가슴이 미어지고 머리가 멍해지면서 눈물이 핑 돌았다. 무슨 말로 그를 위로하고 어떻게 감사를 전해야할지 통 생각이 나지 않았다.

"원장님의 선행소식을 들어서 알고 있어요. 얼굴을 보면 사람의 심성을 알 수 있다는데 꼭 부처님 용안처럼 맑고 따뜻하군요."

"저를 어찌 부처님과 견줄 수가 있겠습니까? 그 말은 듣기가 송구합니다."

"내가 상상한 그대로에요. 보아하니 아직 나이도 젊은 분인데 그렇게 훌륭한 일을 하고 계시다니 기쁜 마음으로 안구를 드릴게요. 내 눈을 이식 받아서 몸이 아픈 환자들의 건강을 많이 찾아주세요."

천사의 음성이 이러할까? 인생을 어떻게 살아왔으면 저런 고운 심성을 지닐 수 있을까? 잔잔히 들리는 음성이 조용하면서도 정이 넘쳤다. 마치 거룩한 신의 음성처럼 느껴졌다.

그 순간 반원장의 마음이 몹시 불편 해지기 시작했다. 환자가 힘든 상태에 있다는 걸 알게 되자 불안하여 어찌할 바를 몰랐다. 자신이 환자보다 많은 것을 갖고 편안한 삶을 누리고 있다는 걸 알았다. 성격이 예민한 그는 울컥하는 감정이 복받치면서 도저히 진정하기가 어려웠다. 참고 있던 눈물이 볼을 타고서 주르르 흘러내렸다.

"어르신, 제게 눈을 주시고 나면 갑갑해서 어떻게 사시려고요?"

"나는 세상의 온갖 험한 일을 다 겪으며 살아왔는데 새삼 두렵거나 답답할 게 뭐가 있겠소? 더 이상 놀랄 일도 아쉬워할 일도 없어요. 원장님이 나 대신 세상의 빛을 봐요. 찬란한 빛을 다시 찾는 겁니다."

"지금도 몹시 불편하실 텐데 그걸 어떻게 감수하시려고요? 이럴 수는 없어요. 제가 무지하고 욕심이 많았어요. 저는 어르신의 거룩한 삶을 도저히 따라 갈 수가 없어요. 많은 것을 누리며 살아왔는데 가진 것에 대하여 감사하는 마음이 작았다는 걸 알았어요."

반원장은 스스로 부끄러워지면서 자책의 말이 속사포처럼 터져 나왔다. 불현듯 그의 눈을 받아 이식수술을 하여 빛을 찾는 건 욕심이란 사실을 깨달았기 때문이다.

"나는 건강을 잃은 데다 회생의 가능성이 없어서 지금 할 수 있는 일이라곤 이것밖에 없어요. 더구나 치매 초기 증상도 있는데다 몸까지 움직이기가 힘들어 죽은 목숨이나 마찬가지라오. 마지막으로 원장님같이 훌륭한 사람에게 좋은 일을 하고 조용히 떠나고 싶어요. 원장님이 미안해할 일이 아니지요."

"왜 지금이라고 말씀하세요? 서두르지 마시고 희망을 포기하지 마세요. 병은 치료될 수 있는 가능성이 있어요."

"내 나이 어느덧 80이 넘었거늘 무슨 여한이 있겠소? 인간이 늙어서 걸린 병은 잘 낫지 않는다고 했어요. 죽음은 두려운 것이라 하나 한 번 뿐이니 자연스럽게 받아드려야 해요."

"현대의학은 불치의 병도 얼마든지 치료할 수 있는 시대가 됐어요. 절대로 희망을 놓으시면 안 됩니다."

"인간이 갈 때 되면 가야지 죽음을 두려워 해서는 안돼요. 그렇잖아도 비좁은 세상인데 병든 나라도 자리를 비켜줘야지 모두들 살아있으면 어떻게 되겠어요? 그게 만물을 창조하신 신에 대한 도리가 아니겠어요?"

"인간은 어떤 병도 극복할 수 있고 치료할 수 있는 길이 있어요. 병은 먼저 낫겠다는 의지가 중요합니다."

"원장님의 선한 모습을 보니 마음이 놓이는구려. 이제 마지막 남은 밝은 눈을 주고서 고통 없는 곳으로 가고 싶어요. 난 그곳으로 가야하기 때문이라오."

환자의 정감어린 목소리가 폐부를 찌르는 것 같았다. 반원장은 목이 메어서 사정하듯 말했다.

"그곳이라니 어디를 말씀 하시는 거예요? 세상 어디에 고통 없는 곳이 있다고 그런 말씀을 하세요?"

"한번 가면 돌아올 수 없는 곳이 있다오. 문을 들어서면 회색빛 하늘아래 짙은 구름이 덮여있고, 황량하기 그지없는 벌판과 온통 잿빛으로 물들어 있는 거친 땅이 보이더군요. 서늘한 바람이 옷깃을 스치며 날 반겨주더이다. 난 벌써 그곳을 여러 번 걸어봤어요."

"마음을 굳게 가져서 건강을 다시 찾겠다는 의지를 포기하지 마세요."

"그곳에는 곱게 핀 야생화가 지천으로 널려있어 참 아름답다고 생각했어요. 이제 그것을 매일 볼 수 있겠구나 생각하니 위안이 되더이다. 평화로운 곳으로 가려하는데 걱정할 게 뭐가 있겠어요?"

환자는 저세상을 그렇게 설명하고 있다. 정말 삶을 포기한 것일까? 한 점 흐트러짐 없는 음성이 담담하고 평온해보였다. 어떻게 하면 저 환자처럼 죽음을 두려워하지 않고 순순히 받아드릴 수가 있을까? 그런 걸 생각해보지 않았던 반원장은 슬프고 혼란스러워서 이럴 때 환자에게 삶의 용기를 줄 수 있는 방법이 무엇인지 언뜻 생각이 나지 않았다.

반원장의 마음이 한없이 여린가보다. 어떤 표정으로도 지울 수 없는 감동이 치솟아 오르며 슬픔이 파도처럼 밀려왔다. 창백해진 볼 위로 굵은 눈물이 쉼 없이 흘러내렸다. 그는 손수건을 꺼내 연신 눈물을 훔치며 사정하듯 말했다.

"어르신같이 고귀한 인품을 지니신 분이 세상을 밝혀주셔야 해요. 사람의 운은 변한다 해도 곧은 마음을 지닌 사람은 나쁜 쪽으로 변하지 않고 필시 복을 받을 것이라 믿어요."

"날 위로 해주지 않아도 괜찮소. 다시 일어난다 하여도 집안에 갇혀 살아야 할 신세인데 그런 삶이 무슨 의미가 있겠소? 괜한 희망을 갖는 건 부질없는 일이라오."

"밝은 희망이 어르신을 건강한 삶으로 이끌어 줄 거예요. 어르신처럼 선한 사람은 세상을 오래 살 자격이 충분하니까요."

"아름답고 소중한 추억들이 망가져 가기 전에 내가 받은 것들을 돌려주고 싶어요. 이만큼 영화를 누렸으면 되었지 뭘 더 바라겠어요?"

"힘들어도 참고 견디셔야 해요. 건강한 삶을 찾겠다는 용기를 포기하시면 안 됩니다."

"앞을 볼 수 없는 불편이 크겠지요? 그런데도 환자들을 치료해주다니 눈이 있으면 더 잘할 거야. 다행이 나는 밝은 눈을 갖고 있다오. 부디 내 청을 거절하지 마세요."

"전 지금 많은 것을 갖고 편히 살고 있는데 감사함을 잊은 채 사치스러운 생각에 빠져서 살았어요. 어르신의 눈까지 가질 수는 없어요."

"원장님같이 훌륭하고 모범적인 분이 사치스러운 생각을 하였다니 그게 무슨 겸손의 말이오? 그렇게 내 눈의 이식을 꺼려하는 이유가 무엇이요?"

"그럼 마지막 남아 있는 눈까지 주시겠다고요? 왜 모든 걸 포기하려고 하시나요? 이젠 의술의 발달로 난치병도 치료할 수가 있어요."

"원장님은 눈이 꼭 필요한 사람이지만 나는 필요 없는 사람이에요. 내 눈을 이식받은 원장님을 통하여 세상을 볼 수 있는데 왜 포기한다고 생각했어요? 그럼 바로 내 눈을 가져 가겠다고 약속해줘요."

기가 막힌 말이 거침없이 쏟아져 나왔다. 이런 걸 마음 속에서 우러나오는 참된 말인 폐부지언이라고 하던가? 마치 성자의 말씀처럼 성스럽게 들렸다. 인간이 저런 마음을 가질 수 있다면 성자와 다를 게 무엇이랴. 어떻게 하면 저 노인처럼 다른 사람을 위하는 순수한 마음을 가질 수 있을까? 인간이 죽음을 맞이해야한다는 건, 누구나 피할 수 없는 일이지만 그것이 과연 말처럼 쉬운 일은 아니다. 고통에 시달리고 있는 중증의 환자가 죽음 앞에서 저리도 침착하고 고운 심성을 지닐 수 있는지, 그 순간 반원장은 아찔한 현기증이 일면서 사정없이 밀려오는 감동에 온몸을 떨었다.

살아생전에 자신의 장기를 떼어줄 수 있을까? 혹시 사랑하는 가족의 생명과 관련이 있다면 모를까 여간해서는 할 수 없을 것 같았다. 세상의 빛을 포기하면서 자신의 눈을 줄 수는 없을 것 같다. 반원장은 도저히 그런 일을 할 수가 없을 것 같았다. 자신은 할 수 없는 일이라면 다른 사람이 눈을 준다고 받을 수는 없다고 생각했다. 그의 양심이 결코 허락하지 않았다. 그런데 환자는 자신의 눈을 주겠다고 간청하고 있었다.

한 개를 얻으면 두 개를 탐하고, 더 많은 걸 갖고 싶은 게 인간의 욕심이다. 욕심은 더욱 커져서 자꾸만 가지려하고 만족할 줄을 모른다. 수 천만 개를 쌓아놓은 도미노는 한 개가 쓰러지면 차례로 무너져 모든 게 쓰러진 다음에야 멈추게 된다. 인간의 욕심도 이와 같아서 평생을 쌓아올린 모든 것을 한 순간에 무너트릴 수 있다. 탐욕과 탐심은 결국은 우리를 도달할 수 없는 곳까지 이끌고 가려한다.

어떤 사람은 병상에 누워 혼자 힘으로 걸어보기를 소원한다. 듣고 보고 말을 할 수만 있다면 아무것도 바라지 않겠다고 기도한다. 그런데 누군가 간절히 바라는 것들을, 그 기적 같은 일들을 맘껏 누리며 살면서도 만족하지 못하는 사람도 있다. 인간의 불행이 거기서 시작된다. 인간은 어리석게도 파멸의 쓴맛을 본 다음에야 뒤늦게 자신의 욕심이 지나쳤음을 알게 된다. 때로는 불꽃처럼 타오르는 욕망을 억제하고 냉정하게 삭일 줄 알아야 한다. 인간은 자신을 비웠을 때 가장 많이 채울 수 있다. 자꾸 가지려고만 한다면 정작 채워야 할 때 필요한 것을 채울 수 없다. 그 간단한 사실을 알지 못하는 인간들이 의외로 많다. 반원장은 세상의 이런 이치를 알고 실천하고 있는 사람이다.

환자는 병상에 누워 움직일 수조차 없는데 자신은 셀 수없이 많은 것을 갖고서 편하게 살고 있다. 지금 불편하게 살고 있는 환자의 눈으로 이식수술을 한다면, 그는 남은 시간을 얼마나 답답하고 불편하게 살아야할까? 그것은 마지막 남아 있는 그의 건강을 빼앗는 잔인한 행동이라 생각했다. 자신의 편익을 위하여 그의 안구를 기증 받는다면 평생을 죄책감에 시달려 마음이 편치 않을 것 같다. 환자에게 앞을 볼 수 있는 시간마저 주지 않는다면 그가 가질 수 있는 것은 그야말로 죽음 뿐이란 생각이 들었다.

"모름지기 건강을 다루는 사람은 따뜻한 가슴을 가져야겠지만 냉정한 결단력이 있어야 해요. 원장님을 위해서가 아니라 나를 위해서 부디 내 눈을 받아주시오."

"어르신이 필요한 것이 있으면 말씀해 주세요. 제가 가진 것 중에서 어르신께 드릴 것이 있다면 기꺼이 드리고 싶어요."

"내 눈을 이식받아서 대명천지에 원장님의 침술을 맘껏 펼쳐 봐요. 고달프게 살고 있는 환자들에게 건강의 선물을 안겨주세요. 그것이 나를 위한 길이 되는 거라오."

"소중한 눈까지 주시겠다니 어르신의 마음이 이렇게 크신 줄을 몰랐어요. 어르신의 눈만은 가질 수가 없어요. 그럼 염치도 없을 것 같고 잔인하다는 생각을 했어요."

"내 눈을 이식받아서 원장님의 손길을 기다리는 수많은 환자들에게 삶의 희망을 찾아주세요. 다른 사람이 행복하게 살 수 있도록 도와주세요. 나도 그 일에 기쁜 마음으로 동참하려는게요."

"저의 불편함을 덜기위하여 어르신이 힘들게 살아야한다면 그렇게 할 수는 없어요. 그것이 잠시 동안이라 하여도 어르신이 괴롭고 답답할 것 같아요. 전 오늘 귀중한 성찰의 시간을 가졌어요. 앞으로 저의 모든 능력을 다 받쳐서 건강을 잃고 고통 받는 사람들을 위하여 살겠습니다."

"어떻게 보잘 것 없는 내 인생과 원장님의 삶을 비교할 수가 있겠소? 내 눈으로 원장님이 세상의 빛을 찾을 수 있다면 나의 기쁨이 되는 거라오. 그런 일을 할 수 있다면 무엇을 더 바라겠어요?"

"오늘 제 자신의 이기심에 한없이 부끄러웠어요. 어르신이 눈을 주시겠다는 거룩한 뜻에 감사를 드립니다. 그렇지만 눈만은 가질 수가 없어요."

"죽으면 썩어버릴 눈을 아껴서 무엇 하겠소? 살 가망이 없는 사람이 죽기 전에 마지막으로 좋은 일 한번 해보고 가겠다는데 그것마저 뿌리치려는게요? 참으로 매정한 사람이 아니길 바라겠소."

"저에게 진정한 사랑의 의미를 가르쳐주셨어요. 이식수술을 받지 않더라도 어르신이 순수한 마음으로 주신 사랑의 눈으로 빛을 찾아 새로운 세상을 볼게요. 결코 삶의 희망을 버리시면 안 됩니다."

"푸르던 나뭇잎도 때가 되면 낙엽이 되어 떨어지고, 제 아무리 예쁜 꽃도 열흘을 넘기지 못하고 시들어버려요. 모든 생명은 언젠가 죽고 말아요. 세상의 이치가 이러하고 영원히 존재할 수가 없거늘 어찌 거역할 수가 있겠소?"

"남을 위해 헌신하겠다는 어르신의 큰 사랑을 저는 도저히 따라갈 수가 없어요. 오늘 가르침을 귀중한 삶의 지침으로 삼아 의술을 시행하고 베푸는 일에 매진할게요."

"수의에는 주머니가 없어요. 세상에서 가지고갈 것은 아무 것도 없다는 걸 알았소. 빈 몸으로 갈 터인데 이 눈마저 필요하지 않아요. 왜 세상에서 마지막으로 부탁하는 청까지 거절하려고 하는게요?"

"주시지 않아도 이미 받았어요. 이제야 진정한 사랑의 의미를 깨달았어요. 반드시 기적이 일어나 어르신이 건강을 회복하셔서 편히 사시길 기원하겠습니다."

"인간이 죽을 때를 알고 대비할 수 있다는건 슬픔이 아니라 축복이오. 환자들

돌봐주느라 고생만 할 것이 아니라 밝은 세상을 찾아서 한번쯤 영화를 누려봐야 하지 않겠소? 원장님, 작은 욕심이라도 가져 봐요."

"어르신의 고귀한 말씀이 삶의 가치를 일깨워줬어요. 어르신의 뜻이 헛되지 않도록 제 자신을 채찍질하면서 살아갈게요."

"이제 살날이 많지 않아요. 아쉬움도 있지만 그래도 가야만 하오. 나를 잡으려고 하지는 마세요."

"어르신은 누구보다도 인생을 자랑스럽게 살아오셨어요. 가족들은 그런 모습을 보면서 살아계신 것만으로도 위안이 되고 존경의 대상이 될 거예요."

"마지막으로 간청하겠소. 내가 가진 밝은 눈을 원장님처럼 훌륭한 사람에게 주고서 편안한 마음으로 떠나가고 싶소. 나의 마지막 소망을 받아주세요."

"소중한 삶을 이대로 포기하시면 안 돼요."

"세상을 험하게 살아왔으나 착한 일 한번 하고 떠나가고 싶소. 내가 먼저 공경하면 공경을 받을 것이요, 공덕을 쌓으면 복을 받고 윤회를 통하여 자신이 저질은 행위에 따라 생사가 거듭된다고 믿는 종교가 있어요. 착한 일을 하여서 다음에는 더 좋은 세상에 태어나고 싶소. 날 좀 도와주면 안 되겠소?"

"그런 송구한 말씀은 거둬주세요. 어르신의 자비심과 사랑이 헛되지 않도록 제 몸을 간직할게요."

환자의 마음이 한없이 아름답게 느껴졌다. 반원장은 불교의 윤회 사상이 떠오르며 마음이 혼란스러웠다. 자신의 눈을 주어 공덕을 쌓아 더 좋은 세상에 태어나고 싶다는 소박한 소망에 마음이 무거워졌다. 남을 위하여 사랑하는 마음이 크기 때문에 줄 수 있는 깊은 감동을 보았다. 그것은 다른 사람을 위한 헌신이고 순수한 사랑이라 믿었다. 공노인의 안타까운 진심에 잠시 평정심이 흔들렸으나 마음을 바꿀 수는 없었다.

인간을 사랑하는 마음은 슬프고 아름다운가 보다. 이 세상의 사랑이 슬픈 사랑보다 즐겁고 기쁜 사랑이기를 바란다. 사랑은 받을 수 있어서 기쁨과 행복을 주지만, 또한 사랑은 줄 수 있어서 위대한 것이다. 남녀 간의 사랑은 물론 동성 간의 사랑도 받으려고만 하는 이기적인 사랑보다 적극적으로 줄 수 있는 사랑이 더 아름답고 행복하다는 걸 알았다.

환자의 음성은 담담하고 또렷했지만 표정이 심각하게 일그러져갔다. 그것은 자신의 뜻대로 될 수 없다는 걸 알고 체념에서 오는 실망스런 표정 같았다. 반원장에겐 엄숙한 신의 명령처럼 다가왔으나 그의 간청을 도저히 따를 수가 없었다.

"원장님이 나한테 미안해 할 건 없어요. 밤낮없이 통증에 시달리며 언제 떠날지 모르는 가엾은 몸이라오. 하루라도 빨리 고통에서 벗어나 홀가분하게 가고 싶으니 제발 도와주시오."

"희망을 버리지 마세요. 전 도저히 어르신의 뜻을 받아드릴 수가 없어요."

"죽어 썩으면 한줌의 흙먼지에 불과한 인생이거늘 평온하게 떠날 수 있게 도와주시오. 인간이면 누구나 겪어야 하는 정해진 길이라오. 내 뜻을 기쁜 마음으로 흔쾌하게 받아주세요."

"어르신의 안타까운 심정을 이해할 수 있지만 눈을 받을 수는 없어요. 이대로 삶을 포기하시면 절대 안 되어요."

"다시 일어설 수만 있다면 그걸 마다하겠소? 이젠 손쓸 방법이 없어요. 이쯤 되면 포기하는게 옳아요. 그러니 나의 진심을 받아주시오."

"결코 용기를 잃으시면 안 됩니다. 병상에서 벌떡 일어나 저 햇빛 쏟아지는 뜨락을 걸어보셔야 해요. 반드시 그렇게 할 수가 있어요."

"반원장, 죽어가는 내 몸의 일부를 주어서 다른 사람에게 빛을 줄 수 있다면 아낄게 무엇이 있겠소? 나 대신에 밝은 세상을 봐요. 그게 나도 함께 사는 길이 되는 거예요."

"어르신의 눈을 이식 받는다면 기적 같은 일이 일어나겠지요. 그럼 지금도 힘든 어르신의 삶은 얼마나 더 고통 스러워야 할까요? 어르신의 거룩한 뜻을 받들어서 병든 환자들을 돌보는데 온 몸을 바치겠어요. 그렇지만 어르신의 눈을 가질 수는 없습니다."

"그렇게 복잡하게 생각하지 말아요. 그냥 죽어가는 한 늙은이의 선의로 받아줘요."

"어르신의 불편과 비참함을 생각하면 인간의 도리를 저버린 염치없고 예의 없는 행동을 하는 것 같아서 마음이 편치가 않아요. 어르신의 처지를 알고 있는 제가 남은 생을 살아가는데 불편할 것 같아요."

환자는 왜 자신의 눈을 주려고 하는 것일까? 어떡하든 자신의 눈을 주어서 빛을 찾아주려는 환자의 안타까운 심정이 뜨겁게 느껴졌다. 그때 환자의 입에서 불쑥 화를 내는 듯 격앙된 목소리가 튀어나왔다.

"정말 무정한 사람이로구먼. 지난번에는 편지를 써서 간청하여도 물리치더니 이번에는 면전에서 거절한단 말이오? 어떻게 두 번씩이나 내 뜻을 거부한단 말이오?"

"그럼 그 편지를 어르신이 보낸 것이었어요? 아 그분이 바로 어르신이었군요?"

"오래 전 부터 준비해왔던 일이오. 보람된 일을 하고 조용히 떠나고 싶다는데 왜 실망시키려 하는 게요? 내가 환자라서 무시하는 거요?"

"오래 전 부터 준비하셨다니요? 어르신의 말씀이 제 양심을 일깨우며 활활 타오르게 했어요. 아무리 어려운 난관이 닥치더라고 제가 가는 길을 멈추지 않을게요."

"지금 나를 훈계하려고 하는 게요? 내청을 받아드려서 제발 마지막 소원을 풀어달란 말이오."

"마음을 굳게 가지셔서 결코 삶의 희망을 버리지 마세요."

"육신의 무거운 짐을 내려놓고 편히 쉴 수 있도록 도와주시오. 난 그곳으로 가야만하기 때문이오."

"어르신의 쾌유를 빌겠습니다. 어르신을 위하여 기도하겠습니다. 꼭 건강을 회복하셔서 편히 사셔야합니다."

"이 답답한 심정을 어찌하면 좋을꼬? 마음의 짐을 덜고 싶은데 왜 그렇게 안 된다고 고집을 부리는 게요?"

"마음의 짐이라니 왜 그런 생각을 하셨어요? 어르신이 저한테 무슨 부담을 주셨다고 불편해하세요?"

환자의 안색이 불편하게 변하면서 눈가에 눈물이 고였다. 무슨 말을 하고 싶은지 망설이는 것 같았다. 그는 주저주저하면서 낮은 음성으로 말했다.

"정말 냉정한 사람이로구먼. 내가 굳이 이런 이야기는 꺼내고 싶지 않았는데 한사코 거절하니 할 수 없이 해야겠구먼."

"무슨 말씀이신지 하세요. 제가 도울 수 있는 일이 있다면 어르신의 말씀을 받들겠습니다."

"나 홀로 간직하고 있는 오래전 비밀이 있다오. 아니야, 지금 와서 지난 이야기를 한들 무슨 소용이 있겠소?"

"어르신, 하고 싶은 말씀이 있으면 하세요. 제가 받들겠습니다."

"정말 내 뜻을 받아 주어야 하오? 지금 약속한 거요? 그럼 잠시 옛날이야기를 하리다."

환자는 감회가 새로운 듯 얼른 말을 잇지 못했다. 약속을 강조하면서 다짐을 받으려했다.

"그러니까 20여 년 전 나는 고층건물 공사장에서 일을 하다가 발을 헛디뎌 그만 20여 미터 아래로 떨어졌어요. 즉사 할 수밖에 없었던 절박한 순간 갑자기 건물사이로 거센 돌풍이 치솟아 오르는 기이한 현상이 일어났지요. 무언가 세게 부딪치며 정신을 잃었는데 깨어보니 인부들 휴식공간이었어요. 내가 죽은 줄 알고 눈만 껌벅이며 쳐다보고 있더이다."

"큰 사고를 당하셨군요? 그런데 하늘의 도우심이 있었네요."

환자는 숨이 차는지 아니면 감정이 복받치는지 잠시 말을 끊었다. 그의 입에서 놀라운 이야기가 쏟아져 나왔다.

"나는 허리를 다쳐서 전신이 마비되어 꼼짝없이 죽을 목숨이었어요. 그때 신기의 침술을 지닌 젊은 의인을 만나 기적적으로 목숨을 건진 일이 있었어요. 혹시 그런 환자를 치료해준 기억이 있소?"

이번에는 환자의 이야기를 듣고 있던 반원장의 표정이 새파랗게 질려갔다. 그 말을 듣는 순간 마치 쇠뭉치로 머리를 세게 맞은 기분이었다. 심장이 사정없이 콩닥콩닥 뛰면서 혼란에 빠졌다.

"벌써 20여 년 전 일이라 기억에 남아있을지 모르겠으나 그때 하늘의 도움이 있어서 원장님을 만났지요. 원장님은 산송장과 같은 나를 물리치지 않고 정성으로 치료하여 통증을 씻어주고 건강을 찾아주었어요."

감정이 예민한 반원장은 가슴이 뭉클하면서 어떤 전율 같은 알 수 없는 감동이 밀려와 온몸을 휘감았다.

"그럼 어르신이 절름발이 아들이 지게에 지고 다니면서 치료를 받던 공손한씨란 말씀이세요? 치료가 끝나면 언제나 성금함에 백 원 씩 동전을 넣는다 하여 백 원짜리 인생이라고 놀림 받던 환자란 말이지요?"

"그 환자가 바로 나요. 내가 비참하게 죽어가고 있을 때 세상은 아무도 거들떠보지도 않았소. 오직 원장님만이 홀로 생명의 줄을 던져 헌신적으로 치료하여 목숨을 살려주셨지요. 내가 다시 살아난 것은 원장님의 투철한 사명감과 인간사랑 때문이었어요."

"지금도 생생하게 기억하고 있어요. 어르신이 그때 치료받았던 그 환자분이셨군요?"

"어떤 자는 내 아들을 보고 절름발이 병신이라고 놀려댔지만 세상에 둘도 없는 효자였어요. 아들의 지극한 효심과 원장님의 신비한 침술이 내 목숨을 살려주고 병든 몸을 고쳐줬어요. 그걸 생각하면 내 모든 걸 준다하여도 아까울 게 없어요. 그러니 사양하지 말고 내 눈을 받아주세요."

어떻게 이런 일이 있을 수 있을까? 진실한 사람의 마음은 한 없이 크고 아름다워서 변하지 않는 것인가 보다. 사실 반원장은 살면서 그의 생각을 가끔 했었다. 살아있는 시체와 다름 없었던 중증의 환자여서 다친 허리를 치료 후에 다시 탈은 없는지, 건강하게 살아가고 있는지 궁금하기도 했다.

"어르신, 지금껏 건강하게 살아주셔서 감사드립니다."

반원장은 환자를 향하여 고개 숙여 인사를 했다.

"건물에서 떨어지는 순간 난 죽는 줄 알았소. 밀려드는 통증에 숨을 쉴 수조차 없었고, 전신이 마비되어 움직일 수 없는 죽은 목숨이나 똑같았으니까요. 당시에는 너무 아파서 그대로 죽고 싶었어요."

"처음 대하는 중증의 환자여서 당황했지만 스승님께 배운 난치병 환자의 치료 비법을 시술하면서 최선을 다했어요. 다행이 하늘의 도움이 있어서 치료할 수가 있었어요."

"찾아가는 병원마다 치료를 거부하더군요. 고통으로 기절한 환자에게 진통제 한 대 놓아주는 곳이 없었어요. 원체 중증의 상태인지라 살릴 가망이 없어 속수무책인 줄 알았어요. 그런데 병원에서 치료를 거부당하고 쫓겨 다니며 돈 없는 환자의 서러움과 냉혹한 세태를 보았지요. 그때 아들이 눈물을 흘리며 슬프게 애원하더이다."

"아버지, 돈이 없으면 병원 문턱에도 갈수가 없는 세상이에요. 병세가 더 악화되기 전에 침술원으로 가요. 그곳 원장님은 돈 없는 사람들도 무료로 치료 해준다고 들었어요."

"망가질 대로 망가진 몸 힘들게 살아온 인생인데 더 나빠질 것도 없으니 집으로 가자. 누구하나 눈길 한번 주지 않는 비정한 세상에 길바닥을 헤매다가 객사할 수는 없지 않겠느냐?"

"이대로 돌아가시면 원통하고 억울해서 어떡해요? 절대로 치료를 포기하시면 안돼요. 제가 아버지를 기어코 살리고 말거예요."

아들은 무료 침술원에 가서 치료를 받자며 울면서 사정했다.

"돈이 없어 꼼짝없이 죽을 수밖에 없는 몸이었어요. 그런데 원장님은 다르더이다. 돈이 없고 가난하다는 이유로 내치지 않고 다른 사람과 동등하게 치료해 줬어요. 돈을 바라는 게 아니라 생명의 존엄성을 지켜주며 가난한 환자를 돕는 분이었어요. 죽어가는 내 몸을 살리기 위해 온 성심을 다 바쳐 치료하더군요. 그 때의 고통은 생각하는 것만으로도 끔찍하오. 그걸 원장님의 신비스러운 침술이 씻어주었어요."

"어르신께서 그런 엄청난 고초를 당하셨군요? 환자의 상태가 원체 중증이어서 치료에 어려움이 있었고, 아들의 효심이 지극하여 다른 사람들의 칭송을 받았었지요."

"죽어가던 생명을 다시 찾아 버젓하게 살아왔는데 그 은혜를 잊을 수 있겠소? 그 애는 눈이 오면 눈을 맞고, 비가 오면 비를 맞으면서 3년 동안이나 지게에 지고 다니며 침을 맞게 했어요. 그리고 원장님이 침을 놓을 때마다 생명은 소중한 것이니까, 건강을 찾을 수 있으니까 포기하면 안 된다고 용기를 주셨지요. 다행이 침을 맞을수록 몸뚱이의 마비가 풀리면서 다시 새롭게 태어나 인생의 찬란함을 누리며 팔십이 넘게 살아왔다오."

"아드님의 정성과 어르신의 인내가 건강을 회복시켜주신 거로군요. 사람들이 아버지를 살린 천하에 둘도 없는 효자 아들이라 부르며 칭송을 했었지요. 그럼 아드님은 어떻게 되었나요?"

"복이라곤 지지리도 없는 불쌍한 애였어요. 아들은 불편한 다리를 이끌고 나를 지게에 지고 다니며 고생한 것이 탈이 되었던지 시름시름 앓다가 먼저 세상을 하직 했어요. 못난 아비 만나 한번 펴보지도 못한 체 고생만하다가 얼마 살지 못하고 먼저 갔다오."

"어르신께서 그런 한 많은 슬픔이 있었군요. 그때를 생각하면 마음이 많이 아프시겠어요?"

"아들을 생각하면 가슴이 찢어질 듯 아픕니다. 난 건강을 찾은 후 막노동판에서 닥치는 대로 일을 하며 굴곡진 인생을 살아왔어요. 그렇게 20여년의 세월을 하루 같이 살아왔다오."

"다친 몸이 다시 재발되어 아프지는 않으셨나요? 어르신은 건강하게 살아오셨어요?"

"역시 천하 명의의 손길은 다르더이다. 건강을 찾은 후 닥치는 대로 일을 하며 모진 고생을 했는데도 몸뚱이 하나만은 끄떡도 없더군요. 가난을 이겨내려다 보니 내 맘대로 살지는 못했어요. 그래도 시간이 엄청 많은 줄 알았는데 눈 깜짝할 사이에 지나가더이다. 그러다가 몸에 병이 들어 거동이 불편하게 되면서 눈을 뜨면 원장님의 은혜를 갚아야한다고 생각했어요."

"어르신이 건강을 찾아서 열심히 살아오신 건 모두 신의 뜻이었어요. 이제 보니 어르신께서 염려해주신 염원이 저를 건강하게 살도록 지켜주셨군요?"

"원 당치않은 그런 말을 하는 게요. 세월이 갔어도 원장님은 조금도 변하지 않았군요. 지난 세월을 돌아보면 원장님은 5년 동안 공짜로 치료 해주면서 싫은 기색 한번 낸 적이 없었지요. 언제나 따뜻하게 위로하며 삶의 용기를 주었어요. 그게 어디 쉬운 일이겠어요?"

"그건 제가 당연히 해야 할 일이며 의무였어요. 그 동안 건강하게 사신 것이 저에 대한 은혜를 갚아주신 거예요."

"치료를 받고 건강을 찾은 후 원장님 은혜를 잊은 적이 없었어요. 이제 무슨 욕심이 있을 것이며 여한이 남아있겠소? 그래서 마지막으로 내 눈을 원장님께 주고 가려고 결심한 거예요."

"그 동안 건강하게 살아주셔서 고맙습니다. 저를 잊지 않고 생각해주셔서 감사합니다. 어르신이 건강하게 살아오신 것만으로 저에 대한 보답을 하신 거예요."

"당시에 눈먼 사람이 병든 환자들을 치료하는 모습을 보면서 눈이 있으면 더 잘 치료할 수 있겠다는 생각을 했어요. 그때부터 내 눈을 드려야겠다고 마음먹은 거예요. 예전에 나를 치료해주어 육신의 고통을 씻어준 것처럼, 이번에는 내 눈을 이식받아서 나의 마음을 편안하게 해주구려."

"그렇게 오랜 세월 동안 마음에 담아두지 않아도 될 일이었어요. 왜 마음 고생을 하셨어요?"

"그때 원장님은 어떤 보상을 바라고 치료해준 게 아니었지요? 생명을 선물 받은 나까지 아무런 일도 없었던 것처럼 그렇게 살 수는 없어요. 고마운 은인에게 눈을 주고 떠날 수 있다면, 세상을 하직하는 마지막 순간이 슬프거나 쓸쓸하지만은 않을 것 같아요."

"아무리 그렇다하더라도 그런 엄청난 희생을 하시겠다고요? 그래도 눈만은 안 됩니다."

"눈이 필요한 사람이 눈만은 안 된다니 세상에 그런 말이 어디 있소? 눈이 있어야 환자들을 쉽게 치료할 수 있어요. 이제 원장님이 보답을 받으셔야 합니다."

"왜 마지막 남아있는 눈까지 주시려고 하세요? 하찮은 제 존재가 무엇이기에 그런 생각을 하셨어요?"

"오랫동안 오늘을 기다려왔어요. 이건 희생이 아니라 오래 전 빚을 갚으려는 게요. 인간이 해야 할 도리는 의당 해야 하지 않겠소?"

"빚을 지셨다니 당치않은 말씀이세요. 더구나 은혜를 갚으시다니 어찌 그런 송구한 말씀을 하세요? 어르신의 도리는 이미 하셨으니 걱정하실 일이 아니에요. 건강하게 살아주셔서 모든 걸 갚아주신 거예요."

"생명을 찾아준 원장님과의 소중한 인연을 결코 잊을 수가 없어요. 그건 내가 받은 은혜를 갚는 길이며 스스로 약속하고 준비한 일이었다오. 기쁘게 내 눈을 받아주세요."

"어떻게 평생을 살아오시면서 언젠가 눈을 기증하겠다는 생각을 하셨어요? 하찮은 저를 위해 어려운 결심을 하시고 힘들게 살아오셨단 말이에요?"

"생명의 은인이니까요. 아무도 거들떠 보지 않는 죽은 목숨을 다시 살려주셔서 새로운 인생을 살게 해줬으니까요. 더없는 생명의 기쁨과 삶의 보람을 찾아주었으니까요. 해가 가고 달이 가도 그런 사실은 변할 수가 없으니까요."

"어르신께서는 꺼져가는 생명도 치료를 받으면 다시 회복할 수 있다는 놀라운 사실을 보여주셔서 자랑스러운 인간승리를 이룬 분이에요. 당연히 제가 할 일을 한 것이었어요."

"원장님의 희생적인 삶의 모습을 볼 때마다 조금은 닮고 싶었소. 모든 것들로부터 자유롭고 싶어요. 마지막으로 내 스스로 원장님께 한 약속을 지키고 싶으니 제발 은혜를 갚을 수 있는 기회를 주시오."

"어르신은 건강을 잃은 사람들에게 소중한 삶의 희망을 주셨어요. 어떤 고난과 힘든 여정도 극복할 수 있다는 걸 보여주시며 위대한 삶을 살아오신 거예요. 구태여 눈을 주지 않아도 비난할 사람이 없어요."

"험한 세상에 태어나 원장님이 찾아주신 생명으로 행복하게 살다가 가게 됐는데 아쉬울 것도 억울할 것도 없다오. 다만 내 뜻을 한사코 거절하는 원장님의 마음이 아쉬울 뿐이라오."

환자는 감정이 복받쳤는지 눈가에 눈물이 고였다. 지켜보고 있던 가족이 얼른 눈물을 닦아주었다.

"내 이제야 실토하지만, 몸을 다친 후 일을 할 수 없어 벌이가 시원찮았어요. 그때 원장님께서는 남몰래 쌀과 고기를 보내주시어 지친 육신에 힘을 주었고, 메마른 정신에 사랑과 믿음과 감사할 줄 아는 마음을 선사했어요. 죽어가는 내 몸의 기력을 찾을 수 있도록 도와주었어요. 내 눈이 아니라 내 몸의 모든 장기를 떼어 준다하여도 은혜를 갚을 길이 없다오."

"몸이 아픈 사람의 심정은 고통스러우면서도 외로울 거예요. 그런데 먹는 것조차 부실하다면 얼마나 힘들겠어요? 자신의 부모님이나 형제들이 굶고 있다면 누구나 음식을 주었을 거예요. 어르신의 처지가 딱하여 영양섭취를 하시라고 양식을 보냈어요. 어르신께서 건강을 찾으신 것으로 모든 걸 갚으신 거예요."

"그렇지만 아무도 거들떠보지 않는 보잘 것 없는 환자에게 관심을 준 사람은 없었어요. 원장님만이 따뜻한 마음으로 도움을 주어서 날 살려주었어요. 오랫동안 이 날을 기다려왔다오. 인간의 탈을 쓰고서야 어떻게 그 은혜를 저버릴 수가 있겠소? 내 눈을 진즉에 드리고 싶었는데 세상의 빛을 포기한다는 것이 맘같이 쉽지가 않더이다. 차일피일 미루다보니 늦어진 것 같아 미안하구려."

"누군들 그런 일을 할 수가 있겠어요? 살아생전에 자신의 눈을 준다는 걸 어떻게 상상이나 할 수 있는 일이겠어요? 마음 쓰지 않아도 될 일이에요."

"그때부터 원장님이 주신 여분의 생명으로 인생을 덤으로 행복하게 살아왔다오. 부담 갖지 않도록 아무도 모르게 내 눈을 드리고 싶었는데 이렇게 요란을 떨게 되었구려."

"자신과의 약속을 철저하게 지키려다보면 삶이 힘들지 않으셨어요? 신은 인간의 잘못이 무엇이든 용서한다는 사실을 믿으시고 괘념치 마세요."

"그게 인생을 바로 사는 길인데 작은 내 마음조차 받아주지 않는 고집이 안타깝구려. 나는 말과 행동이 다른 이중적인 일은 할 수가 없어요. 남들은 할 수 없는 좋은 일하는 원장님께 작은 선물을 드리고 싶었어요."

"어르신의 고귀한 삶이 존경스러워요. 살신성인하려는 마음을 저는 도저히 흉내도 낼 수 없는 걸요. 왜 그런 어려운 생각을 고집하시는 거예요?"

"원장님은 욕심도 없고 참으로 생각이 깊은 분이로군요. 나이 들어 죽음이 다가오니 지나간 삶을 뒤돌아보게 되더이다. 내 인생에 숫한 영욕의 순간을 헤치고 여기까지 왔으니 아쉬움은 없다오. 여분의 생을 덤으로 살아왔는데 애석할 일이 아니지요."

"신이 창조한 생명에 쓸모없는 사람은 없다고 믿고 있어요. 병은 반드시 치료할 수 있다는 믿음을 갖고서 어르신의 고귀한 생명을 끝까지 포기하시면 안 됩니다."

"이대로 떠난다면 은혜를 저버린 무례한 인간이란 오명을 들을까 가는 길이 무거울 것 같소. 마지막으로 원장님께 진 빚을 갚고 평온하게 떠날 수 있도록 내 마음을 받아주시구려."

"그건 빚이 아니니 마음 아파하지 마세요. 눈을 주시겠다는 어르신의 숭고한 마음을 받아드릴 수 없어 죄송합니다."

"평생 진 빚을 갚고 가야지 어떻게 안고 가라는 말이오? 빚을 찾아주려는 늙은 이의 간절한 소망을 어떻게 세 번씩이나 물리친단 말이오?"

"어르신이 세 번씩이나 기회를 주신 건 상상도 하지 못했어요. 설사 어르신의 진심인 줄 알았다하여도 아름다운 마음을 뻔뻔스럽게 받을 수는 없어요."

"환자들 치료에는 성심을 다하면서 정작 자신을 위한 일에는 소홀한 게요? 밝은 눈으로 세상을 볼 수 있도록 도움을 주고 싶거늘, 정녕 그 인연은 이룰 수 없단 말이오?"

"어르신의 진심을 받들지 못하여 송구합니다. 어르신의 선한 행동에 신께서도 기뻐하시리라 믿습니다. 부디 마음의 평화가 함께 하시기를 기원하겠습니다."

"죽음은 모든 인간이 마지막으로 가야 할 길이며 운명이오. 내가 인간의 도리를 지키고 떠날 수 있게 도와주세요. 20여 년 전 받았던 은혜를 갚을 수 있도록 나의 마지막 소원을 받아주세요."

"인간은 운명 앞에 나약한 존재라 때로는 순종하고 따라야하겠지만 그래도 죽음의 운명만은 피해야합니다. 전능하신 신께서 어르신을 위로하시고 보살펴주시기를 기도하겠습니다."

"그걸 어찌 피할 수 있단 말이오? 우리 나이쯤 되면 신이 부르면 언제든지 떠날 준비를 해야 하오. 부탁하건데 내가 주는 선물이라 생각하고 받아드려서 작은 행복을 누려보세요."

세상에 이런 기막힌 일도 있단 말인가? 환자는 20여 년 동안 자신의 생명을 찾아준 사람에게 은혜를 갚으려고 준비 했다고 했다. 기막힌 사연에 가슴이 찢어질 듯 아팠다. 피를 토하듯 간청하는 환자의 음성이 처절한 절규처럼 들렸다.

“인생을 살면서 깨달은 것이 있다오. 모든 사물은 고유한 아름다움을 갖고 있지만 모두 볼 수 있는 건 아니더이다. 때로는 삶이 힘들어 높은 곳을 바라보기도 했어요. 그런데 마음만 아플 뿐 아무 것도 잡을 수가 없더군요. 내 처지를 알고 몸을 낮춰 바라보니 비로소 소중한 것들이 눈에 들어오더이다. 나를 낮춰 주는게 있어야 받을 수 있고 작은 것도 아름답다는 걸, 그 소박한 진리를 그때서야 알게 되었지요. 내가 가진 것이 빈약 할지라도 원장님께 하나라도 주고 싶은 마음뿐이니 편하게 받아주시오.”

반원장은 계속 눈물을 흘리며 애원하듯 말했다.

“어르신의 말씀을 교훈처럼 새겨서 환자들의 아픔을 덜어주는 베풂의 삶을 멈추지 않을게요. 어르신의 삶을 닮아서 더욱 성실하게 살겠습니다.”

“인생을 경우 없이 살아오지 않았는데 정녕 염치없는 사람이 되어야 한단 말인가? 단 하루만이라도 아니 한 순간 만이라도 밝은 빛을 주어서 편안함을 드리고 싶었는데, 원장님이 눈을 뜨기 전에는 이대로 편히 갈 수가 없을 것 같은데 이 일을 어찌하면 좋단 말인가?”

“어르신은 결코 염치없는 사람이 아닙니다. 어르신이 건강을 찾아 일생을 보람되게 살아오셨으니 저도 행복하고 그것으로 만족합니다. 신뢰를 주신 어르신과의 소중한 인연을 가슴 깊이 간직하고 살아가겠습니다.”

지켜보고 있던 가족도, 선박사와 의사와 간호사도 울었다. 거룩하고 기막힌 눈물이 마구 쏟아져 내렸다. 그것은 말로 표현할 수 없는 감동의 눈물이었다. 반원장은 엉엉 소리 내어 울고 싶은 심정이었다. 참으려 애를 써도 기막힌 눈물이 사정없이 쏟아지며 앞을 가렸다. 은혜를 갚고자 자신의 안구까지 떼어서 주고자 하는 마음, 그건 바로 거룩하고 숭고한 사랑이라 믿었다. 마음이 따뜻하고 진실한 사람이 줄 수 있는 진심이라 생각했다. 그는 비로소 큰 사랑이 무엇인지를 깨달았다. 인간은 자신이 베풀고 쌓은 공덕은 없어지지 않는다. 언젠가 더 큰 복이 되어서 돌아온다는 사실이 눈앞에서 벌어지고 있었다.

인간은 죽음이 다가오면 대부분 당황하거나 혼란에 빠진다. 자신의 죽음을 새삼스럽게 여기면서 억울하다고 생각한다. 그러나 공손한 노인은 달랐다. 내일을 기약할 수 없는 시한부 인생을 살고 있으면서도 자신의 불행을 한탄하고 슬퍼하기보다, 마지막 남은 장기마저 기쁜 마음으로 떼어주겠다고 자청한 것이다. 죽음 앞에서도 한 점 두렵거나 흐트러지지 않는 자세로 삶을 정리하겠다는 의지에 빈틈이 보이지 않았다. 은혜를 갚겠다는 자신과의 약속을 지키면서 남은 생을 희생하여 빛을 찾아주고, 마지막 베풂을 실천하고 가겠다는 그의 거룩하고 성스러운 삶을 반원장은 도저히 따라갈 수가 없을 것 같았다. 진정한 베풂은 순수한 마음으로 조건 없이 줄 수 있는 것이란 걸 깨달았다.

인연의 시작은 우연일 수 있으나 필연적인 과정을 거쳐서 끝없이 이어진다는 사실을 알았다. 반원장은 큰 충격과 감동을 받았다. 어떤 깨달음이 그의 전신을 짓누르는 것 같았다. 지금 받고 있는 환자의 고통과 비참한 삶을 외면할 수가 없었다. 환자의 마음이 가늠할 수 없이 크고 거룩하게 느껴져서, 아픈 환자들을 치료하며 살고 있는 그의 헌신적인 삶이 오히려 작은 것이라 여겨졌다. 그는 환자에게 깊이 고개를 숙여 인사를 드리고 계속 눈물을 훔치며 돌아서 나왔다. 그는 두 눈이 있어도 볼 수 없는 것을 마음으로 보았다. 그것은 인간의 위대한 사랑과 진심이었다. 반원장은 비로소 타인을 사랑하는 세상을 보는 마음을 갖게 된 것 같았다.

두 사람의 대화를 말없이 지켜보고 있던 선박사의 눈에서도 굵은 눈물이 쉼 없이 흘러내렸다. 그는 무슨 말을 해야 할지 선뜻 판단이 서지 않았다. 저렇듯 어린아이처럼 맑은 심성을 지닌 사람이기에 외롭고 가난한 환자들에게 헌신할 수 있다고 생각했다. 아쉬움이 남은 선박사는 난처한 입장이 되어서 위로하려고 애를 썼다.

"모처럼 찾아온 좋은 기회를 왜 거절하시는 거예요? 제가 안타까워서 몸둘 바를 모르겠어요."

"결국 남의 불행을 이용하여 나의 행복을 찾자는 것이 아닐까요? 어떻게 그런 이기적인 일을 할 수가 있겠어요?"

"그렇지만 원장님도 그 분의 입장이 된다면 생각이 달라지지 않겠어요? 20여 년 전부터 준비한 일이라고 하시잖아요?"

"나는 살아생전에 나의 장기를 다른 사람에게 떼어줄 수 있을지 자신이 없어요. 내가 할 수 없는 일을 다른 사람이 나를 위하여 하겠다는데 어떻게 그걸 하도록 내버려둘 수 있겠어요?"

"물론 인간 사랑을 실천하는 원장님의 성정으로 봐서 평소 삶의 태도에 어긋나는 일이긴 하겠지만 그런데 환자가 원하는 일이잖아요?"

"자신의 삶보다 다른 사람의 삶에 편안을 주려는 그분의 헌신적인 행동에 감동을 받았어요. 생을 마치는 마지막까지 사랑은 줄 수 있다는 큰 가르침을 얻은 것으로 만족합니다."

"그런데 생각을 바꿀 수도 있지 않겠어요? 자신이 받은 은혜를 갚겠다는 환자분의 거룩한 뜻을 이어받아 세상에 좋은 일을 하며 보답하는 거죠."

"결국은 이기적인 행동이라 여겼어요. 그 분의 뜻을 받아드릴 수는 없지만 몸이 아파 힘들게 살고 있는 환자들에게 모든 열정을 바치겠다는 새로운 각오를 다졌어요."

"때로는 신뢰하지 못하는 인간들과도 어울려서 살아야 하는 게 세상의 일이에요. 원장님은 황금 같은 인생의 대부분을 어둠속에서 살아오셨어요. 남은 인생만이라도 편히 사셔야 하지 않겠어요? 그게 어찌 욕심이라 하십니까? 죽어가는 환자가 주는 선의를 끝내 물리친 것은 아쉽고 솔직히 지나쳤다는 생각이 드는군요."

"계산적이지 못해 현실감각이 떨어질 때가 많아요. 그러나 오늘 같은 일이 또 다시 반복 된다 하여도 제 마음은 변하지 않을 거예요. 혹시 제 생각이 어리석은 걸까요?"

"그럴 리가 있나요? 원장님의 말속에는 아무나 행할 수 없는 인간 사랑과 타인을 배려하는 정신이 숨어있어요. 차라리 환자를 만나러 오지 않는 게 좋을 번했네요. 원장님께 큰 심적인 부담을 드린 것 같군요."

"그건 뻔뻔스럽고 염치없는 행동이겠지요. 어떻게 저런 거룩한 뜻을 지닌 분께 감사의 인사를 드리지 않을 수가 있겠어요?"

"갑자기 사고를 당한 사람의 안구를 기증 받아서 수술을 받는 방법이 있어요. 잠시 기다리면 이식수술을 받을 수 있는 좋은 기회가 찾아올 거예요. 어차피 못 쓰게 되는 안구를 이식받는다고 생각하시고 마음을 편하게 가지세요."

반원장은 한동안 정신적인 안정을 찾기가 힘들었다. 자신을 실망시키지 말라는 환자의 마지막 음성이 귓전을 떠나지 않았다. 한편으론 사람을 사랑하는 넓은 마음을 소유하고 있는 그에게 큰 교훈을 주었다. 다시 바쁜 일상의 전념하면서 가슴 아픈 기억을 잊으려했다.

28

아내를 위한 결단

그로부터 6개월의 시간이 지나갔다. 행운의 여신은 착하게 사는 사람을 외면하지 않았다.

"원장님께 기쁜 소식을 전할 수 있어서 행복하군요. 이번에는 편안한 마음으로 수술을 받고 시력을 찾을 수 있는 기회가 왔어요."

"박사님, 저를 위해 애써주시고 도움을 주시어 감사드립니다. 고마운 마음을 전할 길이 없군요."

"원장님께 시력을 찾아드리는 일이 제 기쁨이고 의무가 되었어요. 교통사고로 식물인간이 된 환자 가족께서 꼭 원장님께 안구를 기증하고 싶다는 뜻을 전해왔어요. 병원에서 모든 준비를 해놓겠습니다."

선박사는 다소 흥분된 목소리로 소식을 전하고는 수술날짜를 잡았다.

선박사의 전화가 예전처럼 기쁘고 설레지 않았다. 애타게 기다리던 눈의 이식 수술 날짜가 잡혔는데 왠지 모르게 마음이 편치가 않았다. 얼마 전 공손한 노인과 만나 가슴 아픈 대화를 나눈 기억이 남아 있는데다, 그때의 충격으로 자신이 그렇게 대단한 존재가 아니란 자각을 하고 있었다. 시력을 찾을 수 있다는 당초의 기쁨은 퇴색 되어서 절박했던 심정에서 멀어져갔다.

반원장은 자신의 존재를 냉철하게 돌아보았다. 매스컴을 통하여 인기가 올라가고, 환자들의 존경을 받는 영웅이 되었다는 분위기에 휩쓸려 한때 우쭐하여 자제력을 잃었다고 생각했다. 잘 나간다 하여 어려움에 처한 사람들을 가볍게 여기며 자만했다고 뉘우쳤다. 세상에는 많은 사람들이 보이지 않는 손길로 남을 돕고 있다는 사실을 알았다. 자신보다 희생적인 삶을 살고 있는 사람들이 있다는 걸 알고는 부끄러움을 느꼈다. 인생을 살면서 더욱 겸손한 자세를 가져야한다고 다짐했다.

그는 생각이 깊고 침착한 성격의 소유자다. 수술 후 다시 세상을 보게 될 때 일어날 여러 가지 일들을 냉정하게 숙고했다. 맨 먼저 아내 얼굴의 흉터자국이 떠올랐다. 아무래도 아내의 예민한 성격이 마음에 걸렸다. 조금은 자존심을 상하게 할 것만 같았다. 그것이 잘못된 기우 일지라도 힘들게 하고 싶지 않았다. 그는 여러 상념이 착잡한 심경으로 바뀌면서 점점 수술을 주저하게 하였다.

"얼굴의 흉터자국을 보여주고 싶지 않을 거야. 아무래도 신경이 쓰이겠지? 내가 아내의 마음을 근심하게 할 수는 없어."

어둠의 세계가 답답한 건 사실이나 이젠 습관화 되어서 생활에 지장이 없다. 잃어버린 시력은 손끝의 촉각과 정신력으로 대신할 수 있으며 아내의 도움으로 불편함을 모른다. 그런데 아내가 내색은 않더라도 조금은 부끄러워할 것이 염려되었다. 다시 빛을 찾을 수 있다는 기쁨과 희망도 잠깐 선뜻 수술에 동의할 수 없는 이유가 바로 거기에 있었다.

"아내가 어떤 존재인데 마음을 힘들게 한단 말이야? 내겐 그런 권리가 있는 것도 아니고 결코 그럴 수는 없어."

그의 망설임은 시간이 갈수록 어떤 믿음으로 굳어져갔다. 반원장은 마음 속에서 쉼 없이 일어나는 갈등을 떨쳐 버리기가 힘들었다. 어떤 길이 옳은지 홀로 고민하며 수술에 대한 복잡한 생각을 정리했다.

"아내를 위한 일인데 망설일게 무엇인가? 그래도 기회를 잡아야 하지 않을까?"

아내는 수술 후 병원생활에 필요한 물품을 챙기며 기뻐했지만 그는 고심을 거듭한 끝에 한 치의 주저함도 없이 고독한 결단을 내렸다.

"내가 편하자고 힘들게 할 수는 없어. 아내의 마음에 어두운 그늘을 지워서는 안 돼."

혼란스럽던 마음이 오히려 그때서야 평온해지는 걸 느꼈다.

수술을 받기로 한날 차분한 마음으로 선박사와 마주 앉았다.

"원장님의 선행은 많은 사람들이 알고 있어요. 아무나 할 수 없는 고귀한 일을 하고 계신데 괘념치 말고 받아드리세요. 원장님이 쌓은 업적에 보답하고 더 많은 환자들에게 혜택을 주기위한 우리 사회가 주는 선물이라고 생각하세요."

"저에게 주는 배려가 과분한 것 같아 마음이 무거워지네요. 열심히 일을 하라는 격려로 받아드리려 하여도 자꾸 주저하게 합니다."

선박사는 예민해진 반원장의 심기를 누그러뜨리려고 시간을 끌었다.

"당치않은 걱정을 하시네요. 불편한 몸으로 그런 훌륭한 일을 하시는 숨은 뜻이 궁금하네요?"

"거창한 이유 같은 건 없어요. 누군가는 해야 할 일을 하고 있는 거예요. '네 이웃을 네 몸과 같이 사랑하라'는 예수님의 말씀은 세상의 평화를 위한 지름길이며 만고의 진리입니다."

"그럼 그 말씀을 몸소 실천하고 계시는 거로군요?"

"그리고 공자님께서 제자들에게 준 가르침이 있어요. '다른 사람을 대할 때 내 몸같이 소중히 여기라. 나만 귀한 것이 아니라 남도 소중하다는 걸 잊지 말라. 다른 사람에게 바라는 일을 먼저 베풀어라.' 전 이 말씀을 실천하려고 노력합니다."

"그 말을 들으니 제가 의사로서 지녀야 할 마음가짐과 정신 자세를 뒤돌아보게 하네요. 원장님의 소중한 시력을 찾는데 도움을 줄 수 있어 영광으로 생각합니다."

"제가 침술에 눈을 뜨고 배움에 열중할 때 스승님이 교훈을 주셨지요. 곧 '선부른 재주를 믿고 생명을 경시하거나, 물질을 탐하여 돈벌이의 수단으로 사용하는 작은 인간이 되어서는 안 된다. 환자를 대할 때는 진정으로 가엾게 여기는 마음이 앞서야 하며, 내 몸같이 여겨서 병든 몸을 치료해주고 마음에 든 병까지 씻어주는 의인이 되어야 한다. 먼저 바른 인간이 되어야 한다.' 는 말씀을 강조하셨어요. 그때부터 스승님의 가르침을 늘 되새기며 살아왔어요."

"제자신이 부끄럽다는 생각이 드네요. 그건 몸이 성한 사람도 하기 어려운 일인데 스승님의 가르침을 평생 실천하고 계시는 거로군요?"

"시력을 잃고 절망에 빠진 후 홀로서기를 할 수 있었던 것은 많은 사람들이 주신 도움과 관심이었어요. 제가 받은 혜택을 조금은 갚아야 한다고 생각했지요. 돈이 없어 치료를 포기한 환자들을 무료로 치료해주는 시설이 없더군요. 고통받는 사람들을 그대로 죽어가도록 방치할 수는 없지 않겠어요?"

"그런 일은 누구도 할 수가 없을 거예요. 원장님은 은혜를 조금 갚는 게 아니라 평생을 바쳐서 베풂의 삶을 살고계시는 군요?"

"생명은 모두 똑같이 소중한 것이에요. 돈이 없는 환자들도 치료를 받아야하지요. 제가 힘들게 배운 의술인 만큼 그런 사람들을 우선적으로 치료해주고 싶었어요."

"그래서 무료 침술원을 개원하셨군요? 스승님의 큰 뜻을 실천하며 고통 받는 환자들의 건강을 찾아주는 일을 하고 계시는 거로군요?"

"선박사님도 어려운 환자들에게 무료로 개안수술을 하며 좋은 일을 하신다고 들었어요. 제 눈을 정밀 검사하고 수술까지 하겠다는 호의에 깊은 감사를 드립니다."

"원장님이 하는 일에 비할 수는 없겠지요. 저도 원장님께 좋은 일을 해보고 싶었어요. 실명하여 고생하신지는 얼마나 되셨나요?"

"40년 이상을 어둠 속 에서 살아왔어요."

"오랜 세월을 빛이 없는 세상에서 힘들게 살아오셨군요. 이번에 수술을 받게 되면 잃었던 빛을 다시 찾게 될 가능성이 매우 높습니다."

"세상의 빛을 다시 찾을 수 있다니 정말 꿈같은 일이네요. 어떻게 그런 일이 가능할까요?"

"현대의학의 눈부신 발전 덕이지요. 그리고 신비스러운 우리 몸의 자연 치유력으로 손상되었던 시신경이 일부 재생되었어요. 다행이 제가 전공한 분야라서 도움을 드릴 수 있을 것 같아요."

이야기가 순조롭게 진행되었다. 수술에 대한 만반의 준비가 끝났다는 간호사의 전갈이 왔다. 이제 선박사가 수술하는 일만 남았다.

이때 반원장은 누구도 예상하지 못했던 뜻밖의 이야기를 꺼냈다.

"하지만 박사님, 죄송한 말씀이지만 제가 수술을 받아서 다시 시력을 찾는 일을 포기하겠습니다."

반원장은 담담하게 말했지만 선박사는 자신의 귀를 의심했다. 청천벽력과 같은 소리로 들렸기 때문이다.

"지금 수술을 포기하겠다고 하셨어요? 아니 세상의 빛을 포기하겠다는 겁니까?"

"저도 당연히 빛을 보고 싶지요. 그러나 지금은 아내의 헌신적인 사랑이 있어 새로운 삶을 살고 있어요. 다소의 불편이 있지만 익숙 되어서 얼마든지 극복할 수가 있어요."

"시력을 찾을 수 있는 가능성이 높은데 왜 수술을 포기하려고 하세요?"

"저는 인생을 살면서 게으름으로 나태해지거나, 마음이 혼란스러울 때면 환자를 긍휼이 여기라는 스승님의 교훈을 떠올리며 힘을 얻곤 했어요. 이번 수술은 포기하는 게 아니라 제 자신을 위하여 이대로 사는 게 편할 것 같다는 생각을 했어요."

"어둠이 편하다니 그게 무슨 뜻입니까? 이건 기적에 가까운 일이에요. 정말 어둠의 세계가 불편하지 않습니까?"

선박사는 수술을 포기하겠다는 뜻밖의 말을 이해할 수가 없었다. 상식적으로 납득할 수가 없어서 안타깝게 물었다.

"나 자신의 편함을 위해 다른 사람을 불편하게 하거나 힘들게 할 수는 없습니다. 혹시 박사님은 손수건의 의미를 생각해본 적이 있으신가요?"

"손수건의 의미라니요? 그야 뭐,……"

"손수건은 자신의 작은 불편을 해소 해주는 친숙한 물건이지요. 그런데 손수건이 혼자 사용하기엔 넓고 크다는 사실을 알았어요. 그런 손수건이라면 꼭 자신만을 위하여 써야할까요?"

"그야 당연한 것이 아닐까요? 손수건은 자신을 위한 필수품이라 생각해요."

"우리는 지금껏 그렇게 살아왔어요. 손수건으로 자신의 눈물과 오물을 닦았어요. 앞으로는 손수건으로 다른 사람의 눈물을 닦아주고 쓸 수 있어야 한다고 생각합니다."

마치 어떤 성자의 말처럼 들려왔다. 선박사는 지금껏 생각해본 적이 없는 일이어서 그의 마음을 날카롭게 찌르는 것 같았다.

"손수건을 다른 사람을 위해 사용한다는 생각은 신선한 발상의 전환 같군요. 혹시 그런 생각은 부처님의 말씀일까요?"

"손수건은 당연히 나만을 위해서 사용하는 물건인줄 알고 살아왔어요. 그런데 그걸 필요로 하는 다른 사람을 위하여 사용할 때 더 가치가 있고 유용하다는 사실을 알았어요."

"원장님, 그게 가능하겠습니까? 위생문제도 있을 것 같고……"

선박사는 말의 뜻이 이해가 되지 않는지 직설적으로 물었다.

"현대는 물질문명의 발전으로 풍요로움이 넘쳐나고 있어요. 반면 정신은 피폐해져서 사회에 만연되어있는 극도의 이기주의가 인류의 번영을 가로막는 장해이자 암적 요인이 되었지요."

선박사는 속이 타는지 물 컵을 들어서 벌컥벌컥 마셨다.

“사회 곳곳에 이기주의가 넘쳐나 자기밖에 모르는 인간들이 많다는 지적에 동의합니다. 오직 내 가족, 내 새끼, 내 것만 중요한 줄 알고 있지요. 그래도 손수건을 다른 사람과 함께 사용하는 건 좀 어렵지 않을까요?”

“그건 인간의 정신과 마음의 자세를 말하는 겁니다. 우리는 손수건은 내 것이니까 당연히 나만을 위해 사용해야 된다는 고정관념에 젖어 살고 있어요. 그런데 여분의 손수건을 다른 사람이 사용할 수 있도록 배려한다면 편안함이 크지 않을까요?”

“좁은 제 소견이 어리석었네요. 극도의 이기심에 빠져서 살고 있는 인간의 옹졸한 정신을 지적한 건데 속 좁은 생각을 했군요.”

“그런데 손수건과 같이 자신에게 꼭 필요한 것을 포기한 체 삶 자체를 나와 다른 사람을 위해 자신을 희생하며 살고 있는 사람이 있어요.”

“세상에 그런 사람이 있어요? 그게 누굽니까?”

“바로 제 아내입니다. 이제부터는 나도 손수건을 그런 아내를 위하여 사용하며 살아야겠다고 생각을 바꿨어요.”

“손수건이 남을 위해 필요한 물건이라는 생각은 아무나 가질 수 없는 희생과 봉사의 정신인것 같군요. 바로 원장님의 평소 생활 자세를 짐작할 수 있을것 같네요.”

“박사님은 의학을 전공하셨으니까 외상 후 스트레스 장애에 대하여 잘 알고 계시겠지요?”

“트라우마에 대한 말씀이로군요? 외부에서 일어난 충격적인 사건으로 생기는 심리적인 외상인데 일종의 정신적인 상처를 말합니다.”

“제 아내의 얼굴에는 아무리 노력하여도 씻을 수 없는 화상으로 인한 상처자국이 있어요. 아내는 얼굴의 상처로 인한 심각한 트라우마 때문에 거울보기가 무섭고 다른 사람과 대면하는 걸 꺼려왔어요. 그것이 얼마나 아내를 위축시키고 자신감을 빼앗아서 마음고생을 하며 살아왔을지 짐작할 수 없을 거예요. 저도 아내의 복잡한 심정을 짐작만 할뿐 모든 걸 이해하지는 못하고 있지요."

"여성의 얼굴에 상처가 있다면 그건 어느 누구라도 마찬가지 심정일거예요. 어쩌다가 그런 일이 일어났을까요?"

"아내는 처녀 적에 활활 타오르는 집안으로 들어가 죽음에 처한 어머니를 기적적으로 구한 적이 있었지요. 그때 얼굴과 목 등에 치명적인 화상을 입고 여러 번 성형수술을 받았어요. 화상의 후유증으로 구안 와사 증까지 나타나 1년 넘게 치료하면서 엄청난 정신적인 압박과 육체적인 고통을 당했지요. 그때의 생각을 한다면 얼마나 끔찍하겠어요?"

"인간이 큰 사고를 당하여 심각한 외적인 상처가 생기면 이로 인하여 눈에 보이지 않는 내면의 상처를 입게 되는데, 이것을 내적인 상처 곧 트라우마라고 합니다. 나쁜 사건이나 기억으로 인한 정신적 상처는 오랫동안 삶의 질을 파괴하지요. 또한 정신적인 충격은 시각적인 이미지를 동반하게 되어서 정상적인 생활을 어렵게 합니다. 부인께서는 타오르는 불길만 보아도 심적인 고통을 느끼리라 짐작되는데 어려운 환경을 잘 극복하셨군요."

"아내는 지금도 얼굴의 상처로 힘들게 살고 있어요. 치료과정을 뒤 돌아보는 것만으로도 악몽과 같은 고통의 세월 이었을 거예요. 이제 겨우 안정을 찾았는데 옛 일을 상기시켜 또 다시 삶을 힘들게 하고 싶지가 않군요."

"여자들이 얼굴에 쏟는 정성은 목숨처럼 여긴다고 했어요. 그런 얼굴에 화상을 입어 흉측해졌다면 심정이 어떨지 짐작이 가네요. 수십 번도 더 죽고 싶은 생각을 하며 살아왔겠지요. 자신의 용모에 관심을 갖는 건 당연한 일이지만 아내의 마음에 괴로움을 주다니 그건 무슨 말씀인가요? 원장님의 눈 수술과 그게 무슨 관련이 있다는건가요?"

"내가 조금 불편하더라도 아내의 마음을 편하게 하는 것과, 내가 편하자고 아내를 힘들게 한다면 전 당연히 전자를 택하겠습니다."

"아내를 사랑하는 원장님의 마음을 짐작할 수 있네요. 수술을 받는다고 두 분께 어떤 도덕적 가치가 훼손되거나 사회적 윤리에 위배되지 않아요. 또 남에게 비난받을 일은 결코 없으리라 생각해요."

"제가 수술을 받아 시력을 찾게 되면 누구보다도 아내가 제일 기뻐할 겁니다. 그런데 제 마음이 편하지 않을 것 같아요."

"그건 부인뿐만 아니라 원장님을 존경하는 많은 사람들의 바람이 아니겠습니까? 수술을 포기해서는 안 됩니다. 이번에는 용기와 자신감을 갖으시길 바랍니다."

아직도 선박사는 손수건의 의미를 강조하며 수술을 포기하려는 반원장의 깊은 뜻을 이해하지 못했다.

"제 눈 수술에 많은 사람들이 관심을 갖고 있다는 걸 알고 있어요. 그래서 부담을 갖고 있습니다."

"이번에는 어둠의 불편에서 꼭 탈출 하셔야합니다. 원장님을 아끼는 사람들의 기대를 저버리지 마세요."

"그런데 시력을 찾게 되면 어떤 일이 일어날까요? 아내는 흉터가 있는 얼굴을 보여주고 싶지 않겠지만 나도 흉터자국을 보게 되겠지요? 아내의 얼굴이 어떻든 제 마음엔 한 치의 변함이 없겠지만, 아내는 용모에 신경이 쓰여서 잠시라도 힘들 거란 생각이 듭니다. 아내는 천사 같은 마음을 지녔지만 여자니까요."

"아내의 마음에 어떤 심적인 동요를 염려하시는 건가요? 그렇지만 근심은 잠시 동안이나 원장님께는 큰 변화가 일어납니다. 남은 인생을 불편 없이 사셔야지요."

"세상이 온통 검게 변한다 하여도 우리 마음은 절대로 변하지 않습니다. 아내를 힘들게 하는 것보다 고통스럽지 않아요."

"혹시 수술할 때의 고통이나 실패를 걱정하시는 건가요?"

"수술이 실패로 끝난다 하여도 두렵지 않아요. 아내의 헌신적인 사랑이 없었다면 나또한 존재하지 못했을 거예요. 한 마을에서 제일 예쁘다고 부러움을 받던 미모가 보기 흉하게 망가졌다면 심정이 어떨까요? 예뻐 보이고 싶은 여자들의 자존심을 어찌 막을 수가 있겠어요? 그런 순진한 아내의 마음을 잠시라도 괴롭게 하고 혹시라도 미칠지 모를 근심을 염려하는 겁니다."

"세상에 이럴 수가! 그럼 수술을 포기하려는 이유가 혹시 모를 아내의 마음을 힘들게 할지도 모른다는 근심 때문이란 말인가요? 바로 원장님의 손수건을 아내를 위해 쓰겠다는 말씀의 의미란 뜻인가요?"

"제 아내는 파란 하늘에 떠있는 흰 구름같이 맑고 깨끗한 심성을 지닌 여인이에요. 내 눈의 시력을 찾고자 그런 아내의 마음을 힘들게 하고 작은 고통이라도 주고 싶지가 않네요. 아내를 힘들게 하는 건 사람이 할 일이 아니라고 생각해요."

"원장님이 수술을 받아서 시력을 찾는 건 기적에 가까운 일이에요. 원장님 같이 훌륭한 분이 더 많은 일을 하도록 돕고 싶습니다. 변치 않을 굳건한 마음이 있는데 왜 수술까지 포기하려고 하십니까?"

"아내는 나를 위해 모든 걸 희생하며 살고 있어요. 그녀가 괴롭거나 슬프다면 전 행복할 수가 없답니다. 마음 한 구석 에라도 남편에게 보여주고 싶지 않은 용모 때문에 부끄러워하거나 근심할 것이 염려되네요."

"세상에 이런 기막힌 사랑이 있을까요? 아내의 마음을 편하게 지켜주시겠다는 것이로군요? 행복은 물론 슬픔도 함께 나눠야겠지요. 두 분의 진실한 사랑이 부럽네요. 원장님의 귀중한 말씀이 제 마음을 울리는군요."

"제가 어찌 선박사님의 호의를 모르겠습니까? 아내는 명문 집안의 외동딸로 태어나 부러울 것이 없는데도 앞을 볼 수 없는 나를 기꺼이 선택한 여인이에요. 그런 숭고한 마음을 지닌 아내의 마음에 티끌만한 부담이라도 갖게 할 수가 없어요. 아내는 나의 분신과 같은 사람이에요. 그것이 잠시 동안 아내를 힘들게 하고 그늘을 드리우게 하는 일이라도 매한가지입니다."

"하마터면 어린아이처럼 티 없이 맑고 깊은 두 분의 사랑에 흠을 남길 번했네요. 보이지 않는 선한 마음과 사랑을 위하여 세상의 빛까지 포기하려는 원장님의 심성에 경의를 드립니다. 세상에 이런 진실한 사랑이 있는 줄은 상상도 하지 못했습니다."

"어쩌면 아내는 자신보다 나를 더 사랑하라고 신께서 특별히 보내주신 천사일 거예요. 아내는 영원한 소울 메이트로서 육체적 그리고 정신적 동반자이며 저의 전부라하여도 과언이 아닙니다. 인생의 목표, 희망, 삶의 가치가 일치하여 마음의 평화를 누릴 수 있는 삶과 영혼의 동반자가 되었어요. 그런 여인을 잠시라도 아프게 할 수가 없습니다."

"원장님의 말씀을 들으니 두 분께서는 삶을 함께하는 동반자로서 천생연분인 것 같군요. 인생의 중요한 것에서는 반드시 일치하여, 삶의 의미와 가치를 공유하신 운명적인 상대란 느낌이 드는군요. 한편으로 제 자신이 부럽기도 합니다."

"아내는 지금도 잠을 자다가 가끔은 한 밤중에 소리를 지르며 잠을 깨지요. 아직도 외상 후 스트레스 장애에 시달리고 있어요. 제 눈 수술로 인하여 잠시 잊고 사는 아내의 정신적 상처를 일깨워 트라우마의 고통을 안겨주고 싶지 않아요. 앞으로는 아내가 힘들어하고 외로울 때 남몰래 흘리는 눈물을 닦아줄 수 있도록 여분의 손수건을 갖고 다닐 겁니다."

"세상에 이런 지고지순한 사랑이 있다니 제 가슴이 저려오네요. 아내를 그토록 깊이 사랑하시는군요. 두 분의 숭고한 사랑에 경의를 표합니다. 원장님의 말씀이 제가 살아온 삶을 뒤돌아볼 수 있는 계기가 됐어요. 그래도 빛을 포기하기에는 안타까움이 너무 크군요."

인간이 지닌 순수함과 진실함은 타고난 천성이다. 성인이 되어서도 그걸 변함없이 간직하고 살아간다는 건 어려운 일이다. 그것은 돈으로 살 수 없으며 아무나 소유할 수 없는 고귀한 재산으로 성스러운 품격이 된다. 반원장은 어린아이처럼 순진한 성정을 그대로 간직하고 있었다. 선박사는 진지한 자세로 반원장의 얼굴을 뚫어져라 바라보았다. 문득 그의 얼굴에서 성인의 자태가 보였다. 아무나 흉내를 내거나 닮을 수 없는 인자함과 편안함 같은 기운이 감돌고 있었다.

29 / 또 다른 사연

위대한 업적을 쌓으며 감동적인 인생을 살아온 인물들의 이면을 살펴보면 그에 버금가는 헌신적이고 현명한 여성의 뒷받침이 있음을 알 수 있다. 반원장의 아내가 바로 그런 여인이었다.

"수술을 받는다고 고결한 인격에 흠이 생기거나 사랑이 변할 리가 있겠습니까? 예쁘게 보이려는 아내의 마음을 지켜주려는 심정은 이해하지만 이번 기회를 놓치면 다시는 빛을 찾을 수가 없어요."

"저도 기적 같은 일이란 걸 알고 있어요. 그런데 수술 후에 일어날 마음의 변화를 감당할 자신이 없더군요. 솔직히 제 자신에 대한 두려움이 있어요."

"원장님이 경계하는 마음의 변화나 두려움이란 게 무엇입니까?"

"인간이면 누구나 가질 수 있는 자만심을 떨쳐버리기가 힘들 것 같아요."

"환자들에게 누구도 할 수 없는 일을 하시면서 존경을 받고 계신데 새삼 경계할 일이 무엇이 있겠어요? 두려움을 갖고 계시다니 이해할 수가 없군요."

"처음 박사님이 수술을 제의했을 때 솔직히 뛸 듯이 기뻤어요. 그런데 곰곰이 생각할수록 수술 후 다시 세상의 빛을 찾게 될 때 교만함에 빠져서 일그러져 가는 나태한 모습이 떠오르더군요."

"거만하게 거드름을 피운다든지, 목에 힘을 주는 그런 천박하고 교양 없는 모습은 상상할 수가 없군요. 원장님의 성정으로 보아 그런 가벼운 행동은 절대로 없을 것이라 확신합니다."

"남들은 제가 이룬 성과에 찬양과 갈채를 보내는 사람이 있어요. 한편에선 시기와 질투를 보내는 사람도 있고요."

"그건 자신은 할 수 없는 일을 하는 원장님의 큰 뜻을 시샘하는 일부 편협한 자들의 모함이에요. 세상에 흔히 존재하는 일이니 신경 쓰실 일이 아니라 여겨지네요."

"그리고 제가 수술을 받고 시력을 찾게 될 때 일신의 영달을 꾀할 수 있는 좋은 기회가 된다는 걸 알고 있어요."

"그건 당연히 받아야할 권리에요. 원장님을 이용하여 사익을 취하려는 자들도 있을 것이고, 원장님은 더 높은 명성과 사회적인 지위 상승이 따르겠지요. 그것은 인생을 열심히 살고 있는 사람들이 누려야 할 특권이 아닐까요?"

"전들 어찌 세상의 공명심에 무관할 수 있으며 마냥 초연할 수가 있겠어요? 나 또한 인간의 속물 같은 허명에 사로잡혀 무료 침술원을 개원할 때 가졌던 초심이 흔들릴까 두려워지더군요. 전 헛된 명성을 탐하는 그런 세속적인 삶을 원치 않습니다."

"원장님이 그럴 분이 아니라는 건 삼척동자도 알고 있어요. 왜 일어나지도 않을 미래의 일까지 걱정을 하시는 겁니까?"

"제 자신을 경계하자는 거예요. 내가 가진 재능을 환자들에게 베풀겠다는 마음이 무너진다면 이대로 사는 게 옳은 일이라 생각했어요. 어떤 자만심이나 오만에 빠져서 인생을 헛되이 살고 싶지가 않더군요."

"작은 명예와 부를 누리며 조금은 안락한 삶을 살아야 하지 않겠어요? 살다보면 그런 게 필요하지 않을까요? 뛰어난 의술을 오직 남을 위해 쓰기에는 아깝지 않으세요?"

"강요에 의해서 그런 일을 하는 게 아니라 생명의 존귀함을 지켜주면서 살아야한다는 저의 삶의 가치가 있어요. 환자들의 고통을 씻어주어서 건강을 찾아주는 일이 열광적인 환호를 받는 건 아니더라도 저만이 느끼는 행복과 보람이 있답니다."

"때로는 세속적인 명성이나 인기를 거부만 하지 말고 즐겨보세요. 가족들에게는 안락하게 살 수 있는 기회를 주셔야지요. 언제까지나 희생만 하며 살 수는 없다고 생각해요."

"한때는 그런 욕심이 있었어요. 그런데 나의 안락함보다 환자들에게 베푸는 삶이 더 값지고 보람된 일이란걸 깨달았어요. 사람들은 앞을 볼 수 없는 나에게 천하에 둘도 없는 신의 손을 지닌 명의라는 찬사를 보냅니다. 세상에 이보다 더 큰 명예가 어디에 있겠어요?"

"솔직히 아무나 들을 수 있는 찬사는 아니지요. 원장님이 하는 일을 생각한다면 그보다 더한 명성과 대우를 받는다하여도 부족하지요. 때로는 물질적인 편리함도 누려보셔야죠. 원장님은 그런 찬사나 물질이 주는 부귀영화를 뿌리칠 수 있다하여도 가족들은 작은 여유라도 누려야겠지요. 그들에게 희생을 강요해선 안 되겠지요."

"환자들의 건강을 찾아주고 있다는 존재감과 나를 필요로 하는 사람들을 위해 일을 할 수 있다는 자부심으로 만족합니다."

문득 반원장이 성자라고 생각했다. 자신이 한일을 과시하며 뽐내려 한다든지, 남들이 알아주기를 바라는 건 누구나 가질 수 있는 욕심이며 인지상정일 것이다. 그것을 비난 하거나 탓할 일은 아니다. 세상에 저토록 자신을 자랑하지 않는 겸손한 사람도 있을까? 선박사는 아직껏 그런 사람을 본적이 없었다.

맨 처음 일을 시작할 때의 초심을 간직하고 실천하는 것은 중요하다. 사람들은 성공과 함께 초심을 잃고 과욕을 부리며 교만에 빠진다. 그런 자세는 자신을 추하게 만들고 한순간에 명예를 더럽혀서 망가져가는 모습을 보여 왔다. 초심자의 자세라면 힘든 문제도 해결할 수 있다.

"원장님의 사려 깊은 언행이 자꾸만 부끄럽게 하는군요. 그런데 그런 일은 절대로 일어나지 않을 것이라 확신합니다."

"인간이 동경하며 이루려고 하는 부와 명예, 출세 같은 것보다 일상에서 누리는 평범한 삶이 소중하다는 생각을 했어요. 때로는 바르게 살려고 노력하여도 세상이 그냥 놔두지를 않는 경우도 있더군요. 솔직히 초심을 지켜나갈 자신이 없습니다."

"저도 원장님처럼 겸손함을 지니고 싶군요. 얼마나 노력하면 그런 겸손을 배우고 실천하며 살아갈 수 있을까요? 세상을 보는 통찰력에 절로 머리가 숙여지네요. 저에게도 그런 삶을 가르쳐주세요."

"교만함이 넘치면 자신을 망치는 화가 되고, 주위사람들까지 피해를 입히는 칼날이 되지요. 이점을 잊지 말아야겠지요."

인간이 초심을 갖고 자신을 지키는 일은 쉽지 않다. 그걸 지키기 위해서는 유혹을 뿌리치고 많은 것을 포기해야 한다. 겸손은 사람을 자신의 주위에 머물게 한다더니 그에게 구름처럼 몰려드는 이유를 알 것 같았다.

반원장의 삶이 부러웠다. 그와 대화를 나눌수록 인간을 사랑하는 마음이 태산보다 높아서 크기와 깊이를 헤아릴 수 없을 만큼 큰 그릇이란 걸 느꼈다. 자신은 아무리 노력하여도 감히 넘볼 수 없다는 사실을 알았다. 선박사는 범상치 않은 그의 언행에 머리가 숙여지면서 존경의 마음이 솟아났다.

"그렇게 철저하게 자기관리를 하면서 환자들의 건강을 찾아주려는 뜻을 이해할 수 있을 것 같아요. 그 모든 걸 감당하기에 얼마나 힘이 드십니까? 어떻게 하면 다른 사람을 위해서 그런 숭고한 삶을 살수가 있을까요?"

"제가 성인군자를 닮을 수는 없어도 악인으로 살고 싶지는 않아요. 평범한 삶보다는 조금은 선하게 살려고 노력하고 있지요."

"소문으로만 듣던 원장님의 덕망이 이렇게 큰 줄은 몰랐군요. 누구보다 심지가 굳건한 분이 일어나지도 않을 실수를 경계하다니 제가 부끄러워지네요."

"잠시 인기를 얻어 유명해지고 왕성한 성취감에 두려울 게 없다하여도, 언젠가 순식간에 사라져 버릴지 모를 물거품 같은 것이지요. 잘나가던 시절의 부귀영화가 얼마나 가겠습니까? 지나고 보면 한 순간의 꿈이고 부질없는 신기루 같은 것이지요. 그래서 인간은 분수를 지키며 겸손 해야겠지요."

"정상에서 내려올 때의 허무함과 덧없는 인생길의 변화무쌍한 삶을 벌써 훤히 꿰뚫어 보고 계시는군요. 제 자신을 돌아보며 세상을 보는 눈을 갖도록 힘써야겠네요."

"제 몸에 어떤 변화가 생길 때 나도 모르게 꿈틀되는 악마와 같은 사악한 유혹을 뿌리치고 감당할 자신이 없더군요. 나도 모르게 움트는 교만과 자만에 빠져 삶이 망가지는 걸 원하지 않아요. 자신을 과시하고 싶은 욕망은 누구나 가질 수 있는 게 아니겠습니까?"

"지금껏 이룩한 성과가 크거늘 숨길 필요가 있겠습니까? 환자들의 영웅으로 존경받는 이유를 알 것 같아요. 원장님의 겸손함과 절제하는 마음은 평생을 노력하여도 따라갈 수 없을 것 같군요."

"저는 겉과 속이 다른 이중적인 인간이 되는 걸 거부하며 살아왔어요. 내 마음이 흐트러지고 나태해질까 두려웠어요. 앞으로도 떳떳하고 변함없는 삶을 살고 싶습니다."

분위기가 숙연하게 변했다. 저 사람처럼 겸손하고 양보하며 살아가고 싶었다. 선박사는 경외심과 두려움이 자신에게 밀려오는 느낌을 받았다.

선박사는 아내를 깊이 사랑하면서 그것을 몸으로 실증하려는 반원장의 결심에 감동을 받아 한동안 할 말을 잃었다. 그를 바라만 보고 있어도 마음이 편해졌다.

그러나 포기하기에는 아쉬움이 남았다.

"현대 사회는 선과 악의 개념이 애매모호한 시대입니다. 선을 빙자한 악이 성행하고 있어도 막을 방법이 없어요. 원장님처럼 존경받는 사람이 앞날을 걱정할 일이 아니라고 봅니다."

"제 마음이 불편합니다. 양심이 허락하지 않는 일을 어떻게 할 수가 있겠습니까?"

"환자들을 치료하는 일은 뜻이 있다고 할 수 없어요. 아무나 따라할 수 없는 경이로운 기적이지요. 그래서 드리는 말인데 두 가지 일을 함께 하시면 어떻겠습니까?"

반원장의 입가에 살짝 천진스런 미소가 번졌다.

"두 가지 일을 함께 하다니 제가 그렇게 힘이 센 사람이 아니에요."

"지금처럼 부인을 사랑하세요. 원장님은 이식수술을 받아서 당당하게 빛을 찾으세요. 환자들의 건강을 찾아 주면서 큰 뜻을 마음껏 펼치세요. 제게도 그런 일에 동참할 수 있는 영광을 주시고요."

"박사님의 안타까운 심정을 알고 있어요. 그건 욕심이라 생각했어요."

"기회는 쉽게 달아나고 시간은 기다려주지 않아요. 좋은 방법이 있고 편리한 길이 있는데 외면하려 하시니 속이 타네요. 눈앞에 펼쳐지려는 엄청난 변화를 두려워하지 마세요. 그건 욕심이 아니라 지금 원장님에겐 결단력이 필요합니다."

반원장의 표정이 심각하게 굳어졌다. 어떤 알 수 없는 팽팽한 긴장감이 맴돌면서 잠시의 침묵이 길게 느껴졌다.

"세상에는 도덕과 법이 통하지 않는 불법의 사회가 있어요. 오직 폭력과 강제만이 존재하는 독재와 모순의 사회지요. 그런 사회에서 물리적인 힘에 의하여 무조건적인 복종이나 거짓 증언 같은 행동을 강요받았을 경우, 받아드리면 일시적인 이익과 편함이 따르겠지만 거부하면 고난과 불리한 제재가 가해진다면 어느 쪽을 택해야 할까요?"

"강요가 정신적인 고통은 물론 감당하기 힘든 징벌이 예상된다면 따라야겠지요. 거부할 경우 육체적으로 가해지는 엄청난 고난을 극복하기가 어려우니까요. 대부분의 사람들이 이익이 되는 쪽을 택하겠지만 굴복 당했다고 그것을 비난할 수는 없을 것 같아요."

"강요된 힘이라도 자유 의지에 반하는 것이라면 받아드릴 수가 없어요. 잠시의 편함을 위하여 사실이 아닌 것을 사실이나 진실처럼 말할 수는 없어요. 더구나 강요된 선택이 사랑하는 사람들에게 실망을 주고, 믿음을 저버리는 행위라면 단연코 거부해야 한다고 생각해요."

"인간에게 가해지는 야만적이고 육체적인 고통을 이겨낼 수 있는 사람은 많지 않아요. 때로는 현실과 타협할 줄 알아야 해요. 생명을 위협 당하고 실제 죽음으로 이어진다 하여도 그렇게 해야 할까요?"

"믿음을 주는 많은 사람들에게 실망을 줄 수는 없어요. 설사 죽음까지 예상되는 고통을 받는다하여도 마찬가지예요. 자신의 양심에 어긋나고 누군가의 기대를 저버려서 실망시키는 행위로 이어진다면, 당장은 힘들어서 차가운 보복과 모진 죽음이 따를지라도 물리쳐야 한다고 생각합니다."

"원장님의 강직함과 올곧은 성품을 짐작할 수 있네요. 그런 경우라면 엄청난 고난과 핍박 때문에 대부분의 사람들은 현실과 타협하고 말거예요. 인생에서 그런 힘든 결정을 해야 하는 경우는 일어나지 않기를 바라야겠지요."

"자기통제는 인생을 살아가는데 중요한 덕목이란 걸 알아요. 저는 그걸 조절할 수 있는 능력이 조금 강한 것 같아요. 물질이 주는 풍요로움이나, 사회적인 지위 상승도 필요하겠죠. 그래도 열렬히 환호하는 인기의 함성보다도, 환자를 치료할 때 느끼는 보람과 조용히 누리는 일상의 평화로운 삶이 더 소중합니다."

"원장님이 실명한 것도, 다시 세상의 빛을 찾는 일을 피할 수 없는 운명으로 받아드리면 안 되겠습니까? 이건 신이 주신 인생에 단 한번뿐인 기회예요. 의학적으로 빛을 찾을 수 있는 시간은 이미 지나갔어요. 이번에 수술을 받지 않으면 빛을 찾을 수 있는 기회는 영원히 사라져 버립니다. 그렇게 두 세 가지 일을 함께 하시면 어떨까요?"

"운명의 힘이 아무리 강하다 하여도 포기하는 게 옳다는 결론에 도달했어요. 제 마음의 평화가 깨지는 걸 막을 수가 없을 것 같아요. 다른 건 모두 포기하더라도 그것만은 내 것으로 소유하고 싶어요. 박사님의 고마운 마음 평생 잊지 않고 살아갈게요."

"왜 자꾸 억울한 생각이 들까요? 빛을 찾아드려서 편하게 일을 할 수 있는 기회를 드리고 싶어요. 그건 욕심도 아니고 남을 헤치는 일도 아닙니다. 이 시대는 존경할 수 있는 사람이 드문 세상이에요. 모처럼 존경할 수 있는 분을 만나 과학이 주는 편리함을 드리고 싶어요. 저의 안타까운 심정을 물리치지 말아주세요."

"선박사님의 말씀이 감명을 주는군요. 제눈의 시력을 찾는 일보다 더 소중한 것이 있다 하더라도 아내의 마음을 편하게 하는 것보다 우선할 수는 없습니다."

"제 마음이 왜 이렇게 허전하고 안타까울까요? 왜 우리사회가 원장님께 희생과 봉사만 강요해야할까요? 훌륭한 일을 하는 만큼은 아니더라도 조금은 편하게 살아야한다고 생각했어요."

"선박사님의 배려와 우정에 감사를 드립니다. 제 인생에서 박사님을 알게 된 것은 영광이고 기쁨입니다."

"마음의 평화를 깨트리는 일은 없어야겠죠? 원장님의 지조 있는 삶이 혼탁한 사회의 등불이 되고 지침이 되는군요. 참으로 안타깝지만 수술은 포기해야겠네요. 두 분께서 영원히 행복하시기를 빌겠습니다."

선박사는 자신도 모르게 벌떡 일어나 깊이 머리 숙여 인사를 했다. 그의 통찰력과 사고의 폭이 한없이 커서 감동을 받았다.

"제 뜻을 이해하여 주시니 감사드립니다. 다른 사람을 속이는 건 쉬울지 몰라도 나 자신을 속일 수는 없다고 생각했어요."

"이건 어느 누구에게도 손해를 주고 폐를 끼치는 일이 아니며 더구나 기만하는 일이 아니에요. 이점만은 이해하여 주세요."

"아내의 마음을 어지럽게 하고 내 마음이 흔들리는 일을 한다면 그건 용납할 수가 없어요. 우리 사회가 좀 더 남을 배려하는 쪽으로 변해가길 바랄뿐입니다."

"원장님의 높은 인격과 품격 있는 언행에 큰 감명을 받았어요. 허명을 탐하며 살아왔던 헛된 삶이 부끄럽군요. 저도 다른 사람을 위하여 여분의 손수건을 갖고 다녀야겠어요. 세상에 알려진 소문이 빈말이 아니었군요."

선박사는 아내의 불편한 마음을 염려하여 빛을 포기하고 베풂을 실천하려는 의지에 놀라움과 감탄을 금치 못했다. 깊이를 모르는 인격에 흠뻑 빠져서 존경심이 일어났다.

30

임이시여! 당신이 먼저예요.

반원장이 시력을 찾을 수 있다는 희망에 제일 기뻐한 사람은 아내였다. 그러나 기쁨도 잠시 남편이 좋은 기회를 스스로 포기하자 귀한은 근심어린 표정으로 말했다.

"여보, 왜 수술을 포기하시려는 거예요?"

"당신이 곁에서 세상을 볼 수 있게 해주는데 무엇을 더 바라겠어요?"

"이건 기적이라고 했어요. 당신이 세상의 빛을 직접 보셔야 해요. 꼭 수술을 받으셔야 해요."

"당신은 언젠가 빛을 찾을 수 있는 기적 같은 일이 일어날 수 있다고 희망을 주신 적이 있었어요. 정말 꿈같은 일이 있어났지만 내가 사양해야겠어요."

"그건 사양할 일이 아니에요. 이번 기회에 기적을 만들어서 어둠의 고통에서 탈출하셔야 해요."

"당신을 통하여 세상의 빛을 볼게요. 기적 같은 일이 일어났지만 편한 마음으로 포기한 거예요. 내 모든 걸 볼 수 있는 당신이 곁에 계시니까요."

"당신의 불편과 갑갑함을 상상하는 것만으로도 괴로운데 수술을 거부하시다니 이럴 순 없어요. 그건 절대 포기하시면 안 돼요."

"당신 마음의 한 모퉁이에 털끝 만큼이라도 힘든 모습이 있다면 그건 내가 바라는 삶이 아니에요. 당신을 근심하게 할 수는 없어요."

"죽으면 썩어버릴 흙터자국이 무엇이 그리 소중하다고 당신의 빛을 포기하겠다는 거예요? 당신을 얼마나 사랑하는데 그런 말씀을 하세요?"

"당신도 나의 희망이고 생명의 빛이에요. 빛을 볼 수는 없어도 당신이 주는 사랑의 빛을 통하여 세상을 볼게요. 당신 마음을 어지럽히고 마음의 평화를 깨트릴지도 모를 일은 하고 싶지가 않아요."

"당신은 절 그토록 사랑하고 계시는군요. 저를 위해서라면 어떤 고통과 불편도 참고 견디시겠다는 거로군요. 여보, 제가 후회하는 일은 절대로 없을 거예요."

"사랑은 가르치고 배우는 것이 아니라 실천하는 것이라고 했어요. 당신이 날 위해 모든 걸 포기하며 살고 있는데 난들 못할 게 무엇이 있겠어요? 세상에서 당신보다 소중한 것은 없어요."

"그렇지만 한번뿐인 기회를 버리시다니 그럴 수는 없어요. 이번만은 자신을 챙기셔야 해요. 당신의 소중한 빛을 찾아야 해요."

"더 이상 맘 쓰지 마세요. 나도 이쯤은 포기해야겠어요."

"길고 긴 암흑의 고통에서 벗어나셔요. 당신이 누릴 수 있는 편안함과 행복을 포기하지 마세요. 제발 생각을 바꿔주세요."

"슬퍼하거나 아쉬워하지 않을게요. 한순간이라도 당신의 행복과 마음의 평화를 빼앗을 수가 없어요. 나의 편안함보다도 당신을 힘들게 한다면 그건 내가 바라는 삶이 아니에요."

이때 귀한은 남편의 마음을 돌리기 위해 마지막 방법으로 화를 내는 듯 강하게 말했다.

"당신이 수술을 받는 것은 가장 시급한 일이에요. 그런 소중한 기회를 포기하는 결정을 왜 혼자서 하시는 거예요? 당신에게 나의 존재는 무엇이에요?"

"환자들이 건강을 찾아서 그들이 기뻐할 때 나도 행복해요. 앞으로도 그런 일을 계속하고 싶은데 시력을 찾은 후 교만과 나태에 빠져 내가 할 일을 소홀히 할까 두려워지더군요. 행여 마음이 흔들리거나 결심을 번복하고 싶지 않았어요."

"당신이 잘 될 수 있는 기회를 포기하시면 그럼 나쁜 일만 남을까 두려워요. 당장 제 눈이라도 뽑아서 드리고 싶은 심정인데 제발 제 가슴에 한을 남기지 마세요."

"앞으로는 당신의 의견을 존중하리다. 이해심 많은 당신이 아파하지 말고 담담하게 받아주세요."

"빛을 찾을 수 있는 수술을 포기하시다니 이를 어쩌면 좋아요? 전 언제나 당신 편이지만 이번만은 아니에요. 제발 마음을 바꿔주세요."

"당신은 무슨 일이든 나를 믿어주는 사람이에요. 그런 당신이 곁에 계신데 무얼 더 바라겠어요? 당신의 뜻을 거역하는 건 이번 한 번 뿐이에요."

"혼자라고 느끼며 살아온 날들이 많았어요. 당신을 만나 병을 고치고 행복하게 살고 있어요. 이제 바랄게 없어요. 당신이 행복할 수 없는 삶이라면 저 혼자서 행복할 수 없고 살아야할 이유가 없어요. 이제 당신이 이끌어 주셔야 해요."

"혹시라도 내 마음이 흔들린다면 후회할 것 같아요. 당신 사랑하는 마음을 지키는 일이라고 생각해줘요."

"슬픈 결정에 동의할 수는 없지만 그래도 따를게요. 당신을 존경하고 사랑하니까요. 당신은 눈이 없어도 환자를 치료할 수 있고 생명을 구할 수 있으니까요."

아내는 안타까운 심정에 슬피 울며 사정했다. 끝내 남편의 결정을 존중하여 자신의 뜻을 접었다.

다른 사람을 자신보다 더 사랑할 수가 있을까? 진실한 사랑은 그에게서 행복할 수 있는 기회를 빼앗거나, 어떤 것을 포기하게 해서는 안 된다.

"당신은 조건이 좋은 남자들을 제쳐두고 나와 결혼한 용기 있는 여자에요. 난 그것 하나 만으로도 당신을 존경해요. 당신을 사랑하는 내 마음을 다른 사람들은 짐작도 할 수 없을 거예요."

"그건 당신의 위대한 삶에 반하여 제가 선택한 길이었어요. 세상의 모든 걸 다 준다 하여도 당신과 바꿀 수는 없었어요."

"인간은 자신의 욕구나 욕망에 앞서 지켜야할 의무가 있다고 생각해요. 내가 지켜야할 품위의 최고 상대는 바로 당신이에요."

"당신은 세상의 빛이 필요한 사람이에요. 당신이 빛을 찾아 편하게 사는 것이 최고의 바램이에요. 당신을 위해서라면 두려울 게 없어요."

"내 곁을 지켜주는 당신이 있어 행복해요. 당신을 힘들거나 슬프게 할 수가 없어요. 나도 더 이상 바랄게 없어요."

귀한은 한 번 뿐인 기회를 포기하는 게 속상하고 억울했다. 아무리 남편의 뜻을 존중 한다 하여도 미련을 버리는 게 힘이 들었다. 한으로 남아 두고두고 후회하며 살 것만 같았다.

"여보, 제 마음이 아파요. 사랑하는 사람의 마음을 슬프게 하지 마세요. 우리 사랑은 그러지 말아요. 당신이 심사숙고하여 결정한 의견을 반대한 적이 없지만 수술을 포기하겠다는 생각에는 찬성할 수가 없어요. 아쉬움을 떨쳐버리기가 힘이 들어요."

"우리 이대로 살아요. 눈이 없어도 그리고 빛이 없어도 괜찮아요. 세상의 그 무엇과도 우리의 삶과 사랑을 바꿀 수는 없어요."

"제겐 당신이 먼저예요. 당신을 위해서라면 모든 걸 버릴 수 있어요. 저 때문에 수술을 포기하시면 절대로 안 되요."

"나에게도 당신이 먼저라오. 세상에 태어나 내가 받은 최고의 선물은 바로 당신이에요."

"아침에 눈뜨고 싶은 가장 큰 이유는 당신이 곁에 있기 때문이에요. 당신도 편안한 삶을 누릴 수 있는 시간을 가져야 해요."

"당신도 나의 유일한 사랑이에요. 당신이 행복할 수 있다면 내 모든 걸 포기해서라도 그렇게 하겠어요. 당신께 행복만을 드리고 싶어요."

"제 마음이 왜 이렇게 허전하고 안타까울까요? 당신은 나에게 행복의 꿈을 실현시켜준 남자에요. 저도 당신께 편안함을 드리고 싶은데 어쩌면 좋아요. 평생 한이 되어 저를 괴롭힐 것 같아요."

"나도 당신을 만나서 행복을 찾았어요. 천사같이 고운 마음을 가진 당신이 있어 몸과 마음이 편안한데 무엇을 더 바라겠어요."

"제가 이렇게 행복해도 될까요? 나중에라도 당신 마음에 후회하는 일이 생기면 어떡해요?"

"후회하는 일은 절대로 없을 거예요. 당신이 행복할 수 있는 기회를 빼앗을 수가 없어요. 당신을 평생 행복하게 해주고 싶어요."

"당신이 홀로 외롭지 않게 할 거에요. 당신의 보호자가 되고 연인이며 동반자가 되어서 영원히 세상을 함께 할 거예요."

"우리 이대로 사랑하며 살아요. 눈이 없어도 그리고 빛이 없어도 괜찮아요. 세상의 그 무엇과도 우리의 삶과 사랑을 바꿀 수는 없잖아요?"

남편의 속 깊은 마음을 모두 헤아릴 수는 없어도 한 없는 존경심이 솟아났다. 남들은 그들의 사랑의 깊이를 이해할 수 없을 것이다. 그것은 인간의 이성으로 설명하거나 상상할 수 없는 일이기 때문이다. 사랑이 열정과 함께 의무가 된다면 영원한 사랑을 이룰 수 있다. 그들의 사랑은 모든 사람이 부러워할 진실 되고 완전한 것이어서 바윗돌 같이 굳어졌다.

사랑은 달콤한 말이 아니라 진실한 믿음과 행동이 앞서야 한다. 그것은 나보다 상대를 더 사랑하는 마음에서 출발한다. 이해관계에 따라 변하지 않으며 조건 없이 줄 수 있는 순수한 것이어야 한다. 기꺼이 나의 것을 포기하면서 어떤 희생과 불편함도 감수할 수 있어야 한다. 때로는 자신의 목숨을 바쳐서 지켜야할 의무가 되어야 한다.

31

다시 찾은 빛

반원장이 빛을 찾기 위한 노력은 결국 제자리로 돌아왔다. 그러나 헛되게 보낸 시간은 아니었다. 인간이 지닌 고귀한 인품을 접하면서 넉넉하고 진실한 인간성이 줄 수 있는 거룩하고 숭고한 감동의 힘을 받았다. 마음이 따뜻하고 아름다운 사람들이 주는 인연의 깊이와 인간적으로 더욱 성숙할 수 있는 기회가 되었다. 한편 반원장에게 빛을 찾아주려던 사람들은 선박사가 일을 잘못하여 이식수술을 그르쳤다고 비난했다.

“일을 시작했으면 끝을 봐야지 어떻게 중도에서 멈춘단 말이오? 반원장에게 시력을 찾아주자고 후원회까지 만든 우리들 체면이 뭐가 되겠소?”

세상 일은 잘되면 자신의 공으로 차지하지만 일이 잘못되면 남의 탓으로 돌린다. 선박사는 자신에게 쏟아지는 비난이 조금은 억울하고 자존심이 상했다.

아쉬움을 달래던 중 공손한 노인이 입원해 있는 병원 의사로부터 다급한 전화를 받았다.

“공손한 환자분의 유언장이 공개되었는데 사후에 자신의 안구를 반원장께 기증하겠다는 내용이 들어있어요.”

“지금 환자분의 상태는 어떻습니까?”

“조금 전에 중환자실로 옮겼어요. 수술을 서둘러 주셔야겠어요.”

선박사는 안전한 안구 적출 수술을 부탁하고는 반원장을 만나러 침술원으로

갔다.

"원장님, 혹시 공손한 노인의 소식을 들었습니까?"

"지난번 병원에서 뵙고는 따로 연락을 드리지 못했어요."

"그분의 유언장이 공개되었는데 원장님께 안구를 기증하겠다는 내용이 들어 있다 합니다."

"그럼 운명 하신다는 말입니까? 끝내 기력을 회복하지 못하셨군요?"

"몸의 상태가 나빴는데도 오래 버티신 걸보면 남다른 의지를 지니신 분 같아요."

"제게 생각할 틈을 주시면 안 되겠습니까?"

"원장님, 인생에서 지금 아쉽게 보낸 기회가 언젠가 다시 내게 오리란 보장이 있을까요? 이젠 지체할 시간이 없어요. 환자분의 숭고한 뜻을 받아드려서 수술을 받으셔야합니다."

"어느 길이 옳은지 선뜻 판단이 서지 않는군요."

"설마 이번에도 그분의 마지막 유언까지 거절하시겠다는 건 아니겠죠?"

"정말 다시 빛을 찾을 수가 있을까요? 왜 이렇게 마음이 혼란스러운지 모르겠군요."

공손한 노인의 끝 모를 희생과 은혜를 갚으려는 거룩한 정성 앞에 감동의 눈물이 앞을 가렸다. 반원장은 안구이식 수술을 받을 기회가 현실로 다가오자 결단을 내리지 못하고 또 다시 망설이며 주저했다.

"그 동안 얼마나 힘들게 살아온 세월입니까? 환자분의 유지를 받아드려서 이번에는 무슨 일이 있어도 수술을 받으셔야 합니다."

선박사는 지난번 일을 성공하지 못한 것이 아쉬움으로 남아 있던 터라 강경하게 말했다. 반원장은 은혜를 갚으려는 공손한 노인의 거룩한 마음을 더 이상 물리쳐서는 안 된다고 생각했다.

안구이식 수술을 집도한 선박사의 손길이 긴장감에 휩싸였다. 평소 존경하는 반원장에게 빛을 찾아주자는 운동을 주도하여 왔던 만큼 수술의 부담감이 컸다. 반원장을 아끼는 사람들은 한뜻이 되어서 수술의 성공을 기원했다. 붕대를 푸는 날 아침 사람들은 긴장감 속에서 초조한 마음을 감추지 못했다. 선박사가 붕대를 푸는 순간 동시에 반원장의 감격스러운 목소리가 튀어나왔다.

"아, 빛이다. 세상의 빛이 보인다."

그의 목소리가 들떠있었다. 지켜 보고 있던 사람들은 누가 먼저라 할 것도 없이 박수를 치며 함성을 질렀다. 선박사가 손전등을 켜고서 불빛을 보여줬다.

"원장님, 이 불빛이 보입니까?"

"선박사님, 빛이 보입니다. 잃었던 세상이 보입니다."

"자 다시 한 번 보세요. 불빛이 보입니까?"

"제게 기어이 빛을 찾아주셨군요. 제가 꿈을 꾸고 있는 건 아니겠지요?"

반원장은 자리에서 일어나 고개를 숙여 인사했다. 가벼운 현기증을 느꼈지만 빛을 찾은 기쁨에 가려졌다.

"원장님의 안구 이식 수술을 성공한 것은 제 인생에서 가장 기억에 남을 것 같습니다."

"감사합니다. 빛을 찾아주셔서 감사합니다."

드디어 꿈 같은 일이 일어났다. 40여 년 전 폭발사고로 갑자기 잃었던 아름다운 세상을 다시 찾았다. 찬란하고 황홀한 태양빛에 눈이 부셨다. 얼마나 보고 싶고 그리워했던 빛이던가? 쏟아지는 햇살을 온몸에 받으며 마치 잃었던 자유를 찾은 것처럼 즐거움을 만끽했다. 눈을 크게 뜨고서 세상을 보고 또 보아도 싫증이 나지 않았다. 그것은 소리 없는 감동이었고 말로는 표현할 수 없는 엄청난 감격이었다.

신은 인간에게 성공할 것을 원하지 않고 노력할 것을 바라신다고 했다. 때로는 불가능해 보이는 일도 노력하면 이룰 수 있다. 모든 사람이 큰일을 할 수 있는 건 아니지만 열중한다면 한걸음이라도 목표에 다가갈 수가 있다. 세상에는 만인을 공분케 하는 악마와 같은 본성이 있는가하면, 잃었던 빛을 찾게 해주어서 새로운 삶을 살 수 있도록 도움을 주는 거룩한 심성도 있다. 세상에 태어나 자신의 눈을 주어서 빛을 찾아주고 떠난다면, 그냥 착한 마음이라 하기에는 부족할 것 같고 진정 선인의 자질을 타고났다 칭송하여도 모자랄 것이다.

반원장이 퇴원 하던 날 두 사람은 환한 얼굴로 마주 앉았다.

"오늘부터는 남의 힘 빌리지 않고 모든 일을 혼자서 할 수 있게 됐어요. 제게 기적 같은 빛을 안겨주셔서 다시 한 번 감사를 드립니다."

"이제 꿈이 현실이 되었어요. 밝은 세상에서 원장님의 포부를 맘껏 펼쳐보세요. 저도 안구 이식 수술을 성공적으로 완수한 것을 인생에서 최고의 영광으로 간직할게요."

"선박사님의 뜨거운 열정에 반하고 말았어요. 우린 비슷한 동년배로서 우정 이상의 헌신을 느끼며 친구가 될 수 있음을 알았어요. 제게 주신 아름다운 우정을 잊지 않고 살게요."

"누군가를 내 친구로 만들고 싶다면 먼저 그의 진정한 친구임을 보여주라고 했어요. 원장님의 진실한 친구가 될 수 있다면 저 또한 기쁘지요. 저도 좋은 친구가 될 수 있도록 노력할게요."

"나는 소중한 빛을 찾으면서 우리사회의 희망을 보았어요. 두 눈의 시력을 잃었을 때 부모님의 말씀이 희망을 주셔서 나를 일으켜 세웠는데, 이번에는 선박사님과 공노인께서 두 번째 삶의 희망을 주셨어요. 다시 찬란한 세상의 빛을 찾았어요. 고마운 마음 평생 잊지 않고 살아갈게요."

"저는 이번 일을 하면서 이건 하늘이 주신 인연이라 생각했어요. 두 분께는 분명 어떤 인연의 고리가 있었을 겁니다. 그것이 무엇인지 제게는 귀띔해주실 수 있겠습니까?"

만물은 인연의 소생이라 하여 인연 아닌 것이 없다고 했다. 한번 맺은 인연은 끊기지 않는 실타래처럼 길고 긴 사연으로 얽혀있는가 보다. 두 사람의 심연처럼 깊은 인연의 크기를 어찌 짐작이나 할 수 있을까? 세상의 빛을 주고 받으며 쌓은 인연이라면 분명 하늘이 맺어준 인연일 것이다. 공노인의 거룩한 뜻은 현실에서는 이루지 못했을지라도 결코 지울 수 없는 감동적인 족적을 남기고 우리 곁에 살아 숨 쉬게 하였다.

"아마 그 분은 천사일 거예요. 저에게 부족한 인간의 위대한 사랑을 가르쳐주시고 빛을 찾아주신 살아있는 천사였어요."

확실히 인간에게는 피할 수 없는 운명이란 게 있다. 남들은 상상도 할 수 없는 하늘이 내린 인연이기에, 공손한노인은 20여년의 세월을 뛰어넘어서 한결같은 마음으로 빛을 찾아주려는 믿음을 실천하였을 게다. 세상에 이렇듯 감동을 주는 인연 또한 흔치 않을 것 같다. 반원장은 그것이 환자를 긍휼이 여기라는 스승님의 가르침을 실천하며 살아온 자신의 진심 때문이라고 생각했다. 언제나 겸손한 마음으로 환자를 치료하는 성심이 통했다고 믿었다.

진실한 사람은 서로의 마음이 통하는 가보다. 반원장과 선박사는 서로 이상에 맞는 사람을 얻었다. 서로의 인격에 반하여 형제애 같은 우정을 나누는 좋은 친구가 되어서 인생을 값지게 하였다. 그날 집에 도착한 반원장은 엉금엉금 기어다니는 늦둥이의 눈매가 자신의 어릴 적 눈매와 꼭 닮은 걸 발견하고는 신기한 듯 활짝 웃었다. 그는 비로소 빛을 찾은 기쁨을 실감했다. 빛이 주는 자유와 세상에서 누리는 풍요로운 행복은 크기와 종류를 가늠 할 수가 없었다. 그는 꿈같은 일상의 기적을 즐기며 감사한 마음을 잊지 않았다.

그로부터 1년 쯤 지난 후 침술원에 한통의 등기우편이 배달되었다. 발송인이 표시 되어 있지 않은 편지 속에는 1억원의 기증서와 정성 어린 내용의 서신이 들어 있었다.

"내가 사랑하는 사람들과 함께 있는 시간이 얼마 남아있지 않으나 원장님도 그중 한 사람 이란걸 이해하여 주오. 이 편지를 볼 때쯤이면 나는 세상에 존재하지 않는 고인이 되었으니 사양할 일은 없겠지요? 살아생전에 내 몸의 일부를 주어 은혜를 갚으려했으나 뜻대로 되지 않았소. 아름다운 세상에 태어나 덤으로 산 인생까지 80년 넘게 살았으니 아무런 여한도 남아 있지 않다오. 내 재산의 일부를 무료 침술원에 기증하니 원장님의 큰 뜻에 동참하려는 늙은이의 정성을 받아주세요."

이제 나의 소망이 이루어졌기를 기대하겠소. 이 서신만은 나의 밝은 눈으로 원장님이 직접 읽을 수 있기를 간절히 바라오. 원장님은 세상에서 제일 중요한 것은 사람이라는 사실을 가르쳐 주시며 생명의 존엄성을 지켜주었어요. 내가 한 인간으로 존경 받아야 한다면 다른 사람도 그만큼 소중하겠지요. 남을 존중할 때 나도 존경받을 수 있음을 실천하셨기에 그렇게 하고 싶은 거라오. 나는 인생의 진정한 행복의 의미를 깨닫고 가려하오. 원장님이 주신 것처럼 나도 줄 수 있어서 행복하오. 늘 건강과 행운이 참다운 삶을 살고 있는 원장님과 함께 하기를 빌겠소.'"

죽음은 인간의 마음을 메마르게 한다지만 고인의 거룩한 성심이 그를 슬픔에 빠트렸다. 마지막까지 자신의 눈을 주어 빛을 찾아주려고 애쓰던 그의 음성이 귓가에 맴돌았다.

"모든 인간은 삶과 죽음을 경험하지요. 어떻게 죽어야할 가를 알게 되면 어떻게 살아가야 할지도 알게 되지요. 가끔은 자신의 인생을 어떻게 살아야 할 가를 생각해볼 필요가 있어요."

인간은 일상에서 누리는 소중한 삶의 가치를 모르며 사는 경우가 많다. 그러다가 친지의 죽음, 이혼, 큰 병이나 상처와 같은 외적 충격에 의하여 자신의 잘못된 생활방식이나 습관을 후회하고 반성하게 되는데 그때는 늦는 경우가 많다. 공손한 노인을 생각할 때마다 인연의 소중함을 느낀다. 자신에게 닥쳐올 죽음과 같은 변화에 대비하고, 준비하는 삶을 살아온 뜻에 존경심과 감사한 마음을 잊을 수 없다. 이제는 그분의 눈을 받아서 세상의 빛을 찾았다. 그분과 함께 살면서 환자들을 돌보고 있으니 편히 쉬시리라 믿는다.

32 행복이 주는 여운

어느 가을 날 진료를 마친 반원장은 조촐한 저녁상을 받았다. 부부는 저녁밥을 먹을 때나 얼굴을 맞대고 앉아서 한가롭게 대화를 나눈다. 일이 힘들고 피곤할지라도 그들 곁에는 늘 부드러움과 따뜻함이 있어서 마음의 안정을 주었다.

"바로 이 맛이야, 당신이 끓인 배추국은 언제 먹어도 시원하고 감칠맛이 나네요. 오늘 쌓인 피로를 말끔히 씻어주는 것 같구려."

"흔한 배추국 한 그릇 드시면서 피로가 풀린다니 당신의 소박한 입맛은 변함이 없네요. 아버지께서 침술원 식구들이 먹을 김장을 담그라고 무와 배추를 오백 포기 씩 보내주셨어요. 올해는 가을볕이 좋아 배추가 실하다고 하시며 당신 좋아하는 배추국을 실컷 잡숫도록 끓여주라고 하시대요."

"이 배추국이 어디 예사로운 것이겠어요? 장인어른의 땀이 배어있고 당신의 정성이 가득 담겨있는 진한 국이지요. 일이 바쁘다는 핑계로 한 동안 안부인사도 전하지 못했는데 못난 사위를 먼저 챙겨주시는군요?"

"아버지 건강이 예전 같지 않아 불편한 곳이 많으신가 봐요. 저도 딸 노릇을 제대로 하지 못하여 송구스런 마음이에요."

"당신은 처녀 적부터 효녀로 소문이 났었는데 침술원 살림을 하며 내 시중을 드느라 불효를 하고 있으니 뵐 면목이 없구려."

"당신 앞에는 수많은 환자들이 기다리고 있어요. 당신의 거룩한 손길로 그들의 아픈 몸을 어루만져 주셔요. 아버지도 이해하고 계실 거예요."

반원장은 식사를 하다말고 사랑스러운 눈길로 아내를 빤히 쳐다보았다. 그윽한 눈길에 존경과 따뜻함이 담겨있었다.

"식사를 하다말고 왜 그렇게 뚫어져라 바라보는 거예요? 제 얼굴에 뭐가 묻었어요?"

"당신이 예쁘구려. 당신의 환한 미소를 매일 볼 수 있다니 꿈만 같아요."

"정말이세요? 늙어서 쭈글쭈글해진 얼굴이 정말 예쁘세요? 지금 놀리시는 거예요?"

"당신의 천사 같은 얼굴은 아무리 보아도 싫증이 나지 않아요. 예쁜 모습을 실컷 보라고 나에게 빛을 찾아준 거예요."

"당신이 환자들 치료하느라 고생하시는 모습이 안타까워서, 그리고 더 많은 환자들의 건강을 돌봐주라고 빛을 찾아준 거예요."

"덕분에 당신 고생이 늘었으니 어쩌면 좋아요?"

"저는 행복에 빠져있으니 그런 걱정은 하지 마세요. 정성을 들여 키운 난초가 그윽한 향기를 토하며 수줍은 듯 탐스러운 꽃망울을 터트렸을 때, 해질녘 서쪽 하늘을 붉게 물들인 저녁노을이 오늘 따라 더 아름답다고 느낄 수 있다면 바로 그게 행복이 아니겠어요?"

"당신의 소박한 마음은 언제나 예쁘구려. 평생 꿈꾸던 행복을 누릴 수 있도록 내게 기적 같은 일이 일어났나 봐요."

"행복이란 무더운 여름철 빨갛게 잘 익은 수박 한쪽을 먹을 때 느끼는 시원 달콤한 청량감 같은 거예요. 언제나 볼 수 있는 파란 하늘의 상쾌함과 푸른 나뭇잎이 주는 싱싱함을 보고 느끼는 것만큼 단순해요. 인간은 주변에 널려있는 행복한 것들은 멀리하고, 실체도 모르고 근원도 알지 못하는 불확실한 행운을 쫓으며 시간을 낭비하는 경우가 많아요. 당신과 살고 있는 현재의 생활은 제가 처녀적 꿈꿔왔던 삶보다 훨씬 보람되고 행복해요."

인간이 위 만 보고 걷는다면, 가진게 작다고 한탄하며 살아간다면, 만족하고 감사할 줄 모른 체 좋은 것만 바라며 산다면, 행복은 결코 잡을 수 없는 아름다운 무지개처럼 멀리 있는 것이 아니겠는가?

"사실 행복에 거창한 이유 같은 건 없어요. 있는 그대로 나의 현실을 즐기면 되는 것을 그걸 모르는 사람들이 애써 특별한 걸 찾으려고 하지요."

아내는 예쁘다는 말에 소녀처럼 수줍게 웃었다. 아내의 얼굴에는 사랑과 인자함이 가득했다. 힘든 일 하면서도 투정 한번 부리지 않고 자신을 도우며 살고 있는 아내가 더없이 사랑스러웠다. 그들은 소박한 저녁 밥상을 마주하고서 행복이 주는 여운을 나눴다.

사람들은 왜 행복을 멀리서 찾으려할까? 아내의 말속에서 행복의 참다운 의미를 발견했다. 사람들은 행복이 떠난 뒤에야 그것을 느끼고는 아쉬워한다. 행복은 확실히 떠난 뒤에 더욱 빛이 날 때가 많다. 그것은 만족할 줄 모르는 욕심 때문이다. 인간은 종종 귀중한 것을 잃어버리고 난 후에 소중함을 알게 되고, 떠난 뒤에 후회하며 안타까워한다. 그리고 불행해진 다음에야 행복이 무엇인지 알게 되는 실수를 범한다.

인간은 자신이 소유하고 있는 것은 작고 초라해 보여서 더 갖지 못한 걸 아쉬워한다. 그런데 작고 초라한 것을 나누면 어떻게 될까? 한 방울의 향수가 주위에 향내를 퍼트릴 수 있듯이 행복도 널리 전파할 수 있다. 행복이란 누군가에게 조금만 나누어 주어도 그들에게 기쁨과 즐거움을 주는 마술과 같이 변한다. 작은 나눔의 행동이 따뜻한 배려가 되어서 누군가를 행복하게 할 수 있으며 더불어 나 역시 행복해질 수가 있다.

인생이란 여행을 하면서 느끼는 행복의 여운은 어떤 것일까? 반원장은 다시 빛을 찾은 기적과 같은 큰 변화가 일어났지만 병자를 위하는 마음은 변함없이 넓고 자유로웠다. 더 많은 환자들에게 건강을 찾아주기 위하여 끊임없이 나누고 베풀면서 살고 있다.

"나눔은 크기가 거창한 것이나, 고상하고 특별한 것을 생각할 필요는 없어요. 내가 가진 것이 재물이라면 재물을 나누고, 시간과 힘과 노력과 재능을 나누고, 그리고 믿음과 마음을 따뜻하게 나누면 되지요."

"자신에겐 작고 사소한 것일지라도 그것이 필요한 사람에게는 용기를 주어서 희망의 불빛이 될 수 있으니까요."

"세상에는 나비효과가 있어요. 처음 나비의 날갯짓은 미미하지만 나중에 폭풍우와 같은 큰 변화로 이어지는 현상을 말하지요."

"한 사람이 시작한 작은 선행이 이웃으로 번지고 많은 사람이 참여하면 나중에는 셀 수없이 커다란 결과를 만들어 낼 수 있어요. 밝은 희망처럼 얼마든지 자신이 직접 만들 수가 있지요."

졸졸 흐르는 실개천이 모여서 나중에는 깊이를 알 수 없는 큰 강을 이루어 도도히 흐른다. 여러 사람의 작은 호의와 배려와 도움이 모이면 상식으로는 판단할 수 없고 예상할 수 없을 만큼 크고 아름다운 결과를 만들어낸다. 이것이 나눔과 베풂이 주는 효과이고 기적이다. 인간은 이런 일에 기꺼이 동참하여 사회를 발전시켜야 한다.

주는 것이 아름답다. 어여쁜 모습은 눈에 남고 상냥한 말은 귀에 남지만, 따뜻한 배려와 나눔은 가슴에 남는다. 세상을 향하여 베푼 나눔은 절대로 사라지지 않는다. 오히려 다른 사람들의 나눔이 더해지고 커져서 부메랑처럼 번져가게 된다. 도도히 흐르는 강물이 땅을 적시고 곡식을 키우며 수많은 생명들에게 혜택을 주는 것처럼, 남을 위한 선행은 셀 수 없이 많은 경이로움을 낳아서 키워준다.

"오늘 아침에도 코피를 흘리셨어요? 당신은 휴식도 없이 환자들 치료에만 전념하고 계시는데 힘들지 않으세요?"
"글쎄, 요즘 들어 코피가 자주 나는구려."
"과로하시는 것 같아요. 이제 당신이 하는 일을 조금씩 줄여보세요."
"내 손길을 기다리고 있는 환자들이 많은지라 그게 좀 어려워요. 열심히 일한 만큼 그들의 고통을 덜어주고 건강을 찾아줄 수 있어서 힘든 줄을 모르겠어요."
"당신이 괴롭고 힘든 건 참고 살면서 환자들이 아파하는 건 참지를 못하니 당신의 헌신과 수고는 끝이 없네요. 어느새 당신 머리칼이 많이 희여 졌어요. 주름살도 늘어났고 코피도 자주 흘리며 힘들어 하시잖아요. 평생을 쉬지 않고 환자들 치료하시면서 사실 거예요?"
"환자들을 치료하며 함께 지내는 시간이 즐거워요. 희미한 가로등불이 볼품없이 보여도 갈길 잃은 사람들이 방황하지 않고 목적지에 편히 가도록 인도하여 주잖아요? 힘이 달려 치료를 할 수 없을 때까지 아직은 일을 멈출 수가 없구려."
"당신은 지금도 한의 서적을 반복해서 읽으며 밤이 늦도록 연구를 하시는데 그럴 필요가 있어요? 수술 받은 눈을 혹사하지 마세요. 그러다가 탈이라도 나면 어쩌게요? 공부하는 시간 만이라도 줄여보면 어떨까요?"
"나에게 빛을 다시 준 것은 환자들의 건강을 찾아주라는 뜻이 아니겠어요? 한의사가 되어 병자들을 치료하겠다는 꿈을 이뤘듯이, 이제는 모든 환자들이 건강을 찾겠다는 그들의 소망을 이뤄주고 싶어요. 침술의 연마는 끝이 없어요. 책을 읽을수록 침술의 깊이가 깊어져 병을 치료하는 실력이 늘고 있으니까요."
"제자들에게 치료를 맡겨서 그들의 역량을 키워주세요. 당신의 부담을 조금씩 덜어보세요."
"환자들이 밀려들고 있어 제자들도 힘이 들 거예요. 침술원의 규모가 커져서 이제는 오케스트라를 연주하는 교향악단처럼 조화를 이뤄야 해요. 음악은 멋대로 소리가 나는 게 아니라 절제된 화음을 이뤄야 감동을 주잖아요? 아직 내게 힘이 있으니 환자들의 고통을 덜어주는 일을 멈출 수가 없어요."

"당신은 화려하진 않아도 가로등 불빛처럼, 묵직한 첼로의 연주자처럼, 음악이 주는 화음의 역할을 하는 그런 삶을 사시겠다는 거로군요? 당신의 고된 삶은 언제쯤 편히 쉴 수 있을까요?"

"하는 일에서 즐거움을 얻고 있으니 오히려 일을 멈추면 병이 생길지 몰라요. 많은 사람들이 도움의 필요성을 이해하고 실천하기를 바랄뿐이지요."

"평생을 일만하며 사실 거예요? 인생을 다시 살 수 있다면 어떤 일을 하고 싶으세요?"

"환자들 치료하는 일 외에 내가 할 수 있는 일이 있겠어요? 다른 길은 생각할 수가 없구려."

"위대한 사람은 꿈과 목표를 생각하고 평범한 사람은 오락과 욕망을 생각한다더니 당신은 오직 환자들 생각만 하시는군요?"

"내가 지닌 의술로 환자들의 병을 치료하여 건강하게 살 수 있도록 도움을 주는 것으로 만족하고 행복해요."

"이맘때쯤 고향의 산야에는 은백색의 갈대꽃이 아름답게 피어요. 해질녘 강가에 조용히 번지는 윤슬이 붉게 물들어오면, 가을바람에 휘날리는 갈대와 어우러져 환상적인 풍경을 연출하곤 했어요. 마치 거실에 걸어놓은 포근한 한 폭의 동양화처럼 친근하여 짙은 어둠이 내려앉을 때까지 넋을 잃고 바라보곤 했어요. 갑자기 당신과 함께 고향의 강가에 피어있는 갈대를 보며 잠시 휴식을 드리고 싶군요."

"당신의 눈을 사로잡았던 갈대의 풍경을 보고 싶군요. 그런데 환자들 돌보는 일을 놓은 후라면 모를까 아직은 그런 호사를 누릴 여유가 없네요. 당신이 즐겨 보았던 선경은 다음 기회로 미뤄야겠어요."

좋은 생각을 하면 좋은 일이 생기고, 나쁜 생각을 하면 나쁜 일이 생긴다.

"우리는 밝고 옳은 것이 인간이 가야할 길이고 기쁨이란 사실을 알아야 해요. 거짓은 진실로 맞서 싸우고 나쁜 생각은 바른 생각으로 물리쳐야겠지요."

"당신이 일을 즐기는 고상한 취미를 말릴 수가 없네요. 제발 일을 줄이고 쉬면서하세요. 자원봉사자들을 몇 명 더 늘려볼까요?"

"침술원에 직원이 늘어나면 살림이 많아지니 당신이 힘이 들겠지요. 다행이 우리 사회가 건강해지고 있어요. 그것으로 보람을 느끼면 되지 않겠어요?"

반원장은 몸이 예전 갖지 않아도 환자들 돌보는 손길을 멈추지 않았다. 한 사람의 생각과 용기 있는 행동으로 세상을 변화 시킬 수 있다는건 감동적인 일이다. 큰 배려나 베풂은 아니라하여도 나는 세상을 위하여 무엇을 할 수 있을까를 생각하며 살아가는 것이 중요하다.

우리는 많은 도움을 받으며 살아간다. 지금 베푼 배려와 나눔은 언젠가 다시 내게로 돌아온다. 다른 사람에게 도움을 주는 일은 결국 나를 아끼고 도움을 받는 일이다. 베풀 줄 모르는 사람은 남이 주는 배려와 도움을 받을 자격이 없다. 베푸는 삶은 마음이 즐거워지고 여유로움을 키워준다. 인생은 자신만을 위하여 살기에는 짧아서 베풀 수 있다는 게 바로 행복이 된다. 남을 돕는 일은 권장할 일이지만 상대방의 마음을 헤아려 진실된 마음으로 다가 가야 한다. 부주의한 행동이나 사소한 말 한마디가 상처를 줄 수 있기 때문이다. 나눔과 베풂을 실천하면서 생기는 교만함을 경계해야 한다. 나눔은 자신도 무언가를 할 수 있다는 자긍심을 갖게 한다.

인간은 격이 있어야 한다. 자신만의 고귀하고 신성한 품격이 될 수 있도록 끝임없이 연마해야 한다. 인간의 행동이 존경받는 인격으로 완성될 때 가치가 있고, 향기를 낼 수 있는 도리가 되고 도량이 된다. 우리 곁에는 고귀한 미덕으로 인정을 베풀고, 희생적인 행동으로 약자를 도와서 감동을 주는 사람이 있다. 다른 사람을 행복하게 해주는 사람이 대접받고 존경 받아야 한다. 인생을 살면서 한 번 쯤이라도 생판 모르는 사람을 기꺼이 돕는 일을 할 수 있다면 사회는 훨씬 부드럽게 변해갈 것이다. 우리가 사는 사회를 건강하고 따뜻하게 이끄는 사람이 진정한 영웅이 되어야 한다. 인간은 자신이 받은 혜택을 누군가에 줄 수 있는 삶을 살아야하겠다.

자신의 것을 주는 것은 작은 베풂이지만, 자신을 헌신 하는 건 진정한 베풂이 된다. 반원장 부부는 산처럼 높은 재능을 쌓아서 쉼 없이 나눠주고 베풀어도 더 높이 쌓여갔다. 그들은 베푸는 삶을 통하여 인간의 위대함을 보여주고 있다. 인간사랑은 신앙과 같은 것이어서 변하지 않는 신념이 되었다.

빛은 세상을 밝히는 힘이다. 그들의 마음은 남들은 상상할 수 없을 만큼 크고 넓었다. 그것이 인간을 사랑하는 원천이며 사람을 아끼고 존중하는 아름다운 사랑의 빛이다. 그 빛은 마음의 빛과 더하여 세상을 따뜻하게 감싸주면서 건강을 찾아주고 꿈과 행복을 선사하고 있다. 그들은 병들어 고통 받는 환자들을 돌보는 일에 평생을 바쳐서 일했다.

"인생은 알지 못하는 미지의 세계를 하얀 도화지 위에 꿈꾸며 설계해왔던 것들을 자신의 손으로 그리면서 만들어 가는 과정이에요. 과연 우리는 무엇을 만들고 어떻게 그리면서 살아야할까요?"

그들은 자신의 안락만을 위하여 이기적으로 살고 있는 세상에, 인간이 얼마나 위대한 일을 할 수 있는가를 보여주며 실천하는 사람들이다. 그들의 삶은 세월이 갈수록 더욱 성숙하여져서 맑은 향기가 넘쳐흘렀다.

"환자들의 병은 치료될 수 있으며, 건강을 찾아서 행복하게 살 수 있다는 희망을 주어야 해요. 우리는 그 일을 멈출 수가 없어요."

"진정 위대한 인생은 나눔과 베풂을 실천하며 많은 사람이 행복할 수 있도록 도움을 주는 삶이에요. 당신은 위대한 삶을 살고 계신 거예요."

진정한 나눔은 물질뿐 만아니라 자신이 지닌 의지를 나누는 것이 가치가 커진다. 환자들에게 삶의 의지와 용기를 심어주는 것은 소중한 일이다. 그들의 삶과 숭고한 뜻, 그 동안 쌓아온 업적과 인간사랑 정신은 인류의 양심이 살아있는 한 빛바래지 않고 길이 살아있을 것이다. 두 사람을 단단히 묶어주는 무한한 사랑의 빛은 진실한 마음의 빛이어서 변하지 않고 꺼지지 않는 태양처럼 세상을 영원히 비춰주며 오늘도 희망의 등불이 되어서 타오르고 있다.